Collins

Big book of **Wordsearches**

Published by Collins
An imprint of HarperCollins Publishers
Westerhill Road
Bishopbriggs
Glasgow G64 2QT
www.harpercollins.co.uk

10 9 8 7 6 5

ISBN 978-0-00-822092-1

Printed and bound by CPI Group (UK) Ltd, Croydon CR0 4YY

A catalogue record for this book is available from the British Library.

If you would like to comment on any aspect of this book, please contact us at the above address or online.
E-mail: puzzles@harpercollins.co.uk

PUZZLES

1 Bath Time

W	U	D	W	T	P	H	U	K	W	N	K	K	K	O
O	R	T	D	L	T	S	G	X	X	B	A	S	T	R
P	A	T	T	L	P	A	O	S	O	A	O	E	I	T
I	W	Q	T	U	E	L	P	F	T	T	S	N	L	S
U	A	W	F	D	T	P	U	E	P	H	S	E	H	C
M	U	P	O	U	C	S	S	N	L	E	W	O	T	R
A	T	J	U	O	K	O	P	D	G	L	W	V	T	U
A	M	T	F	N	R	L	O	I	W	E	O	A	C	B
O	O	E	P	E	U	L	N	P	R	N	B	S	S	Q
V	R	M	B	G	F	X	G	H	M	N	U	U	R	H
N	W	E	R	G	S	T	E	A	M	A	T	E	U	F
T	N	A	O	K	I	G	P	J	Q	L	H	U	P	X
Y	J	O	V	E	N	M	L	R	C	F	T	S	V	G
W	Q	R	M	T	S	U	L	O	O	F	A	H	P	Z
Z	V	A	N	K	C	U	D	R	E	B	B	U	R	I

BATHE
BATHTUB
CLEAN
DIP
DUNK
FLANNEL
LOOFAH
PLUG
PLUNGE
RINSE
RUBBER DUCK
SCRUB
SHAMPOO
SHOWER
SOAK
SOAP
SPLASH
SPONGE
STEAM
TOWEL
WASH

2 Say 'Cheese!'

G	M	O	N	T	E	R	E	Y	J	A	C	K	G	D
O	O	R	G	N	N	E	I	E	S	L	A	I	B	I
H	Z	U	R	T	O	T	R	O	F	O	E	C	J	I
A	Z	P	D	I	P	S	B	Y	A	Z	R	P	O	R
T	A	W	K	A	R	E	T	T	E	N	P	E	S	A
L	R	F	E	T	A	C	R	N	G	O	H	N	G	S
C	E	C	Y	N	C	I	E	J	A	G	I	J	T	C
E	L	H	B	U	S	E	B	Z	T	R	L	C	U	S
A	L	E	L	B	A	L	M	N	T	O	L	H	R	K
R	A	D	U	C	M	D	E	F	O	G	Y	E	I	F
M	A	D	E	H	D	E	M	Y	C	T	H	S	C	L
E	N	A	S	E	M	R	A	P	D	R	L	H	O	N
B	L	R	R	T	T	W	C	T	I	A	N	I	T	W
P	T	B	T	E	M	M	E	N	T	A	L	R	T	Z
O	Y	Z	T	H	R	G	M	T	Z	N	L	E	A	S

BLUE
BRIE
CAERPHILLY
CAMEMBERT
CHEDDAR
CHESHIRE
COTTAGE
DERBY
EDAM
EMMENTAL
FETA
GORGONZOLA
GOUDA
MASCARPONE
MONTEREY JACK
MOZZARELLA
PARMESAN
RED LEICESTER
RICOTTA
STILTON
WENSLEYDALE

3 Having a Ball

B	P	P	P	V	U	C	X	G	P	A	N	X	P	R
I	S	N	O	O	K	E	R	N	E	A	C	P	F	H
L	L	A	B	Y	E	L	L	O	V	Z	T	T	Q	S
L	L	A	B	T	F	O	S	P	Q	W	S	A	R	K
I	A	A	R	K	R	A	S	G	T	U	N	R	S	L
A	B	S	B	E	I	O	E	N	Y	R	E	Q	V	U
R	T	U	R	E	E	L	L	I	Y	T	S	T	E	W
D	E	B	V	R	S	L	U	P	R	E	N	V	A	H
S	K	W	T	N	R	A	O	V	E	N	K	I	J	A
Q	S	R	X	U	E	B	B	F	C	N	U	C	H	R
U	A	L	G	L	D	T	E	K	C	I	R	C	O	S
A	B	B	P	Z	N	O	B	T	O	S	M	O	C	H
S	Y	C	O	O	U	O	V	A	S	E	V	I	F	A
H	W	M	Y	O	O	F	Q	A	L	U	U	S	L	R
Q	S	K	S	U	R	L	B	C	O	L	J	A	R	R

BASEBALL
BASKETBALL
BILLIARDS
BOULES
CRICKET
CROQUET
FIVES
FOOTBALL
HOCKEY
NETBALL
PING-PONG
POOL
ROUNDERS
RUGBY
SHINTY
SNOOKER
SOCCER
SOFTBALL
SQUASH
TENNIS
VOLLEYBALL

4 On the Beach

K	W	X	E	E	J	D	I	S	U	P	B	C	U	R
J	E	T	S	A	M	S	H	S	K	T	R	L	X	T
L	R	S	P	W	W	S	R	Y	C	S	R	R	P	L
D	I	I	L	E	I	R	E	Q	E	P	F	Y	S	P
U	N	G	E	A	B	M	S	A	R	A	J	H	B	R
E	O	A	H	I	Q	L	M	H	W	D	X	G	T	O
C	O	A	S	T	S	L	I	I	I	E	S	N	J	R
R	G	T	B	K	H	O	A	A	N	N	E	I	Q	A
A	J	S	O	E	E	O	R	S	D	G	G	D	R	I
B	E	H	X	R	L	P	U	Q	B	A	U	L	I	H
D	O	R	P	O	L	K	R	S	R	N	O	O	E	T
R	Y	I	Z	H	S	C	L	T	E	K	C	U	B	C
S	G	M	A	S	T	O	L	F	A	T	P	F	P	I
D	E	P	R	S	X	R	I	Y	K	Y	I	T	L	O
A	M	P	G	V	C	G	A	X	E	T	D	K	R	R

BUCKET
COAST
CRAB
DINGHY
DUNE
FLOTSAM
JETSAM
KITE
LIGHTHOUSE
ROCK POOL
SAND
SEAWEED
SHELLS
SHINGLE
SHORE
SHRIMP
SPADE
SWIMMING
TIDE
WINDBREAK
WRECK

5 Education, Education, Education

S	E	E	R	G	E	D	R	G	W	E	M	I	S	H
I	E	R	X	R	E	H	C	A	E	T	U	Q	X	F
V	P	M	U	A	O	I	T	A	W	R	H	A	I	A
G	H	R	I	T	M	G	A	L	E	V	E	L	W	Z
P	D	I	O	N	C	H	A	M	D	R	Z	I	P	S
A	B	S	G	F	A	E	I	A	U	Y	Y	B	L	C
U	D	C	R	H	E	R	L	B	T	L	R	R	L	G
D	L	O	A	B	S	S	W	I	L	E	E	A	S	U
S	R	L	D	A	E	C	S	G	A	S	S	R	Q	V
P	R	L	U	L	J	R	H	O	I	S	R	Y	Z	I
O	O	E	A	D	E	A	S	O	R	O	U	A	O	S
R	S	G	T	V	F	S	U	O	O	N	N	S	R	E
T	G	E	I	S	T	B	O	L	T	L	C	S	S	Q
S	L	N	O	R	A	M	L	B	U	D	P	E	H	O
I	U	U	N	O	I	M	P	E	T	S	V	O	Q	R

A-LEVEL
CLASSROOM
COLLEGE
DEGREE
ESSAY
EXAM
GRADUATION
HIGHERS
HIGHSCHOOL
LECTURE
LESSON
LIBRARY
MASTERS
NURSERY
PHD
PROFESSOR
SEMINAR
SPORTS
TEACHER
TUTORIAL
UNIVERSITY

6 Famous Captains

D	R	M	Z	K	H	W	H	O	O	K	I	D	D	X
D	N	O	S	N	H	O	J	S	Y	Q	H	B	S	L
Y	G	K	E	M	A	R	R	Y	A	T	P	A	B	S
D	R	A	K	E	R	R	P	N	U	W	H	I	T	S
F	R	I	L	S	D	A	N	T	B	G	G	M	P	Z
T	U	F	I	Y	Y	P	E	L	I	L	H	U	T	A
E	H	A	W	X	V	S	T	L	R	A	O	U	P	A
S	L	Y	R	R	C	A	B	O	D	L	R	W	N	U
R	R	T	E	L	A	A	B	D	S	N	X	A	E	B
V	A	I	T	N	Q	E	O	S	E	J	U	P	L	R
F	I	A	A	E	R	C	T	R	Y	S	J	V	S	E
F	L	I	N	T	K	N	O	N	E	M	O	H	O	Y
F	H	Y	S	B	X	Z	A	O	D	L	I	Q	N	Y
S	P	M	A	A	X	B	B	Y	K	I	J	S	I	A
S	F	E	G	T	R	Z	U	F	M	U	R	I	O	U

AUBREY
BIRDSEYE
BLIGH
COOK
DRAKE
FLINT
HADDOCK
HARDY
HOOK
HORNBLOWER
JOHNSON
KETTLE
KIDD
MARRYAT
NELSON
NEMO
PUGWASH
ROBERTS
SPARROW
TURNER
WILKES

7 Words Ending With A

I	S	I	C	P	P	W	O	I	Y	A	A	G	S	P
M	A	M	B	A	B	E	R	M	U	D	A	R	S	S
S	W	W	S	R	Q	T	U	N	I	S	I	A	P	O
N	M	T	C	K	M	P	U	M	E	R	N	N	E	B
D	A	O	H	A	K	A	S	S	U	O	M	O	I	P
W	O	W	E	L	A	M	B	N	B	S	O	L	H	O
I	T	R	M	G	C	R	T	U	S	R	S	A	E	F
U	Y	O	A	E	B	O	K	L	C	X	N	I	T	F
T	V	Z	R	B	T	E	C	H	T	S	I	T	V	H
Y	Z	T	I	R	L	U	E	H	A	R	O	Z	O	D
A	S	D	Z	A	O	S	A	U	L	C	Z	O	R	S
O	P	T	O	C	T	I	R	Y	C	E	L	G	Q	E
B	D	F	N	R	S	S	P	A	I	N	A	M	O	R
E	C	R	A	L	L	I	T	R	O	T	A	A	G	C
U	F	I	E	S	T	A	D	B	M	A	L	T	W	S

ALGEBRA
ARIZONA
BERMUDA
COCHLEA
FIESTA
GRANOLA
INSOMNIA
LAMBDA
MAMBA
MOUSSAKA
ORCHESTRA
PARKA
PASTA
PEA
ROMANIA
SCHEMA
SCUBA
SPA
TOCCATA
TORTILLA
TUNISIA

8 Mixology

I	D	R	Y	M	A	R	T	I	N	I	T	J	O	I
E	D	E	N	O	I	H	S	A	F	D	L	O	T	H
K	A	V	A	S	R	W	I	E	R	A	S	T	I	F
T	I	I	I	C	G	H	D	T	P	A	E	G	J	L
V	Q	R	S	O	N	I	E	D	Q	C	H	Z	O	S
A	U	D	S	W	A	S	C	N	G	B	Z	P	M	I
W	I	W	U	M	S	K	A	A	A	I	T	I	A	Y
F	R	E	R	U	R	Y	R	L	F	T	D	N	T	B
P	I	R	E	L	R	M	L	S	X	X	E	K	I	Q
Y	T	C	T	E	D	A	K	I	F	G	Q	G	R	E
O	R	S	I	T	R	C	Y	G	G	I	J	I	A	R
O	E	H	H	G	U	G	I	N	S	L	I	N	G	L
C	U	Z	W	B	B	L	O	O	D	Y	M	A	R	Y
R	P	E	L	U	J	G	F	L	V	G	S	E	A	G
I	J	R	N	A	N	A	T	T	A	H	N	A	M	T

BLOODY MARY
BUCK'S FIZZ
DAIQUIRI
DRY MARTINI
EGGNOG
GIN SLING
HIGHBALL
JULEP
KIR
LONG ISLAND TEA
MANHATTAN
MARGARITA
MOJITO
MOSCOW MULE
OLD-FASHIONED
PINK GIN
SANGRIA
SCREWDRIVER
SIDECAR
WHISKY MAC
WHITE RUSSIAN

9 Birds of Prey

C	L	L	Z	G	Y	R	F	A	L	C	O	N	E	H
H	A	W	W	L	Q	M	R	X	G	T	U	O	M	D
O	A	R	O	O	B	A	R	N	O	W	L	C	F	R
B	S	R	A	Y	E	R	U	T	L	U	V	L	L	A
B	T	P	R	C	N	L	R	O	D	P	H	A	E	Z
Y	R	S	R	I	A	W	G	Q	E	S	R	F	R	Z
R	R	T	I	E	E	R	A	A	N	P	T	R	T	U
E	D	R	I	B	Y	R	A	T	E	R	C	E	S	B
R	K	W	A	H	W	O	R	R	A	P	S	K	E	O
R	I	O	H	S	E	A	E	A	G	L	E	A	K	W
T	L	I	T	T	L	E	O	W	L	S	T	S	T	S
C	Z	I	R	E	D	K	I	T	E	Y	Y	U	N	A
R	P	S	C	O	N	D	O	R	I	L	U	B	S	R
V	F	V	C	P	B	C	R	F	L	P	T	J	H	I
G	O	S	H	A	W	K	N	I	L	R	E	M	V	J

BARN OWL
BUZZARD
CARACARA
CONDOR
EAGLE OWL
GOLDEN EAGLE
GOSHAWK
GYRFALCON
HARRIER
HOBBY
KESTREL
LITTLE OWL
MERLIN
OSPREY
RED KITE
SAKER FALCON
SEA EAGLE
SECRETARY BIRD
SPARROWHAWK
TAWNY OWL
VULTURE

10 Who Let the Dogs Out?

R	O	M	B	E	J	N	A	M	R	E	B	O	D	D
R	W	P	O	M	E	R	A	N	I	A	N	M	D	T
I	D	C	U	R	E	T	T	E	S	H	S	I	R	I
T	N	S	R	S	I	Y	K	S	U	H	J	T	A	K
Y	U	A	F	O	X	T	E	R	R	I	E	R	D	U
W	H	B	N	R	O	T	T	W	E	I	L	E	R	L
V	S	R	L	A	H	R	P	Y	H	G	G	N	E	A
P	H	A	H	O	I	B	S	S	C	R	A	A	T	S
E	C	Z	U	M	O	T	W	S	R	E	E	R	N	S
M	A	N	A	X	P	D	A	E	U	A	B	A	I	T
V	D	A	E	P	V	A	H	M	L	T	K	M	O	R
C	O	R	G	I	L	I	T	O	L	D	T	I	P	K
E	A	C	H	I	H	U	A	H	U	A	R	E	I	Z
D	S	N	G	R	E	Y	H	O	U	N	D	W	M	U
G	O	D	L	L	U	B	T	Y	R	E	D	U	L	O

BASSET HOUND
BEAGLE
BLOODHOUND
BOXER
BULLDOG
CHIHUAHUA
CORGI
DACHSHUND
DALMATIAN
DOBERMAN
FOX TERRIER
GREAT DANE
GREYHOUND
HUSKY
IRISH SETTER
LURCHER
POINTER
POMERANIAN
ROTTWEILER
SALUKI
WEIMARANER

11 White, Grey or Black

W	S	Z	R	K	P	M	A	E	R	C	W	R	S	F
V	M	R	M	O	A	N	R	A	V	E	N	O	T	S
H	V	A	P	L	R	R	E	X	V	R	V	S	O	B
O	N	O	R	I	S	L	F	E	E	C	E	L	L	A
E	C	T	G	Q	V	Z	J	T	H	M	Q	A	I	Y
G	L	B	R	C	E	O	W	A	E	P	S	T	I	S
G	E	O	Y	S	T	E	R	W	H	I	T	E	R	I
S	F	L	F	E	P	C	P	Y	E	T	E	M	W	I
H	A	T	B	F	O	E	L	T	A	C	E	N	B	R
E	B	N	E	A	W	G	A	P	V	H	L	U	X	L
L	B	Q	L	O	S	H	T	R	T	B	G	G	S	C
L	X	O	N	T	T	W	I	K	L	L	R	S	S	G
W	U	C	N	T	E	R	N	T	J	A	E	T	R	P
I	P	R	R	Y	T	T	U	P	E	C	Y	U	D	S
Z	R	D	F	R	S	D	M	F	T	K	M	E	G	L

CHARCOAL
CREAM
EBONY
EGGSHELL
GUNMETAL
IRON
IVORY
JET
OFF-WHITE
OYSTER WHITE
PEARL
PEWTER
PITCH-BLACK
PLATINUM
PUTTY
RAVEN
SABLE
SILVER
SLATE
STEEL GREY
STONE

12 Ruling the Waves

J	T	W	A	R	S	H	I	P	C	S	R	P	A	A
H	P	S	Z	E	C	A	N	N	I	P	Z	S	S	O
D	B	S	O	Y	E	T	T	E	V	R	O	C	A	G
R	A	W	F	O	N	A	M	G	G	M	A	T	Z	A
E	T	R	E	R	I	A	G	F	F	U	V	B	E	L
A	T	E	M	T	R	I	K	I	R	T	P	S	R	L
D	L	S	E	S	A	F	R	T	R	I	R	E	M	E
N	E	I	R	E	M	E	L	O	X	B	G	R	R	O
O	S	U	I	D	B	L	O	A	N	C	B	A	S	N
U	H	R	B	O	U	P	N	T	G	C	V	S	T	T
G	I	C	A	O	S	T	G	R	A	S	L	S	A	E
H	P	T	T	H	A	M	B	L	L	E	H	A	A	S
T	O	L	I	U	X	T	O	R	L	R	N	I	D	C
A	L	P	A	E	M	L	A	Q	E	S	P	B	P	G
I	T	A	F	U	M	F	T	G	Y	I	C	R	E	P

BATTLESHIP
BIREME
BRIG
CORVETTE
CRUISER
DESTROYER
DREADNOUGHT
FIRE BOAT
FLAGSHIP
FRIGATE
GALLEON
GALLEY
IRONCLAD
LONGBOAT
MAN-OF-WAR
PINNACE
SUBMARINE
TRIREME
TROOPSHIP
U-BOAT
WARSHIP

13 What Utter Garbage

F	G	X	C	A	Z	R	Y	E	Z	T	J	J	W	L
Q	H	E	N	C	T	M	I	J	Y	U	N	R	I	Y
A	S	A	H	N	R	T	U	Q	N	Z	L	T	O	D
H	O	G	W	A	S	H	A	K	C	Y	F	E	R	D
S	T	S	N	S	R	I	A	T	O	H	V	I	V	C
A	L	A	D	I	S	F	I	C	B	H	V	T	L	S
R	U	N	Z	R	P	M	R	O	B	E	S	A	P	S
T	L	P	Q	B	O	E	H	D	L	O	P	A	W	F
N	O	N	S	E	N	S	E	S	E	T	R	I	R	S
I	O	C	F	D	O	T	S	W	R	C	O	T	R	L
L	I	T	T	E	R	T	W	A	S	T	E	R	M	T
P	C	H	R	I	J	C	P	L	B	G	R	Q	T	H
G	C	O	T	W	A	D	D	L	E	V	F	E	G	V
L	Z	U	N	P	T	A	N	O	P	E	S	A	T	L
Q	S	I	R	A	M	A	W	P	C	B	T	C	N	Y

CLAPTRAP
COBBLERS
CODSWALLOP
DEBRIS
DETRITUS
DRIVEL
DROSS
HOGWASH
HOKUM
HOT AIR
JUNK
LITTER
NONSENSE
ROT
SCRAPS
SWEEPINGS
TOSH
TRASH
TRIPE
TWADDLE
WASTE

14 Teeing Off

L	A	L	A	H	G	R	H	F	S	T	A	E	D	D
H	Z	P	W	R	N	A	G	A	V	V	M	C	R	E
D	U	F	F	H	R	E	K	N	U	B	A	I	O	I
F	B	A	C	K	N	I	N	E	R	E	V	L	U	D
S	A	N	D	W	E	D	G	E	J	I	L	S	G	D
B	L	I	H	E	H	U	D	R	N	D	T	G	H	A
S	L	A	R	U	N	I	P	G	L	R	A	S	A	C
T	A	W	P	W	V	O	R	G	A	I	H	H	L	E
A	A	K	U	O	A	A	N	N	R	B	N	U	T	N
P	C	O	T	T	N	Y	E	I	X	B	B	K	N	Q
C	V	J	T	G	E	E	E	T	E	H	I	A	S	R
S	F	S	E	Q	S	R	Y	T	O	L	R	I	T	G
T	X	A	R	I	Z	A	S	U	I	W	O	O	D	U
A	I	G	W	C	R	L	S	P	W	I	N	H	U	R
D	N	J	S	L	Y	E	G	O	B	T	I	W	U	Q

BACK NINE
BALL
BIRDIE
BOGEY
BUNKER
CADDIE
CLUBHOUSE
DIVOT
DRIVING RANGE
EAGLE
FAIRWAY
HOLE IN ONE
IRON
LINKS
PUTTER
PUTTING GREEN
ROUGH
SAND WEDGE
SLICE
TEE
WOOD

15 Boxes

U	H	P	V	B	J	V	R	F	T	X	L	V	M	R
O	J	C	U	B	A	S	I	N	O	T	R	A	C	E
F	O	G	O	U	R	D	E	C	A	N	T	E	R	L
S	L	V	K	C	C	H	R	Q	S	C	O	S	R	J
Q	A	A	S	A	F	E	M	C	H	W	T	P	X	I
S	K	T	S	S	X	M	B	B	J	R	S	R	W	S
J	L	E	O	K	L	O	O	C	O	F	F	E	R	R
R	A	P	S	E	T	X	B	N	O	G	A	L	F	R
O	T	M	Z	T	N	A	G	W	E	E	P	R	Q	T
B	O	W	L	S	R	B	D	C	O	Y	N	G	R	L
P	C	E	S	R	O	T	N	K	H	D	B	U	T	K
C	A	G	E	X	O	B	Y	T	S	E	N	O	H	O
T	F	L	Q	L	G	M	T	M	U	K	S	I	X	Z
F	O	A	Y	S	L	P	P	T	Q	K	I	T	W	D
O	E	S	Z	Z	K	Q	S	P	V	O	F	S	H	R

BARREL
BASIN
BOTTLE
BOWL
CAGE
CARTON
CASE

CASKET
CHEST
COFFER
DECANTER
FLAGON
FLASK
GOURD

HONESTY BOX
MATCHBOX
MONEY BOX
SAFE
STRONGBOX
TRUNK
WINDOW BOX

16 Creepy Crawlies

O	A	B	R	Y	L	F	E	R	I	F	T	S	A	A
O	X	P	E	E	A	W	Q	E	O	P	B	S	V	Z
W	A	S	P	N	D	T	O	X	C	T	P	C	V	P
L	B	C	P	A	Y	U	U	O	A	I	E	R	S	L
T	E	U	O	M	B	Q	C	S	D	N	C	R	I	R
E	E	B	H	T	I	K	E	E	T	W	K	A	R	E
Y	T	N	S	A	R	T	R	I	E	R	O	I	D	T
D	L	Y	S	O	D	E	P	E	S	D	I	R	B	A
T	E	F	A	B	W	E	V	V	U	K	B	E	M	K
V	J	C	R	R	D	I	L	W	O	F	E	U	E	S
B	H	S	G	E	L	G	N	O	L	Y	D	D	A	D
X	G	T	W	T	T	J	T	E	D	M	B	L	R	N
S	Q	U	M	A	T	T	A	T	O	G	U	I	W	O
I	J	W	I	W	U	I	U	T	O	E	G	L	I	P
T	E	K	C	I	R	C	H	B	W	P	T	D	G	R

BEDBUG
BEETLE
BUTTERFLY
CENTIPEDE
CICADA
COCKROACH
CRICKET
DADDY LONG-LEGS
EARWIG
FIREFLY
FLEA
GRASSHOPPER
LADYBIRD
MOTH
POND SKATER
SPIDER
WASP
WATER BOATMAN
WEEVIL
WOODLOUSE
WOODWORM

17 Tools of the Trade

T	A	E	P	A	Q	L	Y	C	A	D	I	G	J	R
C	L	T	T	B	D	U	A	U	O	T	S	I	K	U
H	A	C	K	S	A	W	R	U	J	Z	G	B	G	G
A	S	C	I	R	C	U	L	A	R	S	A	W	J	W
I	E	L	I	F	A	R	R	R	A	O	O	E	R	A
N	R	A	Z	V	W	T	Z	W	T	O	I	A	E	L
S	W	I	T	C	H	B	L	A	D	E	X	N	M	O
A	G	A	B	I	D	W	A	S	E	L	B	A	T	T
W	A	S	W	O	B	I	P	E	N	K	N	I	F	E
R	S	E	W	A	S	L	E	N	A	P	R	Z	U	H
E	X	A	G	N	I	L	L	E	F	R	J	F	P	C
P	R	D	A	T	R	S	C	I	S	S	O	R	S	T
P	I	B	T	I	M	U	R	J	R	A	T	S	T	A
O	L	E	S	I	H	C	W	A	S	D	N	A	B	H
L	R	E	M	M	A	H	R	S	S	Z	N	O	I	A

BANDSAW
BOW SAW
CHAINSAW
CHISEL
CIRCULAR SAW
DIE
DRILL BIT
FELLING AXE
FILE
HACKSAW
HAMMER
HATCHET
JIGSAW
LASER
LOPPER
PANEL SAW
PENKNIFE
SCISSORS
SWITCHBLADE
TABLE SAW
WOOD SPLITTER

18 Groups

U	X	M	T	O	E	I	L	O	T	S	P	G	S	E
P	S	O	C	A	I	O	A	T	A	O	L	I	S	I
O	F	L	O	C	K	F	T	Y	E	P	F	J	E	S
S	U	K	H	R	O	E	L	P	E	W	O	O	A	C
B	T	S	E	L	B	M	E	S	N	E	C	D	R	U
E	V	A	P	O	A	A	M	B	Y	T	R	A	P	A
D	V	E	U	O	X	I	O	U	G	A	E	X	Q	T
A	Z	R	O	I	O	Q	U	T	N	C	W	A	G	U
G	U	A	R	O	B	R	C	M	O	I	B	A	N	D
A	D	F	T	F	B	A	T	T	R	D	T	E	A	M
I	E	W	M	I	W	E	E	R	H	N	A	Y	G	U
O	D	Z	O	R	P	R	R	O	T	Y	R	U	Y	A
O	U	V	T	R	I	B	E	H	E	S	L	T	Q	O
K	P	R	S	E	C	F	I	O	S	L	J	A	M	S
L	H	O	E	L	C	R	I	C	X	D	U	X	E	M

BAND
CIRCLE
CLUB
COHORT
COMMUNITY
COTERIE
CREW
CROWD
ENSEMBLE
FIRM
FLOCK
GANG
PARTY
SET
SQUAD
SYNDICATE
TEAM
THRONG
TRIBE
TROOP
TROUPE

19 Room for Pudding?

U	E	A	D	N	U	S	H	O	R	T	C	A	K	E
T	B	W	P	A	V	L	O	V	A	S	O	B	T	K
E	A	F	M	O	U	S	S	E	Y	T	C	R	G	A
I	N	F	J	T	A	A	O	U	V	U	I	N	B	C
B	A	U	W	I	I	C	D	E	S	F	I	A	T	E
L	N	D	L	R	P	O	H	T	L	D	K	T	R	S
A	A	M	M	A	S	N	A	E	D	E	Z	L	U	E
N	S	U	M	M	E	R	P	U	D	D	I	N	G	E
C	P	L	T	I	D	A	P	A	L	P	R	E	O	H
M	L	P	I	S	O	E	L	L	Y	A	E	U	Y	C
A	I	Y	L	U	C	A	A	X	T	L	K	A	S	G
N	T	I	A	I	S	Y	L	O	P	Y	L	O	R	I
G	C	U	R	K	S	O	E	T	O	N	M	E	S	S
E	S	D	A	L	A	S	T	I	U	R	F	A	J	I
A	T	E	B	R	O	S	J	L	N	M	E	L	S	I

BAKED ALASKA
BANANA SPLIT
BLANCMANGE
CHEESECAKE
CUSTARD SLICE
ETON MESS
FRUIT SALAD
JELLY
MOUSSE
PAVLOVA
PLUM DUFF
POACHED PEARS
RICE PUDDING
ROLY-POLY
SHORTCAKE
SORBET
SUMMER PUDDING
SUNDAE
TIRAMISU
TRIFLE
YOGURT

20 Edible Mushrooms

P	T	I	W	E	L	B	L	U	S	H	E	R	D	P
A	Y	I	Z	A	L	X	O	A	R	O	R	W	O	P
C	E	N	A	M	S	N	O	I	L	R	O	H	E	L
K	L	L	A	B	F	F	U	P	T	N	A	I	G	S
L	F	E	S	N	I	L	J	S	R	O	E	T	O	M
I	F	H	E	R	F	E	N	E	X	F	L	E	H	O
M	U	O	N	I	A	H	I	F	T	P	L	T	E	R
D	R	Y	A	D	S	S	A	D	D	L	E	R	G	E
L	T	S	M	A	H	R	E	K	T	E	R	U	D	L
I	K	T	Y	I	I	U	K	A	F	N	E	F	E	O
M	C	E	G	Q	I	H	A	Q	C	T	T	F	H	S
S	A	R	G	Z	T	P	T	Z	T	Y	N	L	O	A
Y	L	D	A	S	A	L	I	W	E	V	A	E	P	R
Q	B	K	H	Q	K	U	A	W	Y	E	H	F	C	A
V	I	O	S	A	E	S	M	I	N	I	C	R	O	P

BLACK TRUFFLE
BLEWIT
BLUSHER
CAESAR'S
CHANTERELLE
DRYAD'S SADDLE
GIANT PUFFBALL
HEDGEHOG
HORN OF PLENTY
LION'S MANE
MAITAKE
MILD MILKCAP
MOREL
OYSTER
PARASOL
PORCINI
REISHI
SHAGGY MANE
SHIITAKE
SULPHUR SHELF
WHITE TRUFFLE

21 Bones and Organs

W	U	J	N	R	M	N	E	D	I	A	E	Y	E	U
S	O	G	C	D	R	T	H	J	S	B	X	E	L	B
R	R	I	U	L	T	E	I	A	J	L	I	N	S	I
H	F	P	C	S	A	S	O	B	L	A	D	D	E	R
D	A	F	L	R	H	V	P	Y	U	L	N	I	Z	S
T	T	L	T	X	S	U	I	V	N	P	E	K	F	U
S	G	G	A	S	C	P	M	C	G	H	P	T	L	T
Q	S	G	M	S	A	W	H	E	L	A	P	N	A	S
Q	R	M	L	U	P	A	N	C	R	E	A	S	L	P
L	I	V	E	R	U	M	E	F	A	U	U	U	U	L
R	E	Y	G	H	L	L	U	K	S	M	S	Z	B	E
H	J	T	N	R	A	T	Q	Q	J	K	O	S	I	E
T	B	R	T	A	S	J	E	A	I	B	I	T	F	N
F	Z	T	P	D	T	R	O	N	K	E	U	S	S	I
R	O	H	A	R	Y	L	O	I	R	P	R	R	H	R

APPENDIX
BLADDER
CLAVICLE
EYE
FEMUR
FIBULA
HEART
HUMERUS
KIDNEY
LIVER
LUNG
PANCREAS
PATELLA
RIB
SCAPULA
SKIN
SKULL
SPLEEN
STOMACH
TIBIA
ULNA

22 Sea Life

E	P	J	R	P	O	R	P	O	I	S	E	S	U	I
O	X	L	A	E	S	U	R	F	H	D	W	K	L	P
U	Y	L	D	O	F	H	B	E	O	A	L	U	S	A
J	U	O	R	F	I	L	A	L	L	U	G	A	E	S
U	Z	N	I	W	R	R	P	R	T	E	S	K	M	L
R	U	N	B	R	W	H	U	A	K	E	R	A	E	O
S	U	W	E	A	I	S	E	S	O	T	R	T	S	S
C	X	E	T	N	A	R	O	M	R	O	C	N	E	X
I	S	E	A	O	T	T	E	R	V	M	B	I	O	P
I	R	T	G	A	N	N	E	T	N	E	R	U	K	B
X	S	A	I	O	Z	F	E	S	K	L	E	G	I	Q
B	T	N	R	N	A	R	W	H	A	L	E	N	Q	A
H	Z	A	F	T	S	A	N	D	P	I	P	E	R	M
E	G	M	A	M	N	E	D	E	V	U	R	P	A	T
O	A	R	U	R	E	X	W	X	O	G	R	R	T	F

CORMORANT
DOLPHIN
FRIGATEBIRD
GANNET
GUILLEMOT
MANATEE
NARWHAL
PENGUIN
PETREL
PORPOISE
PUFFIN
SANDPIPER
SEA OTTER
SEAGULL
SEAL
SHARK
SHEARWATER
SKUA
TERN
WALRUS
WHALE

23 Hairdresser's Delight

P	O	N	Y	T	A	I	L	R	P	R	P	A	S	S
W	Y	E	K	S	U	Y	S	W	Q	E	E	F	E	S
C	J	G	W	I	G	C	L	X	T	G	R	F	O	R
A	T	T	S	L	T	O	Z	E	A	I	M	I	W	V
I	O	L	H	Y	U	R	B	Z	N	Y	E	U	Y	S
P	U	D	O	T	C	N	E	G	U	A	A	Q	R	Y
R	P	T	R	S	R	R	E	S	L	B	M	R	I	C
Y	E	L	N	I	I	O	H	K	S	T	I	A	L	P
B	E	T	S	E	A	W	I	C	R	E	B	R	A	B
U	T	U	F	L	H	H	V	O	E	L	S	O	O	V
H	I	T	J	O	F	L	E	L	T	L	R	B	J	R
M	W	L	N	Y	E	T	E	I	V	U	Y	L	G	P
O	S	S	B	E	R	X	S	R	Z	M	T	P	R	Y
A	T	N	D	T	R	M	B	O	U	O	L	M	M	I
M	P	S	L	T	B	Z	S	J	S	P	W	M	M	Q

BARBER
BEEHIVE
BOB
BUZZ CUT
CORN ROW
FRINGE
HAIRCUT
HAIRDO
LOCKS
MANE
MOP
MULLET
PERM
PLAITS
PONYTAIL
QUIFF
SHORN
STYLIST
TOUPEE
TRESSES
WIG

24 Boats Ahoy

O	P	L	T	S	I	V	O	O	N	S	Z	F	I	U
M	Y	G	A	H	L	I	X	A	T	R	E	T	A	W
S	R	O	O	S	L	O	R	L	E	Y	S	F	O	S
E	E	N	B	K	R	A	O	N	E	V	V	A	Z	N
P	N	D	G	O	M	H	I	P	A	V	T	R	Z	V
U	O	O	U	A	O	L	L	C	X	G	A	C	A	Z
D	O	L	T	A	O	Q	T	H	Z	T	O	R	T	S
Z	H	A	U	G	R	T	A	O	C	P	B	E	A	R
I	C	O	R	F	E	A	N	U	U	L	R	V	C	C
K	S	A	W	S	L	O	K	S	S	T	E	O	I	P
U	C	B	I	F	W	B	E	E	A	K	V	H	J	L
H	I	R	E	K	A	E	R	B	E	C	I	T	O	X
R	W	R	S	I	R	F	G	O	C	B	R	F	L	A
L	R	F	R	K	T	I	Y	A	C	H	T	J	F	W
Y	R	E	P	P	I	L	C	T	M	W	P	Y	O	S

CARAVEL
CARGO LINER
CATAMARAN
CLIPPER
COG
DHOW
FERRY
GONDOLA
HOUSEBOAT
HOVERCRAFT
ICEBREAKER
LIFEBOAT
OIL TANKER
RIVERBOAT
SCHOONER
SKIFF
SLOOP
TRAWLER
TUGBOAT
WATER TAXI
YACHT

25 Famous Battles

I	V	E	A	A	Y	T	O	B	R	U	K	E	S	E
T	A	I	M	V	A	N	U	O	R	S	R	V	A	D
R	R	M	T	A	L	U	T	R	L	G	E	Y	S	U
B	N	A	B	L	L	A	S	U	E	R	T	I	S	Q
L	H	R	F	C	U	U	V	T	D	H	E	S	A	E
E	E	A	L	A	M	O	T	U	E	L	Q	T	N	N
N	M	T	U	L	L	Y	N	R	A	R	F	A	A	J
H	A	H	A	A	S	G	M	L	H	S	L	L	M	W
E	G	O	B	B	J	O	A	A	E	P	O	I	T	M
I	W	N	U	I	P	M	S	R	T	S	D	N	T	V
M	F	R	A	Y	E	T	P	T	W	J	D	G	S	Z
T	G	A	L	I	I	Y	P	K	Y	J	E	R	E	N
K	B	A	N	N	O	C	K	B	U	R	N	A	K	E
M	E	M	G	R	L	V	C	U	L	L	O	D	E	N
S	U	S	O	M	M	E	S	F	L	E	E	V	M	Z

ALAMO
ARNHEM
AUSTERLITZ
BALACLAVA
BANNOCKBURN
BLENHEIM
CULLODEN
EL ALAMEIN
FLODDEN
GETTYSBURG
HASTINGS
MANASSAS
MARATHON
SOMME
STALINGRAD
THERMOPYLAE
TOBRUK
TRAFALGAR
VERDUN
WATERLOO
YPRES

26 Arts 'n' Crafts

K	R	Y	R	T	S	E	P	A	T	R	V	P	E	G
V	N	A	H	R	X	P	R	S	N	H	L	Y	Z	N
D	A	O	F	P	T	E	H	C	O	R	C	X	A	I
M	B	Y	T	F	A	R	C	R	A	G	U	S	G	L
V	S	R	G	W	I	R	J	T	W	G	D	Y	L	L
Y	W	E	N	G	O	A	G	N	N	E	S	K	R	I
S	I	D	I	N	C	R	W	I	C	E	C	R	E	U
G	C	I	N	I	P	T	K	O	L	W	I	O	I	Q
N	K	O	N	W	M	A	U	P	R	L	M	W	S	U
I	E	R	I	E	M	P	Q	E	N	K	A	H	A	I
V	R	B	P	S	A	S	N	L	U	S	R	C	C	L
A	W	M	S	G	S	A	I	D	V	O	E	T	O	T
E	O	E	E	P	O	T	T	E	R	Y	C	A	T	I
W	R	J	E	W	E	L	L	E	R	Y	P	P	Z	N
D	K	H	I	W	R	I	K	N	I	T	T	I	N	G

CALLIGRAPHY

CERAMICS

CROCHET

DECOUPAGE

DRESSMAKING

EMBROIDERY

JEWELLERY

KNITTING

KNOTWORK

NEEDLEPOINT

PATCHWORK

POTTERY

QUILLING

QUILTING

RAFFIA WORK

SEWING

SPINNING

SUGARCRAFT

TAPESTRY

WEAVING

WICKERWORK

27 Mad as a Hatter

R	I	D	I	C	U	L	O	U	S	J	Q	U	E	S
L	M	I	N	O	T	A	L	L	T	H	E	R	E	L
L	L	A	W	E	H	T	F	F	O	Y	Z	A	R	C
D	K	E	S	I	B	N	Y	S	U	I	J	F	E	T
R	E	L	C	S	H	E	E	R	I	W	Y	A	H	F
O	U	N	O	C	D	A	H	R	D	L	I	W	T	O
E	U	V	I	Y	E	R	L	T	R	S	L	T	T	E
A	P	T	S	A	L	N	U	F	D	A	R	Y	U	T
R	R	D	T	S	R	L	T	G	B	N	Z	Z	O	O
C	U	C	K	O	O	B	A	R	N	A	U	I	H	M
O	D	D	B	A	L	L	D	L	I	I	K	O	B	S
R	O	F	F	Y	O	U	R	R	O	C	K	E	R	H
P	T	R	A	X	R	S	N	Z	I	O	S	R	D	R
L	Q	U	I	X	O	T	I	C	L	B	D	P	A	M
Z	R	L	T	Y	A	I	O	P	H	Y	M	R	A	B

BARKING
BARMY
BIRD-BRAINED
BIZARRE
CRAZY
CUCKOO
DOOLALLY

ECCENTRIC
HALF-BAKED
HAYWIRE
NOT ALL THERE
ODDBALL
OFF YOUR ROCKER
OFF-THE-WALL

OUT THERE
OUT TO LUNCH
QUIXOTIC
RIDICULOUS
ROUND THE BEND
SILLY
WILD

28 Cakes and Pastries

S F B Y O T T O R R A C T P X
N B R Y A L L O R S S I W S
K D O U G H N U T X J E K I C
Q G W M T E U G N I R E M G H
A M N Y P A N E T T O N E M R
E Y I U R Y O A F T E N I E I
U R E M O S W N I L O N C S S
O R K S F V A P C A C C D J T
T E A P I E K A C E L B R A M
A H C U T E K A P E J P I P A
K C N A E E K I S S I B O I S
A S A E R E E C U P C A K E U
L S P T O F A I R Y C A K E S
U E E A L K C A J P A L F V F
G I N G E R B R E A D U O P E

BROWNIE
CARROT
CHERRY
CHRISTMAS
CUPCAKE
DOUGHNUT
ECCLES CAKE
FAIRY CAKE
FLAPJACK
GATEAU
GENOA CAKE
GINGERBREAD
MARBLE CAKE
MERINGUE
MINCE PIE
PANCAKE
PANETTONE
PROFITEROLE
SIMNEL CAKE
SWISS ROLL
YUM YUM

29 From the Vegetable Aisle

I	L	W	V	O	O	U	S	H	C	T	S	E	P	E
K	T	A	Q	K	A	L	W	K	O	E	A	F	Y	O
C	R	J	E	C	I	Q	V	B	A	N	L	T	S	Z
E	I	P	C	P	I	N	R	U	T	L	E	E	K	E
N	O	I	N	O	W	L	E	I	B	H	E	S	R	U
T	S	N	D	R	R	N	R	C	B	S	R	Y	E	Y
O	Y	S	E	V	B	R	A	A	R	I	Y	O	B	S
R	B	R	O	C	C	O	L	I	G	D	R	K	M	N
R	S	A	U	O	U	C	E	R	S	A	A	P	U	E
A	V	P	M	R	E	T	T	E	G	R	U	O	C	L
C	A	B	B	A	G	E	T	L	D	P	V	U	U	T
T	O	O	R	T	E	E	B	E	I	E	N	I	C	P
T	P	C	N	O	R	W	M	C	L	V	W	F	A	I
H	C	A	N	I	P	S	T	U	O	R	P	S	J	I
A	U	Y	C	U	P	W	R	Z	S	T	P	E	N	Z

BEETROOT
BROCCOLI
CABBAGE
CARROT
CELERIAC
CELERY
COURGETTE
CUCUMBER
GARLIC
KALE
LEEK
LETTUCE
ONION
PARSNIP
PEA
RADISH
SPINACH
SPROUTS
SWEDE
SWEETCORN
TURNIP

30 Seafood

P	D	H	A	G	B	S	A	W	A	Z	A	L	K	I
L	O	U	A	U	M	S	S	E	H	E	Q	U	E	B
N	T	L	N	U	B	L	B	H	H	E	B	A	Z	S
T	W	T	L	R	A	A	A	E	N	O	L	A	B	A
K	U	A	M	A	L	C	R	O	Z	A	R	K	A	S
I	W	N	R	M	C	M	C	C	O	C	K	L	E	E
N	W	I	A	P	I	S	R	I	D	J	S	H	N	M
G	Y	H	N	T	G	E	E	L	S	N	P	A	O	V
C	Y	C	C	K	I	N	D	L	A	O	A	N	O	X
R	U	R	J	A	L	N	I	T	Q	W	K	L	Y	T
A	A	U	P	O	P	E	P	K	J	F	Y	V	S	G
B	L	A	N	G	O	U	S	T	I	N	E	H	T	T
T	R	E	T	S	B	O	L	S	M	U	S	S	E	L
A	L	S	P	M	I	R	H	S	I	F	Y	A	R	C
X	I	V	A	V	S	A	F	T	P	W	T	F	R	R

ABALONE
COCKLE
CRAYFISH
EELS
HERMIT CRAB
KING CRAB
KING PRAWN
LAND CRAB
LANGOUSTINE
LOBSTER
MONKFISH
MUSSEL
OYSTER
RAZOR CLAM
SCALLOP
SEA URCHIN
SHRIMP
SPIDER CRAB
TUNA
WHELK
WINKLE

31 Bedding Down

P	C	V	C	O	A	H	T	U	Y	F	J	E	C	I
A	R	R	X	L	A	S	D	R	K	U	T	I	M	C
Q	Q	C	A	M	P	B	E	D	B	T	E	V	R	N
M	J	B	M	D	U	A	B	C	O	O	V	P	P	O
Q	J	O	I	L	L	D	E	B	K	N	U	B	E	U
G	C	V	D	F	R	E	L	W	R	I	D	W	F	T
K	A	R	E	Z	I	S	G	N	I	K	S	E	Y	R
N	W	X	B	L	R	I	N	J	V	X	I	S	H	O
L	R	R	R	S	E	Z	I	S	N	E	E	U	Q	I
M	T	E	E	H	S	N	S	W	O	L	L	I	P	U
L	I	T	T	E	R	E	N	B	A	F	C	T	B	T
L	E	M	A	T	T	R	E	S	S	R	A	D	D	O
F	E	N	W	O	D	R	E	D	I	E	S	B	F	D
S	J	S	C	L	T	Q	S	B	L	A	N	K	E	T
R	O	P	S	H	Q	Q	S	S	R	R	F	R	G	D

BERTH
BLANKET
BUNK BED
CAMP BED
COT
CRADLE
CRIB
DIVAN
DUVET
EIDERDOWN
FUTON
HAMMOCK
KING-SIZE
LITTER
MATTRESS
PILLOW
QUEEN-SIZE
SHEET
SINGLE BED
SOFA BED
WATER BED

32 Roll out the Barrel

O	A	Q	U	A	O	P	D	R	U	O	G	T	B	J
F	G	Y	F	X	R	A	Z	A	N	A	M	L	A	S
A	E	C	L	L	T	L	G	Z	C	L	J	R	R	F
N	Q	H	A	S	A	Z	O	Z	C	A	E	I	R	L
D	M	J	H	O	G	S	H	E	A	D	R	J	E	A
I	C	U	S	R	S	F	K	N	S	U	O	T	L	G
A	O	G	N	P	R	T	E	D	K	X	B	R	O	O
D	S	V	I	G	C	A	R	A	F	E	O	H	P	N
N	S	R	Y	B	A	L	T	H	A	Z	A	R	O	V
I	Z	I	R	I	L	M	T	C	E	J	M	J	T	Z
X	X	A	H	A	L	E	S	U	H	T	E	M	W	K
U	G	I	P	H	A	L	F	B	O	T	T	L	E	K
O	T	Q	P	I	T	C	H	E	R	L	I	G	R	T
B	U	E	S	L	R	E	T	N	A	C	E	D	C	T
Z	P	S	S	W	B	T	S	T	L	A	I	A	S	S

BALTHAZAR
BARREL
CARAFE
CARTON
CASK
DECANTER
FLAGON
FLASK
GOURD
HALF-BOTTLE
HOGSHEAD
JAR
JEROBOAM
JUG
KEG
MAGNUM
METHUSELAH
NEBUCHADNEZZAR
PITCHER
SALMANAZAR
SCREW-TOP

33 European Capitals

S	S	R	W	Z	M	X	E	A	Z	K	B	G	A	A
N	O	A	S	O	L	S	J	S	S	A	T	E	W	L
E	O	I	R	O	Y	X	Y	B	U	E	R	D	C	C
H	N	D	H	S	B	M	V	Q	D	U	H	I	Q	S
T	D	X	N	L	B	I	B	S	W	G	R	N	G	U
A	I	I	H	O	E	S	E	L	T	A	N	B	B	A
A	E	K	R	N	L	R	L	E	S	R	S	U	V	S
R	E	M	N	D	F	T	G	S	E	P	C	R	T	U
T	V	A	O	I	A	A	R	S	P	H	X	G	A	O
R	R	L	B	R	S	M	A	U	A	M	S	H	T	W
I	M	B	S	P	T	L	D	R	D	U	B	L	I	N
L	O	J	I	I	L	H	E	B	U	D	M	W	K	A
A	G	E	L	K	R	S	U	H	B	E	R	L	I	N
M	P	I	X	O	T	A	D	A	X	S	T	A	E	T
T	Q	T	J	D	T	U	P	T	T	I	V	R	V	P

ATHENS
BELFAST
BELGRADE
BERLIN
BRUSSELS
BUCHAREST
BUDAPEST
DUBLIN
EDINBURGH
HELSINKI
KIEV
LISBON
LONDON
MADRID
OSLO
PARIS
PRAGUE
RIGA
ROME
VIENNA
WARSAW

34 How to Cook it?

S	N	D	R	E	T	T	A	B	M	B	K	N	J	N
U	E	W	J	T	O	A	S	T	R	A	P	T	S	T
P	I	K	I	S	B	W	U	A	W	B	S	B	C	T
W	S	P	X	A	O	R	I	P	O	A	P	H	H	S
A	E	I	D	B	G	S	O	A	M	R	I	S	C	A
Z	G	T	R	S	E	P	O	I	M	B	T	A	A	T
O	A	S	S	C	R	A	M	B	L	E	R	O	O	T
J	R	Z	U	S	P	R	T	T	A	C	O	T	P	V
S	K	R	Y	G	M	B	I	M	U	U	A	S	A	P
Y	R	F	A	Y	R	O	U	R	R	E	S	S	A	T
Y	D	X	A	G	S	I	K	I	D	Z	T	U	H	H
P	G	F	P	E	R	L	L	E	K	A	B	F	Y	R
A	U	Q	U	E	T	X	R	L	P	L	L	E	Y	E
T	P	T	U	X	U	O	T	A	R	G	T	O	P	Z
U	E	X	F	C	F	S	G	F	G	E	D	J	T	O

BAKE
BARBECUE
BASTE
BATTER
BRAISE
BROIL
CRISP
CURRY
FRY
GLAZE
GRILL
MASH
PARBOIL
POACH
POT-ROAST
SCRAMBLE
SMOKE
SPIT-ROAST
STEAM
STEW
TOAST

35 Getting Ready

T	P	P	I	L	S	A	J	S	I	H	I	J	S	W
P	O	S	T	S	L	E	G	R	I	A	H	P	V	R
A	A	N	N	E	H	E	F	T	E	I	E	N	E	E
B	Q	S	F	Y	R	Y	S	A	G	Z	U	I	G	H
V	A	W	O	D	C	E	S	H	K	U	N	S	U	S
S	O	O	U	R	P	L	L	S	C	E	K	O	O	U
Q	N	D	N	I	C	I	I	I	O	O	T	Y	R	L
S	A	A	D	A	G	N	P	N	N	L	A	A	A	B
N	T	H	A	H	F	E	S	R	C	P	G	R	N	D
F	Y	S	T	Z	K	R	T	A	E	E	F	P	X	F
A	A	E	I	O	L	I	I	V	A	R	G	S	I	E
G	R	Y	O	S	N	T	C	L	L	F	V	R	A	L
O	P	E	N	R	B	E	K	I	E	U	A	I	P	X
G	S	M	A	S	C	A	R	A	R	M	J	A	U	D
U	L	B	C	O	L	O	G	N	E	E	P	H	Z	L

BLUSHER
BRONZER
COLOGNE
CONCEALER
EYELINER
EYESHADOW
FAKE TAN

FOUNDATION
HAIR DYE
HAIR GEL
HAIRSPRAY
HENNA
HIGHLIGHTER
LIP GLOSS

LIPSTICK
MASCARA
NAIL VARNISH
PERFUME
ROUGE
SPRAY TAN
TONER

36 Double-Dealing

K	F	P	P	Q	J	W	T	T	S	A	H	D	A	I
S	Y	T	R	A	I	T	O	R	O	U	S	W	U	V
Y	K	N	A	V	E	R	Y	P	R	R	T	A	A	E
S	A	E	I	T	A	Y	R	E	N	A	C	I	H	C
U	K	L	R	I	I	N	D	T	R	S	T	A	U	R
O	D	U	P	L	I	C	I	T	O	U	S	I	N	O
I	L	D	L	L	Y	Y	L	I	W	O	E	Y	D	O
D	R	U	T	D	U	I	K	F	O	I	N	R	E	K
I	E	A	S	V	U	O	N	O	U	V	O	E	R	E
F	A	R	B	N	T	G	F	G	E	E	H	H	H	D
R	E	F	F	O	E	N	G	G	S	D	S	C	A	E
E	M	A	C	H	I	A	V	E	L	L	I	A	N	C
P	E	X	E	I	D	M	K	R	R	P	D	E	D	E
M	E	N	D	A	C	I	T	Y	F	Y	S	R	E	I
O	L	H	M	F	Y	R	E	K	C	I	R	T	D	T

CHICANERY
CROOKED
DECEIT
DEVIOUS
DISHONEST
DUPLICITOUS
FOUL PLAY

FRAUDULENT
KNAVERY
LYING
MACHIAVELLIAN
MENDACITY
PERFIDIOUS
PETTIFOGGERY

SKULDUGGERY
SNEAKY
TRAITOROUS
TREACHERY
TRICKERY
UNDERHANDED
WILY

37 At the Theatre

U	Z	O	V	Z	V	X	X	S	E	N	S	S	G	P
L	P	S	T	T	Y	A	T	I	C	K	E	T	O	O
L	L	A	W	H	T	R	U	O	F	R	N	U	C	I
K	S	R	A	G	G	R	O	D	P	E	I	D	O	D
V	L	T	M	I	F	I	A	T	I	E	L	P	S	E
N	N	S	A	N	S	I	L	G	C	E	R	M	T	R
S	O	E	R	G	S	C	C	T	E	E	N	A	U	E
T	X	H	D	N	E	H	H	S	O	D	R	C	M	M
S	Q	C	O	I	R	C	R	N	X	P	Y	I	E	H
Z	R	R	L	N	T	T	R	I	Q	A	S	R	D	S
U	W	O	E	E	C	E	O	A	R	Q	P	J	T	A
A	R	R	M	P	A	K	T	T	F	K	O	S	K	A
Y	D	E	M	O	C	S	C	R	Q	T	R	U	P	I
N	T	E	G	M	A	A	A	U	A	S	P	F	A	L
J	O	U	P	O	R	D	K	C	A	B	E	R	T	S

ACTOR
ACTRESS
AUDIENCE
BACKDROP
COMEDY
COSTUME
CURTAINS
DIRECTOR
FOURTH WALL
LINES
MELODRAMA
OPENING NIGHT
OPERA
ORCHESTRA
PROPS
SCRIPT
SKETCH
SPOTLIGHT
STAGECRAFT
TICKET
TRAGEDY

38 Where to Go?

I	O	C	U	V	L	U	U	S	V	Z	R	P	S	Q
I	S	Y	C	O	N	C	E	R	T	P	J	W	S	I
K	I	G	P	R	I	H	T	H	E	A	T	R	E	S
R	O	E	F	Z	V	S	S	P	T	R	D	N	O	E
A	R	B	T	A	G	K	S	O	R	K	Y	I	U	B
A	M	S	S	U	C	R	I	C	I	R	R	G	U	R
Q	U	E	G	U	A	O	M	S	B	N	E	H	R	M
V	E	S	N	G	B	W	O	I	N	A	L	T	Z	R
L	S	O	D	I	L	X	O	D	R	C	L	C	Z	F
E	U	Y	N	G	C	A	R	N	I	V	A	L	L	S
Z	M	G	T	U	O	W	L	H	A	V	G	U	E	T
U	O	R	A	P	A	N	L	S	F	J	U	B	U	T
C	E	O	A	R	E	N	A	E	N	B	Z	O	K	B
Z	D	T	A	Q	E	P	B	T	U	B	K	M	Y	B
B	S	U	V	J	S	M	P	C	F	P	O	A	R	R

ARENA
BALLET
BALLROOM
BINGO
CARNIVAL
CINEMA
CIRCUS
CONCERT
DISCO
FUNFAIR
GALLERY
GIG
LIDO
MUSEUM
NIGHTCLUB
OPERA
PARK
STADIUM
THEATRE
WAXWORKS
ZOO

39 Swords Drawn!

```
P H A Y Z I J U Q S N N E Y E
U N B O I I T E N O Y A B T R
A A O U W G L A I V E S O X B
E H T A D N D H B X S V X D A
T G R L P N C I C U T L A S S
R A S K Q L A A R S N U D O S
Z T P W A F L I C K K N I F E
I A Z F O I R L G T F I W V R
D Y A R B R O A D S W O R D O
A P L U E S D H T K F I I P M
G A R I K L R S U I C A Z L Y
G R P M A C H E T E M U D N A
E A T R M K U K R I P I C W L
R N H R U U L U Y F C L C P C
Q G J J V T A N A T A K G S H
```

BAYONET	FALCHION	PARANG
BROADSWORD	FLICK KNIFE	RAPIER
CLAYMORE	FOIL	SABRE
CUTLASS	GLAIVE	SCIMITAR
DAGGER	KATANA	SGIAN-DUBH
DIRK	KUKRI	SWORDSTICK
EXCALIBUR	MACHETE	YATAGHAN

40 Care to Dance?

E	S	H	U	F	F	L	E	V	I	J	Q	H	R	O
C	C	E	O	U	E	L	V	B	X	A	E	J	S	Y
N	A	N	E	R	A	C	A	M	O	S	H	O	Q	K
A	P	O	A	J	N	K	C	M	R	A	N	U	A	F
D	H	T	S	D	G	P	L	T	E	T	I	L	X	N
K	P	S	T	T	E	E	I	O	G	N	A	T	M	M
A	E	E	H	W	H	N	Y	P	P	I	C	C	F	E
E	T	L	T	I	U	Q	I	S	E	L	J	O	O	C
R	S	R	D	S	M	I	Z	L	O	I	X	N	R	A
B	O	A	E	T	K	M	Q	O	M	T	Z	G	U	F
E	W	H	B	I	Z	C	Y	U	R	L	S	A	X	J
B	T	C	Y	M	A	M	I	O	N	S	I	S	J	P
T	B	Z	T	L	A	W	T	U	A	X	Q	L	U	Y
E	P	E	A	T	Q	S	N	R	Q	L	U	A	T	O
T	A	T	J	P	G	P	U	E	O	T	O	S	M	Z

BREAK DANCE
CHARLESTON
CONGA
FLAMENCO
FOXTROT
HORNPIPE
JIG
JIVE
LINE DANCE
MACARENA
MOSH
POLKA
QUICKSTEP
SALSA
SAMBA
SHIMMY
SHUFFLE
TANGO
TWIST
TWO-STEP
WALTZ

41 Don't Delay!

V	R	S	Z	L	M	U	F	U	E	T	X	G	I	O
Y	S	F	A	L	T	E	R	U	K	C	H	N	L	C
R	R	R	V	G	C	E	L	D	W	A	D	O	R	T
E	E	R	T	I	U	D	G	N	H	R	I	L	K	H
G	D	T	A	S	R	R	P	O	S	T	P	O	N	E
N	N	Q	S	T	T	E	L	C	E	O	G	R	Y	S
I	I	U	N	U	S	D	H	R	R	R	A	P	T	I
L	H	M	G	W	B	U	R	T	D	P	O	A	P	T
T	Q	E	P	A	O	I	S	C	U	I	L	U	M	A
G	R	E	C	E	V	D	L	P	B	L	T	A	E	T
R	N	K	O	U	D	R	G	I	E	O	D	O	G	E
V	C	P	A	U	S	E	E	O	F	N	P	L	E	L
S	X	C	N	W	P	Z	R	F	B	O	D	S	T	T
S	X	T	A	Z	F	X	R	Q	E	T	O	P	S	G
A	N	Z	S	M	A	W	R	S	L	D	A	E	I	P

BOG DOWN
DAWDLE
DEFER
FALTER
FILIBUSTER
HESITATE
HINDER
HOLD BACK
IMPEDE
LAG
LINGER
LOITER
OBSTRUCT
PAUSE
POSTPONE
PROLONG
PROTRACT
PUT OFF
STALL
SUSPEND
TARRY

42 Classical Composers

T	N	H	Q	Z	O	T	I	D	L	A	V	I	V	G
Q	L	O	I	R	E	N	G	A	W	X	N	D	J	I
H	C	H	O	P	I	N	I	C	C	U	P	L	B	A
S	I	B	E	L	I	U	S	S	I	L	G	E	G	S
T	V	S	L	Z	D	T	A	C	O	S	E	D	Q	D
R	F	E	S	C	H	U	B	E	R	T	T	Q	E	P
A	B	E	R	L	I	O	Z	R	H	V	S	E	L	R
V	R	E	N	D	Y	A	H	O	I	A	U	T	B	R
I	A	M	O	P	I	E	V	I	T	T	N	Y	L	A
N	H	O	S	S	L	E	D	N	E	M	T	D	V	W
S	M	Z	I	P	N	F	U	I	W	E	S	E	E	E
K	S	A	L	T	S	T	I	S	X	K	L	R	N	L
Y	T	R	L	Z	L	J	A	S	A	A	O	N	R	G
K	U	T	A	J	R	P	V	O	I	P	H	O	Y	A
R	O	R	T	Z	F	A	A	R	E	I	Z	E	G	R

BEETHOVEN
BELLINI
BERLIOZ
BRAHMS
BRITTEN
CHOPIN
ELGAR
HANDEL
HAYDN
HOLST
MENDELSSOHN
MOZART
PUCCINI
ROSSINI
SCHUBERT
SIBELIUS
STRAVINSKY
TALLIS
VERDI
VIVALDI
WAGNER

43 The Devil is in the Detail

D	S	D	E	A	V	T	P	S	X	T	R	I	S	E
E	W	A	D	V	E	Z	D	E	R	C	O	Q	A	P
N	W	P	T	S	H	O	R	R	O	R	A	J	B	V
O	L	D	H	A	R	R	Y	U	T	L	U	O	F	O
D	W	Z	A	H	N	R	E	T	S	N	O	M	I	G
E	N	T	D	V	R	L	L	A	I	L	E	B	E	U
K	B	U	B	E	Z	L	E	E	B	M	N	N	N	A
C	W	I	O	X	M	D	K	R	J	P	O	H	D	L
I	C	G	T	H	T	O	K	C	D	L	U	O	H	G
W	R	Z	S	L	L	I	N	N	I	N	T	V	R	P
E	P	M	I	F	P	L	E	V	R	N	U	S	T	M
R	T	S	H	Z	J	T	E	A	F	W	D	O	M	A
X	P	R	P	C	T	D	M	H	K	P	L	L	C	C
A	L	R	E	F	I	C	U	L	A	U	S	A	O	S
X	C	F	M	T	D	T	Z	X	C	P	S	B	D	X

BEELZEBUB
BELIAL
CREATURE
DEMON
DEVIL
EVIL ONE
FIEND
GHOUL
HELLHOUND
HORROR
IMP
LUCIFER
MEPHISTO
MONSTER
OGRE
OLD HARRY
OLD NICK
SATAN
SCAMP
SCOUNDREL
WICKED ONE

44 Film Directors

D	K	C	I	R	B	U	K	C	L	G	A	H	Y	E
E	E	D	K	S	S	I	A	S	H	O	M	G	G	C
I	N	O	T	R	U	B	P	L	Q	Z	F	D	N	B
A	L	O	P	P	O	C	P	N	S	R	L	T	A	T
E	N	W	S	T	A	L	L	O	N	E	E	O	M	S
E	T	T	A	Q	O	T	E	R	L	H	M	S	G	R
G	T	S	S	C	O	T	T	E	E	A	I	S	R	I
S	R	A	S	R	L	W	N	M	I	S	N	G	E	R
I	C	E	R	L	E	W	S	A	G	C	G	S	B	E
I	I	O	B	K	H	I	T	C	H	C	O	C	K	B
Y	P	A	R	L	O	U	R	I	T	C	H	I	E	I
J	I	E	L	S	E	V	Y	T	J	T	R	L	I	O
T	R	T	I	O	E	I	S	E	N	S	T	E	I	N
R	U	X	G	K	U	S	P	K	T	O	B	L	M	L
U	A	E	F	L	N	E	E	S	Y	Z	V	J	A	A

BERGMAN
BURTON
CAMERON
COPPOLA
EASTWOOD
EISENSTEIN
FLEMING
HERZOG
HITCHCOCK
KUBRICK
LEIGH
MERCHANT
POLANSKI
RITCHIE
SCORSESE
SCOTT
SPIELBERG
STALLONE
STONE
TARKOVSKY
VON TRIER

45 Words Ending With C

```
R Z P K E A G O M K R D N L A
A R O S Q V G G A S T Y A S Z
F W E C C C P L A T O N I C C
G P A I I I I N T R I N S I C
R P Q N T T K M P E L O T R I
B J C O P E N T O E P N J O T
B X A C O L A A C N A F S H N
N V I I T H T E R G O O M P A
M E D N A T R K I F Y C C U D
P Y R O P A F G T C D I E E E
T C A R M G V T O A D N B U P
E O C I H C Y S P O L E M I C
E V C B C S M S L Z N S S N T
H A C E T I C E O A T R A P U
L H A T C Q M F F A N A T I C
```

ACETIC	EUPHORIC	IRONIC
ARSENIC	FANATIC	MELODIC
ATHLETIC	FRANTIC	OPTIC
CARDIAC	GIGANTIC	PEDANTIC
CERAMIC	HAVOC	PLATONIC
COSMIC	ICONIC	POLEMIC
ECONOMIC	INTRINSIC	PSYCHIC

46 Gardening

R	Z	J	A	T	S	M	C	A	Q	B	D	H	W	U
P	H	I	T	H	W	S	E	P	I	P	E	S	O	H
C	V	E	Y	C	N	I	P	E	A	J	L	L	R	I
L	E	U	E	L	A	W	N	R	O	L	L	E	R	A
O	O	T	D	I	C	A	S	E	I	D	R	A	A	Z
C	H	P	A	P	G	S	S	W	T	N	G	F	B	L
H	N	S	P	P	N	G	D	O	T	K	K	B	L	E
E	X	J	S	E	I	N	I	M	P	N	R	L	E	W
E	D	G	E	R	R	I	B	N	M	E	W	O	E	O
E	A	Y	K	S	E	N	B	W	Y	E	N	W	H	R
G	O	X	E	X	T	U	E	A	K	L	C	E	W	T
V	R	R	E	K	A	R	R	L	U	E	E	R	U	H
H	A	L	K	H	W	P	I	U	S	R	A	E	H	S
O	P	S	R	R	S	S	R	L	A	N	V	M	T	E
U	O	B	F	R	A	Z	T	S	E	L	Z	M	O	W

CLIPPERS
CLOCHE
DIBBER
EDGER
HOE
HOSEPIPE
KNEELER
LAWN ROLLER
LAWNMOWER
LEAF BLOWER
LOPPER
PRUNING SAW
RAKE
SHEARS
SPADE
SPRAYER
SPRINKLER
TROWEL
TWINE
WATERING CAN
WHEELBARROW

47 Curry Night

L	T	U	P	I	O	I	D	X	T	L	M	D	O	Z
T	S	P	B	E	S	U	E	H	S	U	Y	P	O	H
W	P	E	W	I	D	B	P	T	A	T	F	O	K	R
T	C	C	T	G	R	T	E	H	J	L	Y	G	A	I
Q	Q	R	D	A	O	Y	O	U	A	J	A	Y	R	N
L	S	D	H	A	N	S	A	K	M	A	D	R	A	S
I	N	D	P	H	H	D	H	N	S	I	L	Q	H	A
V	I	N	D	A	L	O	O	T	I	P	R	O	I	H
Q	P	M	O	S	S	G	S	O	K	U	A	A	T	C
Y	P	S	P	C	B	A	K	P	R	R	M	I	A	S
P	A	T	I	A	S	O	N	Y	U	I	K	T	U	L
Y	A	E	A	T	R	A	V	D	C	K	S	L	S	M
M	R	T	Z	M	U	S	T	A	A	F	L	A	B	H
E	U	M	A	S	A	L	A	N	U	H	B	B	T	I
C	U	O	U	U	R	L	R	R	A	P	W	T	M	C

BALTI	GOSHT	PASANDA
BHUNA	JAIPURI	PATIA
BIRYANI	KARAHI	PHAAL
CHASNI	KOFTA	SAAG
DHAL	KORMA	TANDOORI
DHANSAK	MADRAS	TIKKA
DOPIAZA	MASALA	VINDALOO

48 Bicycles and their Parts

X	B	R	C	R	O	S	S	B	A	R	P	O	M	M
A	U	S	I	S	G	Q	V	F	O	A	B	O	U	E
I	N	A	J	C	N	N	W	A	N	O	U	D	A	D
W	G	D	T	J	I	A	D	N	N	N	G	O	K	N
W	D	D	L	U	H	S	I	E	T	U	J	I	I	A
A	Y	L	W	I	T	E	S	A	A	X	F	K	C	T
U	R	E	N	E	R	H	I	R	R	M	A	M	K	X
A	U	S	R	H	A	N	D	L	E	B	A	R	S	A
K	T	I	L	K	F	I	G	A	L	F	R	U	T	P
T	H	C	E	I	Y	A	L	D	C	G	E	E	A	A
F	P	R	E	A	N	H	Y	E	Y	N	P	A	N	A
Y	W	E	H	Z	N	C	T	P	C	I	P	V	D	I
O	E	X	W	E	E	D	E	P	I	C	O	L	E	V
I	J	E	L	N	P	U	M	P	B	A	H	E	U	D
X	F	Q	B	D	L	F	X	Q	D	R	C	P	G	E

BICYCLE
BMX
BONESHAKER
CHAIN
CHOPPER
CROSSBAR
EXERCISE
HANDLEBARS
KICKSTAND
MOUNTAIN
MUDGUARD
PANNIER
PEDAL
PENNY-FARTHING
PUMP
RACING
ROADSTER
SADDLE
TANDEM
VELOCIPEDE
WHEEL

49 Carnivorous Mammals

O	R	P	U	G	F	N	I	P	S	C	A	A	T	S
Q	T	Z	X	N	Y	L	S	T	R	H	E	J	A	C
D	B	L	Y	M	L	O	O	K	C	E	N	O	C	E
R	E	T	T	O	G	A	C	W	R	E	I	A	E	H
H	T	P	A	N	T	H	E	R	N	T	R	P	L	C
A	H	X	I	G	C	K	X	Y	H	A	E	F	O	X
B	T	D	V	O	T	Y	S	Z	C	H	V	J	P	Z
P	T	X	M	O	U	N	T	A	I	N	L	I	O	N
V	A	S	R	S	N	L	L	X	O	C	O	E	L	Q
W	E	A	S	E	L	E	J	O	P	A	W	J	A	I
Q	T	M	P	S	H	O	N	E	Y	B	E	A	R	D
W	E	N	Z	Y	V	P	X	V	H	S	M	C	B	E
E	H	A	E	A	R	A	U	G	A	J	Y	K	E	D
W	W	N	O	T	U	R	E	G	I	T	T	A	A	I
Q	A	P	T	D	W	D	E	N	P	E	F	L	R	P

CARACAL
CHEETAH
DINGO
FOX
HONEY BEAR
HYENA
JACKAL
JAGUAR
LEOPARD
LYNX
MONGOOSE
MOUNTAIN LION
OTTER
PANTHER
POLAR BEAR
POLECAT
STOAT
TIGER
WEASEL
WOLF
WOLVERINE

50 Spot the God

V P O Z G K M R E L A Y U W U
Z E Y R L O A N O A K G C L S
R Q S R C O A T K S C I A A Y
P U E T U O X T P I R R R C S
J L I N A C L U V C E R E K I
U O N K H E R M E S K P H H R
N P D E M E T E R P R A J I P
O L L O P A A C M O T A I T N
I T U U Y T I R T H R L M U M
C U Y E T E U T E K B I A S B
Z R L H V O K N S U N E V E R
V D D I A N A R E E S E E R Z
T F W L A B H M U K H A D E S
K R X R M L A T P I F P U C J
H P E S T U A V L N R S U I P

APOLLO
ARES
ATHENA
CERES
CIRCE
DEMETER
DIANA
HADES
HERA
HERMES
HESTIA
JUNO
MARS
MERCURY
NEPTUNE
NIKE
PLUTO
VENUS
VESTA
VULCAN
ZEUS

51 Birds

S	A	F	I	G	N	J	A	R	D	M	E	A	T	G
S	X	J	A	X	G	N	I	W	P	A	L	P	P	O
R	E	L	A	E	T	P	A	E	U	L	E	N	M	E
L	I	I	I	G	S	L	E	E	K	L	N	O	O	R
K	C	U	D	R	P	I	K	D	I	A	O	P	R	S
K	N	P	U	E	N	A	R	C	H	R	R	L	E	D
K	A	M	S	T	R	T	A	R	H	D	E	D	L	K
E	W	P	G	C	R	N	S	E	O	A	H	R	T	T
T	S	T	O	R	K	I	N	V	U	P	A	P	E	P
G	L	E	S	V	E	P	I	O	Z	P	F	D	X	Z
A	S	T	O	O	T	B	P	L	A	Y	B	A	S	M
R	W	P	G	O	O	S	E	P	L	U	E	Z	S	J
D	U	P	S	M	O	I	K	I	O	O	A	C	R	S
U	I	B	I	E	C	B	X	U	A	T	R	I	Z	P
T	K	D	O	I	R	I	W	E	S	T	O	R	I	Q

COOT
CRAKE
CRANE
DRAKE
DUCK
EGRET
EIDER
GOOSE
GREBE
HERON
IBIS
LAPWING
MALLARD
MOORHEN
PELICAN
PINTAIL
PLOVER
SNIPE
STORK
SWAN
TEAL

52 African Countries

S	I	S	T	U	K	B	G	B	A	I	B	M	A	Z
O	C	C	O	R	O	M	A	S	K	J	U	O	L	Q
M	O	Z	A	M	B	I	Q	U	E	T	W	K	J	F
A	B	X	E	W	O	S	E	L	N	N	A	D	U	S
L	S	B	A	N	A	W	S	T	O	B	E	U	N	S
I	I	A	I	P	O	I	H	T	E	T	O	G	O	X
A	A	I	Y	T	M	G	P	Z	L	R	R	A	A	Z
F	I	T	A	N	Z	A	N	I	A	C	H	N	J	L
F	R	S	T	W	E	R	O	M	R	I	H	D	J	F
R	E	S	I	A	R	K	O	B	R	O	B	A	I	A
P	G	T	P	N	B	S	R	A	E	T	P	M	D	F
W	I	E	O	I	U	C	E	B	I	V	T	X	A	T
U	N	E	G	Y	P	T	M	W	S	Q	T	Y	R	G
I	L	I	B	E	R	I	A	E	H	W	A	D	H	W
N	S	L	A	P	C	Z	C	P	E	A	C	E	A	X

BOTSWANA
CAMEROON
CHAD
EGYPT
ETHIOPIA
GAMBIA
KENYA

LIBERIA
MOROCCO
MOZAMBIQUE
NIGERIA
SENEGAL
SIERRA LEONE
SOMALIA

SUDAN
TANZANIA
TOGO
TUNISIA
UGANDA
ZAMBIA
ZIMBABWE

53 Cars

L	R	N	E	I	C	V	U	T	V	A	E	O	O	R
I	C	P	N	U	S	T	A	H	I	A	D	O	K	S
T	D	Q	A	T	G	U	S	U	R	L	U	N	F	H
O	V	F	S	I	T	T	T	U	X	A	S	D	O	R
S	A	V	S	I	A	E	F	O	R	H	U	O	I	H
W	O	D	I	V	R	P	L	O	L	S	A	G	I	J
A	L	E	N	H	O	E	M	O	R	A	F	L	A	J
E	C	Y	O	R	S	L	L	O	R	D	R	T	L	J
T	R	L	S	E	Y	I	K	S	V	V	Y	S	A	B
O	W	C	R	N	A	R	B	S	Y	L	E	E	U	S
S	H	O	L	A	T	A	U	U	W	R	O	H	A	T
E	R	J	D	U	O	R	X	V	S	A	H	V	C	R
R	L	Q	A	L	Y	R	R	F	A	T	G	C	R	A
R	C	T	B	T	O	E	G	U	E	P	I	E	S	V
R	S	O	C	L	T	F	E	T	Q	U	P	M	N	S

ALFA ROMEO
AUDI
CHEVROLET
CHRYSLER
DAIHATSU
FERRARI
FORD
HONDA
JAGUAR
LOTUS
MITSUBISHI
NISSAN
PEUGEOT
PORSCHE
RENAULT
ROLLS-ROYCE
SKODA
TOYOTA
VAUXHALL
VOLKSWAGEN
VOLVO

54 Where Shall we Eat?

S	I	C	P	S	B	I	S	T	R	O	P	I	J	U
J	R	O	C	A	F	E	T	E	R	I	A	D	I	S
E	T	F	I	N	O	O	P	S	Y	S	A	E	R	G
V	P	F	I	D	I	N	I	N	G	H	A	L	L	S
J	Y	E	D	W	R	E	F	E	C	T	O	R	Y	S
Y	D	E	L	I	C	A	T	E	S	S	E	N	U	M
G	R	H	Y	C	N	B	R	A	S	S	E	R	I	E
Q	N	O	R	H	A	I	T	T	T	U	A	R	O	S
T	R	U	E	B	K	L	N	A	R	O	A	T	N	S
R	U	S	T	A	G	A	U	G	P	M	E	L	E	H
Z	T	E	A	R	K	R	H	U	R	A	Y	Y	E	A
Q	N	R	E	V	A	T	B	J	R	O	S	I	T	L
R	X	R	E	N	I	D	A	O	O	F	O	B	N	L
L	A	R	T	E	A	H	O	U	S	E	N	M	A	N
Y	S	C	L	P	D	M	X	I	Q	W	F	Y	C	R

BISTRO
BRASSERIE
CAFETERIA
CANTEEN
COFFEE HOUSE
DELICATESSEN
DINER
DINING-HALL
DINING-ROOM
EATERY
GREASY SPOON
INN
MESS HALL
PUB
REFECTORY
RESTAURANT
SANDWICH BAR
TAPAS BAR
TAVERN
TEA HOUSE
TEA ROOM

55 In the Forge

L	R	S	W	L	E	E	T	S	D	L	I	M	R	R
P	X	S	I	L	S	N	F	S	K	U	B	E	S	E
K	G	S	L	E	H	O	B	T	R	E	L	L	U	F
D	N	P	E	E	T	T	U	Y	N	T	L	K	W	S
U	I	R	S	T	D	S	I	D	H	G	Z	R	U	S
E	H	R	I	S	K	G	I	M	W	H	O	A	H	W
R	C	F	H	L	W	N	E	E	S	U	R	R	V	G
Q	N	A	C	O	G	I	L	H	G	K	I	P	K	R
W	U	R	S	O	G	D	R	H	A	N	C	R	F	S
S	P	R	R	T	I	N	T	E	K	M	P	A	I	T
R	E	I	A	N	I	I	I	I	B	Q	M	F	L	H
H	E	E	G	Q	R	R	N	W	P	R	O	E	E	B
P	N	R	G	O	I	G	O	P	A	R	U	N	R	A
L	F	I	N	I	S	H	I	N	G	R	S	S	Y	Y
U	V	T	B	P	J	O	I	E	L	K	D	X	H	P

BENDING
BLACKSMITH
CAST IRON
CHISEL
DRAWING
FARRIER
FILE
FINISHING
FORGE
FULLER
GRINDING STONE
JIG
MILD STEEL
PEEN
PUNCHING
SHRINKING
SLEDGEHAMMER
TOOL STEEL
WELDING
WIRE BRUSH
WROUGHT IRON

56 Day at the Races

L	U	V	Q	E	S	X	J	O	C	K	E	Y	A	U
C	B	E	T	W	E	Y	L	O	U	K	G	B	P	O
C	H	O	W	O	Z	O	U	B	C	W	A	I	W	G
S	T	A	P	S	Y	R	Y	Z	S	K	T	N	F	J
Y	H	L	S	T	S	A	K	S	H	R	E	O	A	R
L	A	J	F	E	N	C	E	U	T	R	V	V	L	J
L	N	Y	Z	E	R	R	R	J	U	A	D	I	L	I
I	D	C	C	P	A	D	D	O	C	K	Y	C	E	T
F	I	K	G	L	L	P	R	T	L	S	G	E	R	R
U	C	O	B	E	R	O	I	S	T	E	W	A	R	D
R	A	C	E	C	A	R	D	V	I	F	I	D	L	S
L	P	A	P	H	O	T	O	F	I	N	I	S	H	R
O	T	P	T	A	E	H	D	A	E	D	V	D	P	V
N	S	A	R	S	A	G	J	R	A	O	I	P	S	D
G	H	O	M	E	S	T	R	A	I	G	H	T	A	X

BY A NECK	FURLONG	PADDOCK
CHASER	HANDICAP	PHOTO FINISH
COURSE	HOME STRAIGHT	RACE CARD
DEAD HEAT	HURDLE	STAYER
FALLER	JOCKEY	STEEPLECHASE
FENCE	NOVICE	STEWARD
FILLY	OWNER	TRAINER

57 Knights of the Round Table

B	J	N	L	A	N	C	E	L	O	T	U	J	S	M
E	Q	O	I	P	I	T	N	I	A	W	A	G	A	O
D	S	X	T	L	N	O	G	A	R	D	N	E	P	R
I	U	R	O	P	R	L	T	R	G	O	Y	I	R	D
V	W	M	U	X	D	E	A	G	R	X	S	L	Z	R
E	Z	L	R	P	N	M	M	Y	E	L	S	X	S	E
R	O	U	N	D	T	A	B	L	E	T	H	A	X	D
E	T	Y	A	K	R	C	K	O	N	A	D	C	A	F
M	P	A	M	T	W	R	F	H	K	E	A	H	I	Q
A	K	M	E	I	S	A	G	E	N	L	H	I	U	U
G	U	I	N	E	V	E	R	E	I	T	A	V	S	O
I	T	T	T	A	J	Y	U	B	G	S	L	A	K	B
C	A	L	L	M	K	P	U	Q	H	A	A	L	L	T
G	O	O	O	F	O	R	D	J	T	C	G	R	I	B
D	N	E	G	E	L	V	K	T	R	R	P	Y	R	S

BEDIVERE
CAMELOT
CASTLE
CHIVALRY
EXCALIBUR
GALAHAD
GAWAIN
GREEN KNIGHT
GUINEVERE
HOLY GRAIL
ISLE OF AVALON
KAY
LANCELOT
LEGEND
MAGIC
MERLIN
MORDRED
PENDRAGON
QUEST
ROUND TABLE
TOURNAMENT

58 Elemental Magic

U	O	A	A	P	Y	T	E	M	B	Q	A	R	K	R
R	C	X	U	U	R	U	H	P	L	U	S	E	I	U
T	A	S	H	T	U	M	S	I	B	E	O	K	H	P
A	R	D	T	O	C	F	S	K	I	R	K	E	E	Q
M	G	K	I	H	R	N	P	O	S	A	D	C	L	G
I	O	T	S	U	E	M	H	V	C	N	O	R	I	P
O	N	R	T	F	M	E	U	O	V	K	T	U	U	N
C	C	N	R	U	G	U	P	I	O	C	R	O	M	O
S	T	N	O	N	N	P	I	N	C	H	G	O	I	B
Q	A	O	O	G	E	G	A	N	E	L	E	A	D	R
L	I	L	O	R	J	G	S	E	A	O	A	U	T	A
S	O	S	W	H	O	V	Y	T	A	R	N	C	S	C
B	R	P	O	L	L	B	A	X	E	I	U	R	G	R
S	F	U	D	S	I	L	I	C	O	N	F	O	L	V
I	F	P	S	L	I	S	I	L	V	E	R	Z	L	S

ARGON
BISMUTH
BORON
CALCIUM
CARBON
CHLORINE
COPPER
GOLD
HELIUM
IRON
LEAD
MERCURY
NEON
NICKEL
OXYGEN
RADIUM
SILICON
SILVER
SULPHUR
TUNGSTEN
URANIUM

59 Stitched Up

R	T	M	N	O	Y	A	R	U	E	M	S	T	J	P
M	M	T	J	I	J	T	U	G	R	R	V	O	S	R
R	O	I	I	P	T	D	E	N	I	M	T	O	M	Y
T	H	S	S	S	I	A	A	Z	I	R	S	B	Q	T
U	A	S	C	N	R	M	S	S	O	L	G	M	T	U
I	I	K	O	A	P	A	S	Q	I	M	I	L	T	O
F	R	R	T	T	P	S	X	O	U	L	J	T	R	U
Y	E	T	T	R	P	K	A	S	Z	A	K	A	T	V
R	H	S	O	A	E	F	L	C	S	C	V	B	T	R
C	T	D	N	T	U	I	H	T	B	E	R	E	L	Z
E	A	D	E	K	N	I	K	S	L	I	O	R	P	F
F	E	L	T	E	F	L	S	V	Q	O	U	I	W	M
X	L	S	I	F	W	K	E	W	H	R	O	E	G	Y
R	P	J	O	C	Z	T	N	I	H	C	I	W	F	S
L	I	N	E	N	O	L	D	R	O	U	K	A	R	B

CALICO
CHIFFON
CHINTZ
COTTON
DAMASK
DENIM
FELT
LACE
LEATHER
LINEN
MOHAIR
MUSLIN
OILSKIN
RAYON
SATIN
SILK
SPANDEX
TARTAN
TWEED
VELVET
WOOL

60 Over the Moon

T	Q	N	J	A	A	H	L	B	B	M	A	A	B	R
F	C	R	R	S	R	S	R	F	O	L	R	R	L	Y
G	I	N	N	U	A	K	T	R	O	L	U	P	A	A
A	B	L	H	N	T	T	W	A	A	G	N	A	C	W
X	M	O	W	E	S	A	T	W	S	A	I	J	K	Y
S	O	A	S	V	H	P	S	D	L	L	V	U	H	K
M	S	E	A	R	T	H	P	D	E	A	E	P	O	L
S	L	U	L	R	R	L	Y	E	F	X	R	I	L	I
S	M	A	R	S	O	L	A	R	S	Y	S	T	E	M
R	E	P	X	U	N	E	P	T	U	N	E	E	R	A
V	I	R	G	O	R	E	C	N	A	C	L	R	K	A
E	S	H	X	I	N	A	O	E	T	O	R	Q	X	Q
C	H	P	K	O	U	I	N	I	M	E	G	E	S	W
U	A	R	R	Z	R	O	X	U	P	T	G	Y	M	T
P	J	U	A	O	S	J	I	A	S	A	C	G	F	I

BLACK HOLE
CANCER
EARTH
GALAXY
GEMINI
JUPITER
LEO
MARS
MERCURY
MILKY WAY
NEPTUNE
NORTH STAR
ORION
PLOUGH
RED DWARF
SATURN
SOLAR SYSTEM
UNIVERSE
URANUS
VENUS
VIRGO

61 Mythological Monsters

M	B	I	V	W	C	E	C	S	H	N	R	E	H	T
D	E	C	I	P	O	T	A	N	E	M	E	K	Q	N
L	H	D	O	W	N	R	N	O	S	Q	M	R	T	W
I	E	S	U	R	U	A	T	O	I	H	P	O	I	T
O	R	R	K	S	A	M	E	H	T	N	U	A	F	S
S	O	L	O	O	A	R	L	T	R	G	S	G	N	I
R	R	L	B	C	L	U	C	C	U	U	A	G	A	F
D	Z	M	A	Z	I	A	H	E	H	O	S	R	R	X
I	S	O	L	N	A	T	I	A	R	A	J	A	I	W
Q	P	U	O	M	R	O	N	I	N	B	R	N	E	R
X	H	Z	S	R	T	N	E	A	T	E	E	P	U	O
U	I	Y	G	A	A	I	S	E	M	O	K	R	Y	P
W	N	O	D	C	G	M	C	I	H	P	V	A	U	S
T	X	O	A	R	O	E	H	P	S	A	T	Y	R	S
A	W	U	R	B	A	C	P	Y	V	R	B	W	S	K

CERBERUS
CHIMERA
EMPUSA
FAUN
HARPY
HYDRA
IPOTANE
KOBALOS
KRAKEN
MANTICORE
MEDUSA
MINOTAUR
OPHIOTAURUS
ORTHRUS
PAN
PEGASUS
PHOENIX
SATYR
SIREN
SPHINX
TELCHINES

62 A Rollercoaster of a Time

L	I	R	I	A	F	N	U	F	R	A	S	R	O	S
L	E	N	I	L	O	P	M	A	R	T	N	X	W	G
C	F	E	X	D	I	E	B	V	F	S	G	A	U	B
E	L	L	H	U	O	O	M	U	Y	G	L	K	G	G
W	O	O	Q	W	G	D	N	P	O	T	Q	C	H	X
L	G	P	W	G	S	H	G	L	Z	G	S	U	O	F
V	Y	I	S	N	O	I	D	E	O	C	I	D	S	O
Z	Z	H	A	U	A	F	R	D	M	X	M	A	T	U
G	A	S	S	P	I	E	T	R	U	S	U	K	T	T
Q	R	E	T	S	A	O	C	R	E	L	L	O	R	Q
U	C	T	H	C	H	I	P	S	O	F	A	O	A	Z
E	C	A	N	D	Y	F	L	O	S	S	T	H	I	W
U	T	R	Y	A	E	M	U	L	F	G	O	L	N	P
E	D	I	L	S	H	T	A	E	D	E	R	S	R	S
S	S	P	U	C	A	E	T	O	T	I	E	W	T	T

CANDYFLOSS
CHIPS
CLOWN
CRAZY GOLF
DEATH SLIDE
DODGEMS
FERRIS WHEEL
FUNFAIR
FUNHOUSE
GHOST TRAIN
GOLDFISH
HOOK A DUCK
HOT DOG
LOG FLUME
PIRATE SHIP
QUEUES
ROLLERCOASTER
SIMULATOR
TEACUPS
TRAMPOLINE
WALTZER

63 Down on the Farm

J	P	E	U	T	J	A	I	A	S	A	L	V	S	U
F	Z	O	S	C	U	R	C	M	T	C	O	Y	M	I
B	A	R	N	S	A	J	O	O	A	F	C	I	H	A
E	S	R	O	H	T	M	M	T	W	L	L	E	H	E
H	S	L	M	E	B	U	B	V	C	U	W	S	A	G
I	J	E	T	E	L	C	I	T	Z	A	U	O	D	T
T	I	R	E	P	R	K	N	A	E	R	R	A	R	T
T	Q	E	S	D	M	S	E	O	V	R	Q	T	E	K
E	P	K	U	O	D	P	K	G	H	S	Z	P	G	N
K	K	C	O	G	U	R	C	Y	G	P	X	H	T	E
A	R	O	H	U	C	E	I	L	U	R	I	E	U	Q
I	E	C	M	A	K	A	H	L	O	A	H	G	Y	D
A	U	Y	R	I	A	D	C	I	L	Y	W	U	Z	R
U	T	R	A	I	L	E	R	B	P	E	L	G	A	Q
W	O	T	F	F	A	R	M	Y	A	R	D	E	L	P

BARN
BILLY GOAT
CAT
CHICKEN
COCKEREL
COMBINE
COW
DAIRY
DUCK
FARMER
FARMHOUSE
FARMYARD
HORSE
MUCK SPREADER
PIG
PLOUGH
SEED DRILL
SHEEPDOG
SPRAYER
TRACTOR
TRAILER

64 Zip It!

W	B	A	F	D	S	X	A	L	T	N	Y	L	C	Z
G	Z	E	T	T	M	A	R	A	S	K	T	S	L	P
J	L	T	P	C	I	R	P	R	P	O	S	T	T	L
S	M	I	S	N	Y	E	R	C	P	O	S	A	E	C
Y	C	M	E	N	I	P	R	I	A	H	K	I	Q	L
D	Z	C	W	R	I	P	U	P	V	Y	P	T	M	A
T	U	A	H	L	K	I	G	C	E	E	U	O	G	S
E	R	T	A	A	N	Z	A	N	L	Y	T	X	T	P
J	A	C	S	I	I	E	G	C	I	I	E	A	T	K
Q	I	H	R	L	L	N	T	N	H	W	P	L	Z	N
A	O	M	E	I	F	S	H	O	E	L	A	C	E	O
J	N	S	V	P	F	A	S	T	E	N	E	R	C	T
N	A	Z	R	T	U	H	C	T	I	T	S	R	D	I
U	A	O	U	P	C	O	B	U	C	K	L	E	T	W
Y	X	T	A	R	S	J	Q	B	G	I	B	Z	N	R

BUCKLE
BUTTON
CATCH
CHAIN
CLASP
CLIP
CUFFLINK
DRAWING PIN
EYELET
FASTENER
HAIRPIN
HOOK
KNOT
RIVET
SHOELACE
STAPLE
STITCH
STUD
TAPE
TIE
ZIPPER

65 Words Ending With M

C	D	Y	N	U	A	A	T	O	D	K	D	O	K	R
R	R	S	L	G	N	M	E	R	P	L	S	Y	T	S
K	E	C	I	T	I	U	V	F	H	A	A	Z	A	H
T	A	R	H	N	E	I	A	U	A	R	R	C	N	L
D	M	E	L	O	T	D	D	T	N	H	C	B	T	B
U	M	A	T	V	S	E	E	U	T	L	A	M	R	P
A	R	M	C	E	J	M	R	R	A	P	S	R	U	Q
S	J	O	U	R	N	A	L	I	S	M	M	T	M	M
A	B	A	E	W	O	X	M	S	M	I	R	Z	L	Y
T	I	A	A	H	A	C	S	M	K	U	N	Q	T	E
L	J	K	M	E	E	S	O	D	I	U	M	L	B	S
O	D	G	A	L	R	T	M	S	I	E	H	T	A	T
M	Q	R	O	M	O	R	M	H	M	S	I	O	G	E
R	Y	W	R	R	T	L	V	D	W	N	J	B	P	E
O	E	P	S	M	L	Q	R	T	F	I	D	S	B	M

ACCLAIM
ANTHEM
ATHEISM
DREAM
EGOISM
ESTEEM
FUTURISM
HARM
INTERIM
JOURNALISM
MACROCOSM
MEDIUM
OVERWHELM
PHANTASM
ROAM
SARCASM
SCREAM
SEEM
SODIUM
TANTRUM
TRUISM

66 Achilles' Heel

E	Z	P	A	T	I	W	E	O	Z	E	I	U	O	T
A	P	P	A	R	I	S	R	O	T	N	O	S	F	S
C	A	O	S	S	E	P	U	A	G	S	D	T	A	E
V	N	G	L	U	H	N	P	L	S	N	Y	C	L	O
B	D	H	L	E	E	D	I	O	A	R	S	K	K	T
T	O	L	U	N	N	S	K	A	L	D	S	S	O	T
D	R	S	R	O	H	E	R	A	C	L	E	S	E	I
X	A	J	A	G	H	T	P	E	P	I	U	A	N	E
D	H	D	A	I	O	E	D	I	P	U	S	X	D	J
G	A	T	P	T	H	C	C	R	K	P	U	V	A	A
J	A	S	O	N	O	R	C	T	L	A	E	Q	I	W
H	E	A	R	A	A	A	A	B	O	V	S	A	R	A
A	D	E	U	L	C	A	S	T	O	R	E	I	A	Z
U	E	N	E	L	E	H	T	A	H	T	H	L	D	R
T	M	O	P	I	W	U	T	C	M	U	T	P	Y	A

AJAX
ANTIGONE
ARIADNE
CASTOR
CRONOS
DAEDALUS
EUROPA
HECTOR
HELEN
HERACLES
JASON
MEDEA
ODYSSEUS
OEDIPUS
ORPHEUS
PANDORA
PARIS
PENELOPE
PERSEUS
POLLUX
THESEUS

67 Going Camping

O	I	U	R	Z	R	U	C	A	V	U	E	S	T	O
S	W	O	L	L	A	M	H	S	R	A	M	G	O	R
L	A	S	K	R	A	P	S	U	T	F	H	E	R	U
E	L	P	R	I	M	U	S	S	T	O	V	E	C	S
E	K	C	Y	B	M	T	K	J	S	O	L	A	H	O
P	I	A	J	U	V	J	P	T	H	R	M	S	R	I
I	N	M	M	S	R	A	S	B	Z	P	T	G	K	D
N	G	P	R	H	D	T	I	M	F	R	E	L	C	U
G	B	S	X	C	O	I	Y	I	I	E	N	A	A	C
B	O	I	L	R	C	H	R	N	W	T	T	M	S	O
A	O	T	I	A	A	E	G	J	A	A	F	P	K	M
G	T	E	E	F	I	L	D	L	I	W	I	I	C	P
P	S	R	A	T	S	E	H	T	R	E	D	N	U	A
O	X	Q	D	N	K	I	N	D	L	I	N	G	R	S
T	P	N	J	F	W	P	E	N	K	N	I	F	E	S

BUSHCRAFT
CAMPFIRE
CAMPSITE
COMPASS
GHOST STORIES
GLAMPING
KINDLING
MARSHMALLOWS
PENKNIFE
PRIMUS STOVE
RUCKSACK
SLEEPING BAG
SPARKS
STRING
TENT
TORCH
UNDER THE STARS
WALKING BOOTS
WATERPROOF
WILDLIFE
YURT

68 Fish and Chips

D	Y	C	W	H	I	T	I	N	G	F	J	A	T	L
M	Y	A	E	A	A	R	G	P	E	H	E	N	J	R
Z	N	E	U	D	S	M	T	U	O	G	O	U	S	H
D	S	A	L	D	S	M	S	U	R	L	O	T	G	L
S	Q	S	N	O	T	W	A	S	R	N	L	U	J	C
Z	I	S	E	C	C	V	O	C	N	B	A	O	W	N
G	K	A	R	K	H	R	M	R	K	K	O	R	C	T
N	T	K	V	F	L	O	U	N	D	E	R	T	D	K
I	B	J	H	X	N	S	V	A	H	F	R	A	S	E
R	E	T	A	K	S	D	B	Y	E	M	I	E	I	O
R	R	E	F	O	D	E	N	I	D	R	A	S	L	C
E	O	I	J	L	R	E	Z	W	H	B	O	E	H	I
H	S	I	F	T	A	C	K	H	A	L	K	B	R	E
H	P	N	A	C	Z	T	J	S	E	L	J	I	F	B
G	N	A	E	M	C	C	S	S	P	R	V	S	A	A

ANCHOVY
BREAM
CATFISH
COLEY
DAB
FLOUNDER
GURNARD
HADDOCK
HERRING
MACKEREL
MONKFISH
POLLOCK
SARDINE
SEA BASS
SEA TROUT
SKATE
SOLE
SWORDFISH
TUNA
TURBOT
WHITING

69 Wild Flowers

W	Z	N	C	L	D	U	A	A	H	S	O	T	G	W
B	O	M	L	R	I	Y	R	R	E	B	L	I	B	E
F	O	X	G	L	O	V	E	W	M	L	V	J	T	O
J	B	W	O	U	P	C	W	S	L	M	B	K	Y	O
A	B	I	Z	C	P	U	U	Q	O	U	R	H	R	A
C	E	L	T	O	I	R	C	S	C	R	O	Y	R	L
O	E	D	D	W	U	A	E	R	K	N	M	S	E	S
B	O	G	A	S	P	H	O	D	E	L	T	I	B	S
S	R	A	F	L	Q	C	A	Y	P	T	B	A	R	S
L	C	R	F	I	D	S	S	R	X	O	T	D	A	P
A	H	L	O	P	Y	U	O	M	E	E	P	U	E	I
D	I	I	D	L	C	M	A	A	T	B	P	P	B	L
D	D	C	I	K	A	N	E	M	O	N	E	N	Y	X
E	O	A	L	E	X	A	N	D	E	R	T	L	N	O
R	T	E	O	U	A	B	L	U	E	B	E	L	L	I

ALEXANDER
ANEMONE
BEARBERRY
BEE ORCHID
BILBERRY
BLUEBELL
BOG ASPHODEL
BUTTERCUP
COWSLIP
CROCUS
DAFFODIL
DAISY
FOXGLOVE
HAREBELL
HEMLOCK
HONEYSUCKLE
JACOB'S LADDER
OXLIP
PRIMROSE
RED POPPY
WILD GARLIC

70 Flowers in Detail

R	I	G	S	Q	U	P	J	P	B	S	K	I	P	C
S	P	T	S	G	O	A	I	K	U	J	S	Z	P	T
R	U	U	C	S	O	S	F	F	I	P	P	S	R	N
T	X	T	T	R	T	Q	I	U	O	T	R	S	I	S
U	Y	R	C	I	U	I	H	X	E	Y	S	E	C	G
L	L	C	L	T	N	M	G	V	S	X	T	O	S	R
E	A	A	U	E	S	T	B	M	T	H	R	N	I	U
E	C	T	N	H	D	E	O	E	A	O	O	E	H	A
K	U	E	E	W	T	X	G	L	L	Z	V	M	R	E
I	S	A	C	P	P	N	A	L	K	Y	T	A	F	T
P	R	T	T	N	E	M	A	L	I	F	T	T	R	K
S	E	P	A	L	U	R	X	I	D	A	P	S	U	Y
K	I	G	R	S	L	T	S	U	R	O	T	R	V	T
J	R	L	Y	P	A	N	I	C	L	E	W	A	I	S
R	P	A	I	V	S	O	V	U	L	E	P	R	A	C

CALYX
CARPEL
COROLLA
FILAMENT
NECTARY
OVARY
OVULE

PANICLE
PERIANTH
PETAL
PISTIL
SEPAL
SPADIX
SPIKE

STALK
STAMEN
STIGMA
STYLE
THALAMUS
TORUS
UMBEL

71 Wine Tasting

A	U	E	L	V	Y	E	M	K	A	M	V	D	O	H
R	A	C	S	L	Q	S	L	L	S	V	Z	I	N	R
R	G	V	H	D	U	B	Z	H	C	E	B	L	A	M
E	C	H	I	A	N	T	I	A	H	T	N	Z	A	P
T	O	L	R	E	M	R	R	H	A	R	P	I	I	K
I	T	R	O	P	A	P	A	E	R	S	A	N	D	O
H	Y	X	I	Z	G	G	A	A	D	P	O	F	Z	V
W	K	D	U	E	L	N	R	G	O	T	G	A	C	D
I	A	A	N	P	S	I	O	E	N	T	C	N	A	X
K	P	E	T	U	S	L	R	O	N	E	T	D	B	B
I	U	N	E	H	G	K	I	P	A	A	A	E	E	E
O	C	C	E	S	O	R	P	N	Y	K	C	L	R	S
A	P	R	I	O	J	A	U	T	G	A	S	H	N	R
T	R	R	N	I	Z	P	F	B	V	O	U	S	E	B
Y	L	A	B	E	U	S	N	A	A	T	M	E	T	Y

BURGUNDY
CABERNET
CAVA
CHAMPAGNE
CHARDONNAY
CHIANTI
GRENACHE
MALBEC
MERLOT
MUSCAT
PINOT NOIR
PORT
PROSECCO
RED
RIESLING
RIOJA
SHERRY
SHIRAZ
SPARKLING
WHITE
ZINFANDEL

72 In the Kitchen

Q	T	G	H	A	L	A	L	U	T	A	P	S	E	N
L	W	O	B	G	N	I	X	I	M	M	X	M	G	B
A	C	U	P	B	O	A	R	D	O	P	M	L	D	M
V	O	C	D	H	O	R	T	T	T	F	A	T	I	E
T	O	H	S	I	P	L	S	T	R	S	N	C	R	S
D	K	E	Z	T	S	I	V	T	S	Y	R	I	F	K
S	E	E	L	T	N	H	U	E	A	O	A	U	T	L
M	R	S	M	K	E	A	W	F	W	X	K	V	F	O
F	U	E	L	Y	D	X	P	A	A	V	N	P	O	R
L	O	G	O	T	O	A	V	G	S	I	I	T	A	T
U	T	R	T	G	O	E	A	O	N	H	F	E	X	R
O	F	A	K	R	W	T	T	N	U	I	E	L	V	I
E	L	T	T	E	K	Y	O	A	E	M	Y	R	F	S
C	L	E	W	O	T	A	E	T	L	Y	M	R	E	L
D	F	R	E	E	Z	E	R	Z	V	P	M	M	F	D

CHEESE GRATER
COOKER
CUPBOARD
DISHWASHER
FORK
FREEZER
FRIDGE
FRYING PAN
GLASS
KETTLE
KNIFE
MICROWAVE
MIXING BOWL
MUG
PLATE
POT
SINK
SPATULA
TEA TOWEL
TIN FOIL
WOODEN SPOON

73 Football, Anyone?

I	X	E	O	D	S	G	S	M	G	C	A	F	A	R
L	I	R	V	R	S	H	O	F	F	S	I	D	E	K
C	T	P	S	A	Y	Z	P	A	S	H	O	O	T	D
R	R	E	H	W	S	F	U	L	L	T	I	M	E	T
E	U	K	V	R	W	C	A	N	I	P	S	A	X	T
D	A	A	A	O	P	I	U	R	D	R	O	S	R	B
C	H	A	L	F	W	A	Y	L	I	N	E	S	A	R
A	O	I	K	C	I	K	R	E	N	R	O	C	T	P
R	E	P	E	E	K	L	A	O	G	P	K	E	W	D
D	U	B	S	U	B	S	T	I	T	U	T	E	L	R
R	L	U	R	K	C	I	K	L	A	O	G	R	K	R
G	A	L	F	R	E	N	R	O	C	N	J	E	G	T
S	S	Q	R	Q	S	T	R	I	K	E	R	F	P	P
T	A	L	U	S	P	E	N	A	L	T	Y	E	W	R
I	N	J	U	R	Y	T	I	M	E	R	S	R	N	K

BACK	GOALPOST	RED CARD
CORNER FLAG	HALF-WAY LINE	REFEREE
CORNER KICK	INJURY TIME	SAVE
FORWARD	NET	SHOOT
FULL-TIME	OFFSIDE	SLIDING TACKLE
GOAL KICK	PASS	STRIKER
GOALKEEPER	PENALTY	SUBSTITUTE

74 American Football

N	B	R	S	L	X	P	A	Z	G	S	L	P	L	L
Q	P	I	E	M	I	T	R	E	V	O	A	O	M	E
C	F	H	T	V	J	F	H	V	J	L	M	X	H	S
E	K	B	F	O	O	T	B	A	L	L	B	Y	C	S
R	G	C	N	Q	U	N	U	D	L	R	D	T	N	A
E	E	A	A	L	W	C	R	O	R	F	O	E	E	P
K	N	K	M	B	W	T	H	U	E	I	B	F	L	I
C	P	N	C	M	R	O	I	D	T	M	O	A	K	G
I	Y	I	I	A	I	E	B	G	O	A	I	S	C	S
K	V	M	X	S	B	R	T	R	H	W	F	T	A	K
G	N	O	I	T	P	E	C	R	E	T	N	I	T	I
E	S	N	E	F	F	O	N	S	A	P	E	P	G	N
N	L	A	O	G	D	L	E	I	F	U	U	N	U	E
F	F	T	N	A	M	E	N	I	L	N	Q	S	D	T
E	K	N	F	I	T	A	H	O	T	W	T	R	Z	A

FIELD GOAL
FOOTBALL
HALFBACK
INTERCEPTION
KICKER
LINE BACKER
LINEMAN
OFFENSE
OVERTIME
PASS
PIGSKIN
PUNT
QUARTERBACK
SAFETY
SCRIMMAGE
SUPER BOWL
TACKLE
TIGHT END
TIMEOUT
TOUCHDOWN
TURNOVER

75 Shoe Shopping

J	S	S	A	B	P	M	O	C	C	A	S	I	N	R
P	R	D	E	C	K	S	H	O	E	T	S	P	V	E
S	H	T	N	I	L	B	F	M	R	M	H	J	L	F
E	S	A	K	A	S	S	O	B	Y	T	R	S	L	A
Z	O	Z	D	J	E	L	O	A	A	E	S	N	I	O
P	L	N	G	A	K	I	T	T	E	N	H	E	E	L
W	A	D	E	R	I	P	B	B	L	N	A	T	L	P
S	G	M	R	J	P	P	A	O	K	I	R	R	L	E
A	Y	S	C	O	S	E	L	O	C	S	Q	A	I	S
L	S	L	P	R	F	R	L	T	U	S	C	M	R	P
F	W	Y	L	M	I	X	B	Y	B	H	Y	C	D	T
I	U	W	S	E	U	G	O	R	B	O	T	O	A	N
A	T	J	R	U	W	P	O	I	T	E	G	D	P	X
A	G	S	T	I	L	E	T	T	O	X	T	E	S	Y
S	I	F	S	N	O	W	S	H	O	E	A	L	E	Z

BROGUE
BUCKLE
COMBAT BOOT
DECK SHOE
DOC MARTENS
ESPADRILLE
FOOTBALL BOOTS
GALOSH
KITTEN HEEL
LOAFER
MOCCASIN
OXFORD
PUMP
SANDALS
SLIPPER
SNOWSHOE
SPIKES
STILETTO
TENNIS SHOE
WADER
WELLY

76 Fruits

Z	L	B	Z	A	N	E	E	R	S	U	P	F	R	Q
I	O	E	O	E	D	R	Q	A	Q	Q	M	X	B	Y
P	Y	R	R	E	B	E	U	L	B	I	D	O	L	L
I	R	T	G	A	V	A	L	O	R	S	P	A	F	J
N	R	A	U	O	E	Y	R	R	E	H	C	V	P	O
E	E	G	G	R	A	P	E	F	R	U	I	T	S	R
A	B	C	O	P	E	A	F	T	O	C	I	R	P	A
P	P	M	T	O	T	I	U	R	F	K	C	A	J	N
P	S	W	P	A	S	N	O	M	E	L	R	Z	L	G
L	A	R	A	D	R	E	S	B	X	E	T	A	D	E
E	R	S	K	M	E	I	B	E	E	B	H	N	C	E
M	O	H	E	N	I	T	N	E	M	E	L	C	T	M
I	A	L	O	G	A	N	B	E	R	R	Y	D	Y	U
L	O	K	Y	R	R	E	B	W	A	R	T	S	I	L
N	B	L	A	C	K	B	E	R	R	Y	Y	M	O	P

APRICOT
BLACKBERRY
BLUEBERRY
CHERRY
CLEMENTINE
GOOSEBERRY
GRAPEFRUIT

HUCKLEBERRY
JACKFRUIT
LEMON
LIME
LOGANBERRY
LYCHEE
MELON

NECTARINE
ORANGE
PEAR
PINEAPPLE
PLUM
RASPBERRY
STRAWBERRY

77 Energy Sources

F	S	A	T	D	Z	X	F	D	A	R	U	C	H	T
A	M	M	E	T	H	A	N	O	L	O	A	O	C	S
W	I	N	D	Z	Y	U	P	E	E	R	E	K	G	N
M	O	T	S	O	D	C	I	E	A	R	H	E	A	R
I	F	O	R	F	R	J	E	N	A	P	O	R	P	A
A	H	Y	D	R	O	E	L	E	C	T	R	I	C	S
Z	N	K	P	R	G	S	N	F	H	P	G	C	A	O
S	R	J	D	V	E	K	S	E	D	I	E	S	E	L
O	B	U	T	A	N	E	R	I	W	P	H	U	R	A
G	W	O	L	B	T	M	I	W	L	A	D	I	T	R
S	N	I	F	F	A	R	A	P	L	F	B	G	O	I
I	R	A	E	L	C	U	N	E	P	Y	U	L	T	S
U	H	O	W	S	A	G	O	I	B	I	C	E	E	V
P	L	P	T	S	P	I	J	I	Y	A	J	J	L	S
P	E	T	R	O	L	A	O	C	R	A	H	C	L	S

BIOGAS
BUTANE
CHARCOAL
COKE
DIESEL
FOSSIL FUELS
GEOTHERMAL
HYDROELECTRIC
HYDROGEN
METHANOL
NUCLEAR
PARAFFIN
PEAT
PETROL
PROPANE
RENEWABLES
SHALE OIL
SOLAR
TIDAL
WIND
WOOD

78 Keep Your Balance!

P	Q	V	F	P	A	E	L	G	A	T	S	I	X	L
I	S	U	W	R	K	F	R	O	N	T	T	U	C	K
Y	D	P	T	I	L	S	R	O	S	S	I	C	S	V
C	N	Q	R	O	X	Y	A	A	F	H	L	I	I	A
Q	A	P	O	I	T	R	E	G	U	I	L	M	S	A
V	T	R	O	G	N	L	E	J	G	G	R	A	E	U
P	S	T	T	M	N	G	U	L	C	H	I	N	L	I
R	D	P	T	W	M	I	B	A	E	B	N	Y	D	R
W	N	F	A	T	H	E	L	O	S	A	G	D	N	P
P	A	R	A	L	L	E	L	B	A	R	S	D	I	T
I	H	O	T	F	Y	U	E	H	M	R	E	E	P	R
K	A	Y	A	Q	P	R	A	L	O	U	D	M	S	Q
E	X	W	U	W	U	O	U	V	T	R	T	J	O	C
G	Y	M	N	A	S	T	N	U	O	M	S	I	D	S
Z	B	L	R	P	H	E	P	F	L	A	R	E	L	P

CARTWHEEL
DISMOUNT
DYNAMIC
FLARE
FLOOR
FRONT TUCK
GYMNAST
HANDSTAND
HIGH BAR
PARALLEL BARS
PIKE
POMMEL HORSE
RELEASES
SCISSORS
SOMERSAULT
SPINDLE
SPRINGBOARD
STAG LEAP
STILL RINGS
TUMBLING
VAULT

79 Weather Words

H	C	H	R	U	X	H	M	E	H	W	Z	C	Q	G
D	R	I	U	A	A	E	T	A	R	Y	O	C	R	T
D	R	I	Z	Z	L	E	G	U	L	E	D	N	I	W
F	R	O	S	T	Y	E	N	I	H	S	N	U	S	B
C	L	O	U	D	S	A	E	O	C	W	L	P	L	A
L	R	N	T	G	B	T	Z	F	L	O	O	D	E	L
A	R	D	S	D	H	B	O	H	E	C	L	A	E	D
O	O	T	M	I	S	T	R	R	H	L	Y	D	T	X
J	A	R	R	F	G	O	F	A	M	L	A	C	M	U
Z	D	Y	M	O	O	F	I	R	I	I	Q	G	I	R
M	K	C	A	K	R	L	Z	Y	A	N	F	S	J	D
K	H	A	Z	Z	L	T	B	A	R	R	Y	A	A	T
B	E	I	U	B	Q	I	E	X	M	M	R	J	Z	P
L	S	T	Y	R	I	O	I	U	R	R	R	J	A	V
I	I	Z	P	Q	N	B	S	I	O	Y	N	D	K	P

CALM
CLOUD
COLD
CYCLONE
DELUGE
DRIZZLE
DROUGHT
FLOOD
FOG
FROSTY
FROZEN
GALE
HAIL
ICY
MIST
RAIN
SLEET
SNOW
STORM
SUNSHINE
WIND

80 Books of the Old Testament

M	U	E	A	G	H	H	R	R	R	Y	P	T	H	U
K	I	L	I	S	I	A	L	E	O	J	E	S	T	E
Y	P	C	E	S	I	U	N	T	H	Z	T	Z	U	A
R	V	S	A	U	U	S	S	O	E	T	R	Z	R	I
E	M	I	U	H	M	C	E	K	J	O	S	H	U	A
I	A	E	S	O	H	A	I	N	A	H	P	E	Z	F
H	V	J	U	D	G	E	S	T	E	T	O	D	H	H
W	U	D	O	I	L	Q	T	U	I	G	H	O	J	P
R	S	Q	V	B	I	M	P	R	O	V	E	R	B	S
B	Z	L	A	C	P	R	N	U	M	B	E	R	S	A
F	U	W	R	T	A	G	S	L	A	X	S	L	P	L
B	R	J	X	I	S	L	K	A	O	T	F	U	C	M
A	F	E	P	X	U	G	J	D	L	K	I	N	G	S
I	Z	T	E	B	T	G	U	I	F	A	O	S	M	Z
Y	N	C	P	J	I	S	D	E	I	T	R	P	I	F

ESTHER
EXODUS
EZEKIEL
EZRA
GENESIS
HOSEA
ISAIAH
JOB
JOEL
JONAH
JOSHUA
JUDGES
KINGS
LEVITICUS
MICAH
NUMBERS
PROVERBS
PSALMS
RUTH
SAMUEL
ZEPHANIAH

81 Fun and Games

I	W	M	S	R	E	K	N	O	C	L	A	A	H	V
A	L	S	R	T	A	G	N	I	N	W	O	L	C	Q
E	P	X	I	Q	X	O	E	U	T	F	S	O	T	F
K	L	U	A	U	T	R	N	A	F	B	Q	U	O	C
T	A	L	H	O	R	F	T	Y	P	E	G	E	C	B
V	Y	L	C	I	E	P	E	A	P	O	U	S	S	O
Z	R	A	L	T	D	A	R	D	F	S	B	I	P	N
C	E	B	A	S	R	E	T	W	M	I	I	N	O	G
R	L	T	C	S	O	L	A	S	U	M	V	N	H	O
O	O	O	I	I	V	R	I	N	U	O	S	E	R	R
Q	O	O	S	R	E	U	N	A	D	N	P	T	R	U
U	F	F	U	Q	R	A	I	S	I	S	F	K	J	O
E	M	T	M	Z	I	F	N	E	G	A	E	C	T	Y
T	O	U	C	H	R	U	G	B	Y	Y	L	E	S	C
M	T	N	E	M	I	R	R	E	M	S	A	D	K	U

CLOWNING
CONKERS
CROQUET
DECK TENNIS
ENTERTAINING
FOOTBALL
FUN
HIDE-AND-SEEK
HOPSCOTCH
I-SPY
LEAPFROG
MERRIMENT
MUSICAL CHAIRS
PLAY
QUOITS
RED ROVER
SIMON SAYS
TAG
TOMFOOLERY
TOUCH RUGBY
TUG-OF-WAR

82 Gems

R	T	L	V	E	M	E	R	A	L	D	T	R	K	X
F	A	H	U	K	S	T	C	G	I	L	L	R	L	E
B	V	V	Q	S	E	T	A	A	C	A	A	K	V	P
T	D	R	U	I	A	R	M	A	C	P	E	T	T	O
E	M	G	A	E	N	O	T	S	D	O	O	L	B	Y
J	F	E	R	E	N	S	O	T	J	K	O	T	L	B
S	A	J	T	D	E	L	U	E	P	C	B	O	U	U
A	T	D	Z	Y	P	R	R	T	J	A	S	P	E	R
P	A	T	E	H	Q	T	M	A	R	L	E	A	V	L
P	A	G	S	U	I	S	A	G	E	B	T	Z	E	R
H	V	W	O	N	Y	X	L	A	U	P	Z	F	N	H
I	O	I	E	L	A	P	I	S	L	A	Z	U	L	I
R	S	U	C	M	O	O	N	S	T	O	N	E	U	T
E	N	A	W	F	I	R	E	O	P	A	L	F	T	K
D	A	I	V	L	L	B	T	M	S	A	P	V	T	S

BLACK OPAL
BLOODSTONE
CAT'S-EYE
DIAMOND
EMERALD
FIRE OPAL
GARNET
JADE
JASPER
JET
LAPIS LAZULI
MOONSTONE
MOSS AGATE
ONYX
PEARL
QUARTZ
RUBY
SAPPHIRE
TOPAZ
TOURMALINE
TURQUOISE

83 Names for a Girl

U	O	A	A	N	H	I	L	E	G	E	I	K	S	R
A	L	U	C	I	A	I	T	N	C	N	P	K	D	F
A	J	R	Z	Y	L	E	L	I	Z	A	B	E	T	H
A	A	P	U	G	M	I	E	H	S	H	R	T	S	H
O	H	R	Y	S	A	Y	M	P	C	B	R	A	R	T
C	A	T	H	E	R	I	N	E	S	O	R	U	X	S
A	R	L	N	H	Y	O	S	S	I	I	I	Y	T	J
J	N	A	O	A	R	X	S	O	S	S	A	R	A	H
I	E	O	A	C	M	M	F	J	P	I	R	A	X	X
O	O	L	I	V	I	A	E	W	G	H	A	J	U	U
A	A	N	H	F	T	N	S	M	Y	F	I	L	C	Y
V	C	S	T	C	N	N	P	C	M	G	S	E	E	A
V	T	H	Y	Y	S	E	F	K	U	A	Y	H	I	L
Y	T	E	Z	S	K	I	T	T	Y	C	U	L	L	M
S	I	L	T	P	B	S	C	O	E	I	F	T	A	U

CARA
CATHERINE
ELIZABETH
EMILIA
EMMA
FIONA
JENNY
JOSEPHINE
KITTY
LUCIA
LUCY
MARY
NICOLA
OLIVIA
ROSE
RUTH
SAMANTHA
SARAH
SIENNA
SIOBHAN
SOPHIE

84 Names for a Boy

O	I	Q	H	Y	R	R	C	P	K	E	R	L	D	E
Z	P	J	O	H	N	M	O	H	R	R	N	R	P	F
L	W	E	H	T	T	A	M	I	C	H	A	E	L	A
E	P	R	N	O	P	R	V	L	T	H	H	M	E	Q
M	Y	K	P	M	F	T	A	L	C	A	T	L	U	P
R	O	B	B	I	E	I	D	I	R	S	A	D	M	A
T	R	A	U	T	S	N	R	P	Y	F	N	J	A	F
F	R	K	E	S	E	M	A	J	R	R	A	A	S	W
O	T	K	L	A	N	Q	W	E	V	A	N	K	A	C
X	R	I	U	R	Z	A	D	L	E	N	A	E	A	A
O	G	A	W	T	B	D	E	I	S	K	A	A	H	O
Y	P	T	T	A	Y	W	T	S	X	S	U	U	B	X
E	F	S	I	I	I	R	L	Y	A	Z	T	L	O	R
J	Q	Y	A	S	S	A	W	F	U	W	M	R	T	A
B	Y	S	W	U	P	P	P	C	P	I	W	N	S	P

EDWARD
FRANK
FREDDY
HENRY
JAKE
JAMES
JOHN
LEWIS
LUKE
MARK
MARTIN
MATTHEW
MICHAEL
NATHAN
PHILLIP
RICHARD
ROBBIE
SAMUEL
SEAN
STUART
TIMOTHY

85 Body Parts

X	S	R	D	S	T	E	W	R	E	G	N	I	F	L
G	J	T	A	C	V	K	T	Y	L	S	U	O	L	S
R	Q	T	C	D	A	N	H	E	K	T	O	E	A	B
U	F	A	C	V	A	E	Y	I	C	F	T	N	C	P
A	R	Q	X	U	R	E	D	L	U	O	H	S	U	M
P	S	A	P	S	S	O	H	D	N	R	G	A	W	R
G	H	Y	V	U	X	I	D	G	K	E	I	Q	G	S
H	P	M	U	D	P	P	U	L	L	A	H	L	U	J
E	S	M	C	G	B	E	M	B	K	R	T	S	S	O
U	P	T	L	B	F	A	O	A	C	M	H	A	N	D
D	T	Z	C	L	T	W	U	U	E	I	U	W	H	I
R	G	L	O	E	R	A	T	Y	N	R	M	U	R	M
L	K	R	E	I	R	Y	H	O	M	A	B	J	N	O
L	B	A	S	O	N	B	F	J	O	Y	U	R	T	I
D	R	T	O	T	H	N	U	Q	K	F	Y	O	E	P

CALF
ELBOW
EYE
FINGER
FOOT
FOREARM
HAND
HEAD
HIP
KNEE
KNUCKLE
MOUTH
NECK
NOSE
SHIN
SHOULDER
THIGH
THUMB
TOE
TONGUE
WRIST

86 Close Relationships

F	R	T	W	H	A	L	F	S	I	S	T	E	R	G
R	E	H	T	A	F	D	N	A	R	G	G	E	R	R
C	N	G	W	A	L	I	Q	J	V	R	H	E	Z	A
Q	T	I	I	V	E	N	H	B	E	T	A	L	Y	N
T	R	R	F	C	N	H	I	A	O	T	D	C	R	D
C	A	L	E	R	E	Y	T	R	G	U	S	N	J	M
O	P	F	W	A	M	G	B	R	E	H	D	U	I	O
U	T	R	D	H	R	F	A	U	N	H	L	C	U	T
S	L	I	W	A	L	N	I	R	E	H	T	A	F	H
I	T	E	N	A	D	N	E	I	R	F	Y	O	B	E
N	E	N	H	A	A	P	S	T	E	P	M	U	M	R
A	Y	D	D	L	X	W	E	H	P	E	N	O	S	K
H	C	K	D	A	U	G	H	T	E	R	O	T	S	V
S	P	D	Z	G	R	A	N	D	S	O	N	L	L	M
G	S	Y	I	D	N	A	B	S	U	H	J	E	L	L

BOYFRIEND
COUSIN
DAUGHTER
FATHER-IN-LAW
GIRLFRIEND
GRANDFATHER
GRANDMOTHER
GRANDSON
GREAT-GRANDAD
GREAT-GRANNY
HALF-BROTHER
HALF-SISTER
HUSBAND
MOTHER-IN-LAW
NEPHEW
NIECE
PARTNER
STEP-DAD
STEP-MUM
UNCLE
WIFE

87 Cats

J	W	I	L	D	C	A	T	A	H	I	H	O	A	R
G	U	P	E	U	L	B	N	A	I	S	S	U	R	X
Z	X	V	N	G	B	K	I	M	M	T	I	U	O	A
A	I	H	I	N	R	V	O	A	A	F	K	O	G	T
R	P	L	L	S	U	U	P	N	L	B	R	T	N	B
B	A	U	E	P	S	K	R	X	A	U	U	L	A	U
K	X	I	F	E	L	N	U	U	Y	R	T	G	I	A
W	I	R	R	A	Q	A	O	E	A	M	H	P	S	X
M	I	T	E	X	X	I	L	O	N	E	A	Z	I	T
E	G	O	T	U	E	S	O	O	C	S	V	A	U	O
K	Z	R	Y	Y	U	R	C	E	Y	E	A	R	S	M
Z	P	S	B	G	Q	E	J	A	I	W	N	H	E	C
E	H	E	B	G	L	P	E	S	E	M	A	I	S	A
A	T	E	A	O	V	D	H	O	U	S	E	C	A	T
X	A	M	T	M	G	R	D	X	V	O	I	I	Z	M

ANGORA
BURMESE
COLOURPOINT
FELINE
HAVANA
HIMALAYAN
HOUSE CAT
KITTY
MAINE COON
MANX
MOGGY
MOUSER
OCELOT
PERSIAN
REX
RUSSIAN BLUE
SIAMESE
TABBY
TOMCAT
TURKISH
WILDCAT

88 Making Hay Whilst the Sun Shines

M	X	X	I	H	T	Y	L	P	A	V	T	S	R	Y
R	E	G	A	B	U	B	M	H	U	F	S	E	R	E
M	I	R	T	F	T	T	M	I	L	L	E	T	V	L
Z	P	C	B	R	S	S	T	A	O	D	L	I	W	R
J	W	A	E	U	C	I	T	R	O	N	E	L	L	A
P	L	N	M	T	F	E	A	K	I	S	P	P	P	B
S	T	E	A	P	U	F	Z	W	P	S	H	S	C	E
A	O	G	O	R	A	W	A	I	H	Z	A	Q	O	N
S	M	R	C	U	J	S	N	L	A	Y	N	O	E	A
E	I	A	G	S	W	I	G	D	O	M	T	I	E	C
S	Q	S	P	H	F	E	O	R	U	G	G	O	G	R
X	S	S	E	E	U	U	F	Y	A	S	R	S	D	A
T	D	A	X	S	C	M	N	E	Q	S	A	A	E	G
R	T	P	C	O	U	C	H	G	R	A	S	S	S	U
A	M	A	R	R	A	M	G	R	A	S	S	H	Y	S

BARLEY
BUFFALO GRASS
CANE GRASS
CITRONELLA
COUCH GRASS
ELEPHANT GRASS
MAIZE
MARRAM GRASS
MILLET
PAMPAS GRASS
REED
RICE
RUSHES
SEDGE
SORGHUM
SPINIFEX
SUGAR CANE
TURF
WHEAT
WILD OATS
WILD RYE

89 Different Shades of Green

W	F	L	I	J	E	R	A	F	U	H	N	P	T	J
T	P	A	E	S	U	E	R	T	R	A	H	C	A	G
S	N	T	K	N	L	N	O	R	T	I	C	D	F	K
P	O	E	N	L	I	N	E	D	U	A	E	E	Q	W
I	D	N	E	E	M	R	S	E	A	G	R	E	E	N
A	A	G	E	R	E	T	A	K	R	N	R	I	H	K
V	L	I	R	E	G	R	U	M	G	G	R	Y	Z	N
O	E	A	G	S	R	R	G	R	A	O	A	Z	E	D
C	C	Z	N	R	E	G	E	E	Q	U	L	E	O	L
A	B	G	L	T	E	E	E	T	L	U	Q	I	P	A
D	O	O	O	E	N	K	R	N	N	P	O	A	V	R
O	I	H	C	A	T	S	I	P	I	U	P	I	N	E
O	N	T	N	L	C	Y	Z	A	L	P	H	A	S	M
R	S	N	I	L	E	G	R	E	E	N	I	Q	D	E
K	R	O	L	U	S	W	C	P	R	C	F	T	E	V

APPLE GREEN
AQUAMARINE
AVOCADO
CELADON
CHARTREUSE
CITRON
EAU DE NIL
EMERALD
FERN GREEN
HUNTER GREEN
JADE
LIME GREEN
LINCOLN GREEN
NILE GREEN
OLIVE
PEA GREEN
PINE GREEN
PISTACHIO
SEA GREEN
TEAL
TURQUOISE

90 Six-letter Words

P	V	K	J	E	V	L	D	Z	A	A	R	B	X	H
J	S	M	Y	L	S	L	S	H	N	W	E	W	E	G
U	T	T	R	P	D	R	Q	C	U	A	D	O	R	U
E	E	Z	N	B	O	U	N	T	Y	R	I	X	E	I
I	F	A	L	I	F	N	Z	I	P	M	S	J	G	T
W	R	U	W	U	O	R	A	T	C	E	N	U	N	A
B	T	R	P	E	L	N	T	S	E	D	I	W	O	R
S	S	J	G	T	L	R	A	N	K	L	E	T	L	E
Y	A	D	O	A	O	R	E	T	S	E	P	S	B	C
A	A	P	R	R	W	Z	U	W	S	A	L	M	O	N
Y	R	R	O	E	E	X	P	C	T	W	S	I	I	I
V	Z	U	D	B	T	L	T	L	H	G	U	O	L	P
T	K	T	I	Q	A	T	G	T	S	N	Y	V	B	A
K	O	N	P	F	R	T	U	N	O	S	E	W	R	A
E	A	S	A	M	S	I	L	M	A	T	R	G	R	J

ANGLER
ANOINT
BERATE
BOUNTY
CURLEW
FOLLOW
GUITAR
INSIDE
LONGER
MUTTER
NECTAR
OBLONG
PESTER
PIMPLE
PINCER
PLOUGH
RANKLE
SALMON
STITCH
WARMED
WIDEST

91 Going Crackers for a Biscuit

T	I	U	C	S	I	B	E	R	I	P	M	E	G	S
U	C	R	E	A	M	C	R	A	C	K	E	R	M	J
N	P	W	N	I	R	W	O	E	S	W	E	Z	V	S
R	I	S	I	I	D	A	E	R	B	T	R	O	H	S
E	X	P	T	D	W	T	M	A	C	A	R	O	O	N
G	S	R	N	L	B	E	C	E	T	K	R	L	R	O
N	O	E	E	A	E	R	V	E	L	U	A	T	I	B
I	C	T	R	B	E	B	A	I	K	W	Q	G	C	R
G	K	Z	O	I	R	I	K	N	T	A	A	B	H	U
E	C	E	L	R	B	S	K	U	D	S	C	F	T	O
E	O	L	F	A	X	C	Y	O	C	Y	E	T	E	B
J	N	K	U	G	R	U	S	K	O	H	S	G	A	R
O	N	S	S	A	D	I	L	A	P	C	E	N	I	O
T	A	H	A	R	D	T	A	C	K	S	T	N	A	D
A	B	V	A	E	K	C	A	J	P	A	L	F	R	P

BANNOCK
BOURBON
BRANDY SNAP
CARAMEL WAFER
COOKIE
CREAM CRACKER
DIGESTIVE

EMPIRE BISCUIT
FLAPJACK
FLORENTINE
GARIBALDI
GINGER NUT
HARDTACK
LEBKUCHEN

MACAROON
OATCAKE
PRETZEL
RICH TEA
RUSK
SHORTBREAD
WATER BISCUIT

92 Words Ending With P

U	N	P	O	E	R	V	J	O	X	U	I	U	F	A
P	H	D	H	A	I	R	P	Z	V	P	T	O	I	N
Q	S	P	X	P	J	H	T	Y	T	T	Z	O	E	O
E	H	E	J	W	R	R	T	I	H	G	V	T	S	T
T	L	V	K	T	A	W	X	D	N	I	O	D	U	T
S	C	N	S	P	A	R	T	N	E	R	S	H	I	P
L	T	T	U	L	I	P	S	A	P	V	O	P	O	S
H	E	I	I	Q	A	H	I	H	J	P	E	H	I	W
X	Y	C	U	R	X	R	S	H	I	I	O	L	L	O
N	N	T	D	R	D	C	S	R	S	P	T	R	O	O
S	A	H	N	R	A	C	F	W	O	D	V	G	T	P
X	X	D	O	L	L	O	P	I	H	S	R	A	T	S
G	A	P	P	A	P	M	R	S	D	O	N	A	I	J
T	E	S	S	A	H	O	O	P	U	K	P	E	H	A
T	A	P	S	I	R	C	B	P	L	M	L	D	C	L

AIRDROP
BOP
CENSORSHIP
CLASP
CRISP
DEVELOP
DOLLOP
FOP
GAP
GROUP
HARDSHIP
HOOP
PARTNERSHIP
SCALP
SOP
STARSHIP
STROP
SWOOP
TULIP
WARSHIP
WISP

93 Books

N	R	E	D	O	M	T	S	O	P	S	P	Q	P	M
T	H	L	T	P	R	T	U	E	S	O	R	P	A	Q
K	C	A	B	R	E	P	A	P	E	B	E	N	L	S
L	O	T	N	O	V	E	L	L	P	H	U	T	P	U
D	V	Y	Y	D	P	U	B	L	I	S	H	E	R	L
A	E	R	P	Y	W	T	S	F	C	F	Y	H	O	Y
P	R	I	N	T	E	R	H	R	O	K	A	D	C	S
R	Z	A	U	T	O	B	I	O	G	R	A	P	H	Y
C	I	F	I	C	S	P	R	T	D	D	E	R	I	R
O	A	S	U	S	T	P	O	B	T	S	E	O	C	T
W	B	D	U	S	T	J	A	C	K	E	T	M	K	U
K	O	N	O	I	T	C	I	F	N	O	N	A	L	S
T	B	Y	U	L	K	F	X	G	N	I	D	N	I	B
R	K	S	O	H	P	K	O	S	I	S	L	C	T	A
D	L	Z	L	I	A	L	J	E	A	Q	R	E	X	T

AUTOBIOGRAPHY
BINDING
CHICK LIT
COVER
DUST JACKET
EPIC
FAIRY TALE
HANDWRITTEN
HARDBACK
MANUSCRIPT
NON-FICTION
NOVEL
PAPERBACK
POETRY
POSTMODERN
PRINTER
PROOF
PROSE
PUBLISHER
ROMANCE
SCI-FI

94 Walking on Air

E	Z	C	S	U	O	Y	O	J	S	S	G	G	A	E
A	P	O	W	N	S	E	I	R	R	V	W	R	P	E
L	J	C	S	A	O	V	E	R	J	O	Y	E	D	N
V	Y	K	C	U	L	O	G	Y	P	P	A	H	D	I
S	C	A	J	H	O	K	M	E	L	A	T	E	D	N
R	W	H	D	K	R	T	I	E	A	R	T	Y	R	D
U	J	O	E	T	Q	L	I	N	H	H	R	R	L	U
P	T	O	L	E	N	O	X	C	G	T	F	R	I	O
L	R	P	L	R	R	A	I	I	I	O	R	O	S	L
E	H	T	I	L	B	F	L	A	A	L	N	E	M	C
A	M	E	R	R	Y	E	U	I	W	I	E	A	V	N
S	A	S	H	D	D	G	M	L	B	O	F	F	I	O
E	C	S	T	A	T	I	C	J	S	U	N	N	Y	R
D	V	E	R	L	Z	L	U	F	Y	O	J	J	E	J
D	S	I	D	G	S	H	W	I	Z	R	W	E	E	U

BLITHE
CHEERFUL
COCK-A-HOOP
DELIGHTED
ECSTATIC
ELATED
FELICITOUS
GLAD
HAPPY-GO-LUCKY
JOLLY
JOYFUL
JOYOUS
JUBILANT
MERRY
ON CLOUD NINE
OVER THE MOON
OVERJOYED
PLEASED
SUNNY
THRILLED
WALKING ON AIR

95 Heraldic Jargon

R	H	C	D	T	O	I	T	M	U	A	L	S	A	U
J	E	U	L	N	O	I	L	Y	R	U	E	L	F	T
E	R	N	E	A	F	X	B	T	E	R	O	I	Q	B
S	A	K	I	P	T	N	A	S	S	A	P	U	O	S
P	L	N	F	M	U	U	U	T	C	E	A	L	T	A
A	D	O	C	A	R	O	N	U	U	R	R	K	L	G
R	G	J	T	R	R	E	W	Z	T	A	D	C	R	B
E	S	U	N	H	E	E	O	E	C	B	S	I	L	M
A	N	M	A	C	I	S	R	A	H	G	F	A	E	N
D	F	O	H	R	H	E	C	V	E	F	Z	N	U	A
I	L	D	C	I	D	E	A	E	O	O	U	R	G	P
A	N	C	U	L	A	A	V	N	N	L	R	R	E	E
J	G	I	O	S	A	E	N	R	L	T	U	U	Z	U
L	E	N	C	L	R	F	Y	T	O	L	P	S	A	X
N	F	M	O	N	C	Q	V	M	C	N	T	S	S	U

BAR
BLAZONRY
CHEVRON
COUCHANT
CRESCENT
CREST
CROWN
ERMINE
ESCUTCHEON
FALCON
FIELD
FLEURY
FUR
GRIFFON
GUARDANT
HERALD
LEOPARD
LION
PASSANT
QUARTERED
RAMPANT

96 The Shipping Forecast

H T E Y Z J S S R L C E L O S
T U T O D O G G E R V U T A U
U N M A P R T N O N N A H S Q
Y A F B S G R M U D S P A T F
R H I Q E T A L Y U W B M Q T
A T S E I R I S H S E A E G S
P R H N T A J O T K C O S W A
A O E Y R F Y N U R Q T V W O
C F R T O A E Y O R Z T I F R
O K C T F L I C M P L G K Z P
W R N H L G K E Y H H U I A T
T E N T S A F H L T B A N W Z
T V E G L R N O P S L J G L X
A O S L R P R D R Y U T L Y B
W D O R A Y F P E D S M A F Y

CROMARTY
DOGGER
DOVER
FASTNET
FISHER
FITZROY
FORTH
FORTIES
HUMBER
IRISH SEA
LUNDY
PLYMOUTH
PORTLAND
ROCKALL
SHANNON
SOLE
THAMES
TRAFALGAR
TYNE
VIKING
WIGHT

97 Tipping Your Hat

A	R	R	S	T	E	T	S	O	N	A	B	R	U	T
S	W	E	E	T	O	T	T	M	A	N	W	O	R	C
M	N	C	T	P	R	D	S	X	B	B	X	I	P	U
E	T	A	H	A	M	A	N	A	P	L	L	U	S	J
A	S	A	W	B	O	N	O	I	N	B	R	E	M	L
N	T	H	M	R	Z	B	J	Y	Y	G	S	Z	Y	F
C	A	R	F	O	R	A	G	E	C	A	P	B	E	T
T	D	E	E	R	S	T	A	L	K	E	R	D	T	F
J	A	L	E	H	K	H	M	L	P	E	O	B	O	T
I	D	W	S	O	U	U	A	I	D	R	P	S	P	C
T	E	O	K	M	L	E	I	N	A	E	B	I	E	E
Y	C	B	C	B	L	T	Z	A	T	W	P	X	J	T
D	H	S	Y	U	C	S	T	E	R	E	B	E	E	V
E	Y	I	D	R	A	O	B	R	A	T	R	O	M	T
P	O	T	M	G	P	H	O	N	Q	W	F	A	U	T

BEANIE
BERET
BOATER
BOWLER
CROWN
DEERSTALKER
DERBY
FEDORA
FEZ
FORAGE CAP
HOMBURG
KEPI
MORTARBOARD
PANAMA HAT
SKULLCAP
STETSON
STRAW HAT
TAM-O'-SHANTER
TOP HAT
TRILBY
TURBAN

98 A Grasp of Grammar

Y	M	Y	N	O	T	E	M	H	K	S	W	L	B	Y
E	W	P	R	O	N	O	U	N	I	S	T	Z	G	I
N	H	J	I	A	L	L	U	S	I	O	N	O	Y	T
S	O	P	R	T	X	E	E	S	M	A	L	Z	Q	X
S	P	I	O	X	Y	H	E	Z	Y	A	C	Y	M	F
V	M	O	T	R	T	H	O	L	N	T	G	T	X	C
Y	Z	N	O	I	T	A	M	A	L	C	X	E	L	O
N	E	H	T	N	T	S	S	S	I	M	I	L	E	N
O	V	N	E	E	E	E	O	I	A	V	I	M	B	S
R	A	R	P	A	E	R	P	P	S	C	G	T	R	O
I	A	L	E	W	O	V	I	E	A	A	R	U	E	N
P	N	C	L	A	U	S	E	S	R	Y	H	A	V	A
R	O	H	P	A	T	E	M	U	M	P	O	P	S	N
N	O	I	T	A	R	E	T	I	L	L	A	Q	M	T
P	S	A	H	Y	P	E	R	B	O	L	E	S	E	E

ALLITERATION	EMPHASIS	PRONOUN
ALLUSION	EXCLAMATION	REPETITION
ANALOGY	HYPERBOLE	SARCASM
ANTITHESIS	IRONY	SIMILE
APOSTROPHE	METAPHOR	SPOONERISM
CLAUSE	METONYMY	VERB
CONSONANT	PARENTHESIS	VOWEL

99 Use Your Noggin

X	Z	S	Q	E	K	A	U	Y	O	L	P	M	E	U
G	A	I	L	L	X	B	F	M	E	P	J	T	L	B
S	K	L	V	P	N	Q	F	G	T	G	U	B	D	V
T	M	R	K	H	U	A	M	E	R	C	B	I	D	T
O	X	U	R	E	T	T	A	M	Y	E	R	G	O	U
S	C	A	L	P	E	S	K	Q	B	R	A	I	N	S
S	D	O	L	L	X	H	E	A	D	E	I	P	I	O
F	A	P	U	A	E	C	U	E	K	B	N	X	G	U
F	B	I	K	T	R	B	S	T	A	R	P	L	G	W
E	L	O	S	A	C	A	E	A	A	U	O	A	O	J
B	L	R	N	P	I	A	O	R	U	M	W	W	N	L
Q	S	I	W	C	S	O	F	E	E	S	E	T	L	A
R	U	S	O	A	E	A	J	P	E	C	R	A	R	N
M	A	I	R	N	S	V	N	O	L	E	M	R	J	C
F	R	T	C	L	U	Y	B	Q	S	W	V	Q	L	L

BONCE
BRAINPOWER
BRAINS
CEREBELLUM
CEREBRUM
CRANIUM
CROWN
EMPLOY
EXERCISE
GREY MATTER
HEAD
LOAF
MAKE USE OF
MELON
NODDLE
NOGGIN
NUT
OPERATE
SCALP
SKULL
WORK

100 Herbs and Spices

N	Q	Z	P	R	F	R	X	S	N	A	L	O	K	S
I	S	K	A	A	U	A	A	U	G	Z	R	A	L	P
K	P	S	S	A	G	E	T	I	R	Y	T	C	M	D
P	O	L	U	P	T	M	N	U	G	P	H	G	C	M
A	T	S	M	L	E	G	W	O	R	E	V	I	H	C
B	O	R	A	G	E	C	A	M	R	M	U	F	I	S
V	M	M	C	R	H	C	A	V	T	F	E	Y	L	O
S	U	I	P	A	P	R	I	K	A	D	F	R	L	G
V	F	E	N	N	E	L	B	N	U	D	K	A	I	P
K	K	K	Z	T	F	O	L	R	N	I	D	M	S	C
P	A	U	D	D	E	E	S	I	N	A	E	E	A	U
O	P	E	E	S	D	S	I	W	D	X	M	S	B	M
I	E	U	A	X	W	M	Z	U	F	P	Y	O	Y	I
T	A	I	S	E	V	W	D	G	O	L	H	R	N	N
D	T	W	N	Z	G	B	O	Z	I	V	T	R	D	U

ANISEED
BASIL
BORAGE
CHERVIL
CHILLI
CHIVE
CINNAMON

CUMIN
DILL
FENNEL
GINGER
MACE
MINT
NUTMEG

PAPRIKA
ROSEMARY
SAFFRON
SAGE
SUMAC
THYME
TURMERIC

101 Of Utmost Importance

G	H	B	U	T	L	D	G	A	H	H	W	A	M	L
Q	H	T	A	E	D	D	N	A	E	F	I	L	U	V
M	L	P	R	I	N	C	I	P	A	L	A	J	K	N
C	A	P	I	T	A	L	D	K	G	T	L	M	O	E
Y	R	A	M	I	R	P	N	L	N	G	O	T	K	T
O	T	R	R	L	E	K	A	O	N	M	A	F	K	A
R	N	A	E	M	T	S	T	I	E	B	O	K	C	L
E	E	M	I	A	I	E	S	N	L	R	J	R	R	E
N	C	O	M	J	W	S	T	E	E	T	U	L	I	X
S	N	U	E	O	E	O	U	M	N	C	T	L	T	T
P	Z	N	R	R	U	T	O	O	I	T	U	U	I	P
L	K	T	P	S	S	S	E	A	F	E	I	H	C	V
F	H	C	E	T	T	M	L	Y	T	E	G	A	A	I
Y	E	M	E	R	P	U	S	E	M	I	N	A	L	E
S	L	C	K	O	A	I	P	K	R	O	K	U	S	O

CAPITAL
CENTRAL
CHIEF
CRITICAL
CRUCIAL
ESSENTIAL
FOREMOST
KEY
LIFE-AND-DEATH
MAJOR
MOMENTOUS
NOTABLE
NOTEWORTHY
OUTSTANDING
PARAMOUNT
PREMIER
PRESSING
PRIMARY
PRINCIPAL
SEMINAL
SUPREME

102 Patience is a Virtue

R	U	O	P	Z	E	D	R	E	K	P	T	I	A	A
D	I	V	R	E	F	S	G	E	R	R	S	A	O	O
Z	P	R	Z	C	E	I	U	N	T	H	E	O	A	E
J	N	U	P	I	R	T	D	N	I	R	N	W	W	R
X	K	K	L	T	V	R	E	G	R	R	R	B	T	Z
L	D	S	C	S	E	T	Z	N	E	E	A	R	W	S
R	C	U	E	A	N	D	R	I	S	T	E	R	W	V
R	G	O	A	I	T	O	W	T	T	E	Y	R	A	X
P	N	R	G	S	T	U	I	Z	L	C	N	E	R	H
C	I	E	S	U	T	V	T	E	E	E	H	E	D	Y
Q	N	V	S	H	E	P	T	E	S	A	U	I	E	P
B	R	E	A	T	H	L	E	S	S	G	L	H	N	K
Y	A	F	G	N	I	G	N	O	L	E	F	O	T	G
D	E	S	P	E	R	A	T	E	O	R	O	D	U	I
E	Y	Z	S	Y	T	X	R	A	N	X	I	O	U	S

ANXIOUS
ARDENT
BREATHLESS
DESPERATE
EAGER
EARNEST
ENTHUSIASTIC
FERVENT
FERVID
FEVEROUS
FIDGETY
INTENT
ITCHING
KEEN
LONGING
RARING
RESTIVE
RESTLESS
TENSE
YEARNING
ZEALOUS

103 Feeling Peaky

S	C	U	I	G	M	I	B	A	L	L	S	I	O	U
R	S	F	K	P	T	L	A	I	D	U	P	D	O	G
P	G	R	E	E	N	F	R	A	I	L	O	Y	I	T
T	G	N	N	T	E	M	Y	A	S	R	O	L	E	H
L	P	O	I	I	A	L	J	S	E	S	R	K	I	A
T	L	L	G	L	P	P	B	C	A	E	L	C	U	A
D	O	R	A	U	I	U	U	E	S	E	Y	I	S	E
O	A	D	X	N	N	A	U	S	E	O	U	S	L	S
V	Y	Y	F	E	T	H	E	D	D	F	R	Q	S	W
R	R	I	S	U	F	F	E	R	I	N	G	Q	L	G
N	R	B	A	O	B	W	E	A	K	L	R	G	L	A
M	U	J	Y	M	P	E	C	U	L	I	A	R	E	B
G	U	S	A	R	A	Z	H	U	R	T	O	V	W	M
A	M	A	V	O	S	P	R	O	U	G	H	E	N	T
F	B	O	F	F	C	O	L	O	U	R	P	Y	U	I

AILING
DISEASED
FEEBLE
FRAIL
GREEN
HURT
INFIRM
INVALID
LAID UP
MALADY
NAUSEOUS
OFF-COLOUR
PECULIAR
POORLY
QUEASY
ROUGH
SICKLY
SUFFERING
UNHEALTHY
UNWELL
WEAK

104 Taking it Easy

F	E	D	L	E	T	H	A	R	G	I	C	C	S	B
O	L	T	E	S	A	G	O	V	M	J	J	P	O	P
Z	S	O	D	W	K	A	R	O	E	S	P	Z	O	F
T	N	W	A	E	E	L	D	W	A	D	D	R	Q	B
N	A	X	B	T	I	C	K	I	N	G	O	V	E	R
G	P	G	O	A	T	P	A	D	D	R	N	E	M	E
E	R	S	O	T	E	H	U	A	E	D	O	P	I	T
V	Y	T	Z	E	A	N	L	C	R	T	T	T	T	I
O	Q	T	S	G	S	L	T	I	C	U	H	A	L	O
Q	S	B	T	E	Y	L	F	R	T	O	I	L	L	L
A	I	D	W	V	R	T	A	C	F	G	N	O	I	A
V	C	P	F	V	E	S	O	C	Q	N	G	U	K	Z
T	S	V	M	D	W	A	L	T	K	A	L	N	Y	E
C	B	R	S	X	G	O	P	R	U	H	A	G	R	R
O	P	A	M	T	I	C	W	J	W	U	J	E	S	G

COAST
DALLY
DAWDLE
DO NOTHING
DRIFT
FLOAT
HANG OUT
KILL TIME
LAG
LAZE
LETHARGIC
LOAF
LOITER
LOUNGE
MEANDER
REST
SLACK
TAKE IT EASY
TICKING OVER
UNOCCUPIED
VEGETATE

105 Horsing About

P	T	I	R	V	Y	X	B	E	B	E	E	R	D	J
T	A	A	C	E	Z	F	G	L	X	D	L	I	R	Q
F	R	L	R	E	S	U	M	P	T	E	R	R	Z	A
R	A	S	F	P	L	R	C	H	A	R	G	E	R	B
T	B	K	G	R	A	A	U	P	C	B	E	T	E	O
I	A	R	A	M	E	N	N	O	C	H	J	Z	T	C
C	W	U	N	R	A	Y	E	D	C	G	E	J	N	A
X	T	T	U	R	A	Z	T	S	P	U	L	F	U	R
I	S	H	E	T	L	A	N	D	P	O	N	Y	H	T
A	S	H	O	W	J	U	M	P	E	R	N	P	O	H
O	N	I	E	O	F	E	L	L	P	O	N	Y	V	O
C	I	S	H	I	R	E	S	R	O	H	E	C	A	R
M	J	F	Y	R	S	T	M	U	S	T	A	N	G	S
C	T	S	A	S	N	C	W	A	R	H	O	R	S	E
T	U	S	W	S	I	T	D	O	L	I	W	O	S	H

ARAB
CARTHORSE
CHARGER
COB
CONNEMARA
COURSER
FELL PONY
HUNTER
ICELAND PONY
MUSTANG
NAG
PALFREY
RACEHORSE
SHETLAND PONY
SHIRE
SHOW JUMPER
SUMPTER
TARPAN
THOROUGHBRED
TURK
WARHORSE

106 Feeling a Little Horse?

C	A	T	V	I	L	K	D	H	A	T	Z	T	X	O
Y	R	C	H	G	E	R	N	H	L	G	A	I	R	T
W	F	L	A	L	M	E	D	E	Q	O	Y	B	P	U
S	O	O	K	I	J	S	I	L	E	R	R	A	B	N
S	S	H	Z	L	L	F	A	T	L	F	N	C	N	R
A	O	O	S	T	B	E	R	H	F	L	I	K	N	S
L	A	F	O	L	P	O	B	L	I	A	O	E	W	Q
E	A	R	H	H	G	U	I	E	T	N	C	P	I	O
A	B	G	O	O	L	R	O	A	S	K	D	E	T	S
B	K	O	K	C	O	D	I	R	B	N	E	L	H	R
B	F	M	Y	K	R	L	V	K	C	O	L	T	E	F
N	R	R	Y	T	O	E	K	I	F	N	Z	I	R	G
D	V	S	D	S	G	A	S	K	I	N	Z	S	S	N
F	I	L	Z	P	Z	P	J	T	C	A	U	T	R	C
U	P	E	P	V	S	T	U	D	O	C	M	A	N	E

BACK
BARREL
CANNON
CREST
CROUP
DOCK
FETLOCK

FLANK
FROG
GASKIN
HINDLEG
HOCK
HOOF
KNEE

MANE
MUZZLE
NECK
POLL
STIFLE
TAIL
WITHERS

107 I Live in a...

T	T	S	H	P	Z	H	T	R	O	Z	R	I	P	R
D	M	T	F	O	R	C	A	B	I	N	A	U	M	M
E	M	O	H	E	L	I	B	O	M	P	H	A	M	O
S	K	W	C	S	G	W	O	L	A	G	N	U	B	Z
U	A	N	N	U	D	A	U	R	T	O	U	T	T	U
O	A	H	A	O	R	P	T	Y	R	Q	M	T	S	R
H	S	O	R	H	L	M	A	T	A	M	G	H	E	T
M	J	U	G	G	E	T	L	F	O	E	A	W	A	E
R	U	S	A	N	T	E	F	O	W	C	R	P	O	R
A	L	E	T	I	O	P	R	Y	K	A	G	U	V	S
F	O	V	Y	D	H	E	I	M	E	S	G	I	D	W
A	C	G	U	R	L	N	P	M	S	T	L	G	C	R
R	L	K	Y	A	X	T	R	P	B	L	N	L	V	A
R	O	L	L	O	D	G	E	T	A	E	R	O	D	O
R	S	E	U	B	S	A	P	O	P	A	Q	O	W	T

APARTMENT
BOARDING HOUSE
BUNGALOW
CABIN
CASTLE
COTTAGE
CROFT
DIGS
FARMHOUSE
FLAT
HOTEL
HUT
IGLOO
LODGE
MANOR
MOBILE HOME
RANCH
SEMI
SHACK
TOWNHOUSE
VILLA

108 Hobbies and Pastimes

O	X	G	S	P	B	R	E	W	I	N	G	S	O	T
S	D	R	A	W	I	N	G	Y	R	E	K	O	O	C
T	W	F	Z	R	U	S	U	G	N	I	V	A	E	W
Q	A	I	A	O	D	M	Q	C	C	N	T	K	P	C
E	L	C	M	E	F	E	N	G	S	H	U	I	R	P
M	B	A	J	M	F	U	N	N	P	T	E	O	N	W
B	E	L	L	R	I	N	G	I	N	G	S	S	S	G
R	E	L	Y	V	S	N	C	K	N	S	T	Z	S	N
O	K	I	J	T	H	Y	G	R	W	G	E	T	D	I
I	E	G	P	C	I	A	F	O	R	N	S	E	A	P
D	E	R	E	L	N	U	R	W	S	I	N	H	N	M
E	P	A	V	T	G	D	S	D	V	G	I	C	C	A
R	I	P	O	A	S	Y	Y	O	V	N	A	O	I	C
Y	N	H	W	R	R	R	A	O	A	I	R	R	N	I
T	G	Y	T	M	T	L	Z	W	L	S	T	C	G	U

BEEKEEPING
BELL-RINGING
BREWING
CALLIGRAPHY
CAMPING
CHESS
COOKERY

CROCHET
CROSSWORDS
DANCING
DRAWING
EMBROIDERY
FENG SHUI
FISHING

GARDENING
SINGING
SWIMMING
TRAIN SETS
WEAVING
WOODWORKING
WRITING

109 Getting Better All the Time

A	E	A	E	Y	A	M	T	B	S	V	O	K	U	X
A	S	J	T	D	L	J	R	O	U	F	B	Q	P	N
C	H	X	A	S	A	I	I	X	B	Q	C	C	D	G
J	A	S	V	Z	G	R	R	V	T	U	V	M	A	J
G	R	T	I	H	Z	S	G	Y	O	W	L	A	T	E
A	P	R	T	L	V	U	W	P	O	L	E	V	E	D
A	E	E	L	O	L	P	P	I	U	I	B	A	A	Y
R	N	N	U	T	N	E	M	G	U	A	L	T	K	P
T	H	G	C	W	E	R	B	O	O	S	T	P	A	B
R	A	T	Y	F	O	F	I	M	P	R	O	V	E	T
S	N	H	O	N	E	E	P	U	E	L	T	T	N	T
N	C	E	A	D	P	C	V	F	I	X	T	X	R	U
I	E	N	I	A	R	T	I	S	Q	E	W	V	I	R
A	N	R	K	Q	X	N	H	S	R	N	T	V	C	U
I	T	H	F	G	E	R	E	T	V	D	P	R	H	N

AUGMENT
BETTER
BOOST
BRIGHTEN
CULTIVATE
DEVELOP
EMBELLISH
ENHANCE
ENRICH
HONE
IMPROVE
JAZZ UP
PERFECT
POLISH
REFINE
SHARPEN
STRENGTHEN
TRAIN
TWEAK
UPDATE
UPGRADE

110 Hit

X	S	C	S	T	R	I	K	E	B	Q	I	W	O	S
K	C	L	O	U	T	W	S	L	A	I	A	A	H	W
T	K	N	O	C	K	O	O	H	K	L	H	X	C	S
R	B	I	L	R	E	B	B	O	L	C	S	W	K	R
J	O	I	T	E	T	A	A	O	T	S	A	O	B	L
R	P	P	B	P	I	J	P	T	L	E	B	M	B	K
S	A	E	O	P	M	U	H	T	T	A	W	S	S	A
J	S	M	T	U	S	T	I	C	A	E	I	O	N	N
U	L	S	T	V	J	W	U	O	N	E	R	B	K	T
T	R	R	I	W	C	F	I	U	U	U	B	I	L	Y
P	O	S	S	S	F	G	E	P	E	O	P	O	R	E
J	C	O	I	A	Y	Q	A	A	E	A	S	J	J	K
P	E	Y	H	G	L	R	K	L	C	C	L	K	L	T
F	A	U	B	A	F	O	O	S	E	R	V	A	T	M
E	T	R	B	P	R	A	N	E	R	U	O	V	F	R

BASH
BATTER
BEAT
BELT
CLIP
CLOBBER
CLOUT

CUFF
HOOK
JAB
KNOCK
PUNCH
SLAP
SMACK

SMITE
STRIKE
SWAT
SWIPE
THUMP
UPPERCUT
WALLOP

111 Once Upon a Time

J	S	S	T	T	O	A	I	S	U	I	G	U	P	D
K	L	A	T	S	N	A	E	B	C	I	G	A	M	R
S	N	O	W	W	H	I	T	E	S	J	H	D	A	A
H	T	H	C	T	I	W	D	E	K	C	I	W	G	E
A	S	T	N	A	F	L	O	W	D	A	B	G	I	B
N	A	R	L	I	T	N	D	I	M	T	R	R	C	E
S	E	V	E	N	D	W	A	R	V	E	S	A	M	U
E	B	U	T	T	S	D	E	L	M	L	V	P	I	L
L	E	S	E	E	S	M	A	B	W	C	G	U	R	B
E	T	P	R	Z	E	I	E	L	R	U	O	N	R	J
D	V	A	G	L	R	A	S	J	A	C	K	Z	O	G
T	O	M	T	H	U	M	B	Y	D	O	P	E	R	T
R	E	T	U	T	S	K	C	O	L	I	D	L	O	G
I	I	J	Y	E	C	N	I	R	P	G	O	R	F	A
L	C	I	N	D	E	R	E	L	L	A	U	P	D	D

ALADDIN
BEANSTALK
BEAST
BEAUTY
BIG BAD WOLF
BLUEBEARD
CINDERELLA
FROG PRINCE
GOLDILOCKS
GRETEL
HANSEL
JACK
LITTLE MERMAID
MAGIC BEANS
MAGIC MIRROR
RAPUNZEL
SEVEN DWARVES
SNOW WHITE
TOM THUMB
UGLY SISTERS
WICKED WITCH

112 Hide and Seek

```
O R R E H S A T S V G L X M R
R I A T E H C A C W L I E V I
H N R E C E C E O P F E W H L
T O V R R O T L U T K L L Y S
R S L C R M N R R C X O S A A
A H I E A I S C A E O W R S R
E D I S G U I S E K Z E U I X
T M K S E S N S F A L T R O R
N P I L W A U O Q T L B R C R
M D E X R Y R U B H O Z X F G
Y E S N E E R C S O U H L T R
F F M R D U O R H S L N O V S
C T R S R S N I F F O U T R R
A E O A E G A L F U O M A C M
A R T T Q U E S T F O R A G E
```

BURY
CACHE
CAMOUFLAGE
CONCEAL
DISGUISE
FORAGE
HUNT
LIE LOW
LOOK FOR
MASK
PURSUE
QUEST FOR
RANSACK
SCOUR
SCREEN
SEARCH FOR
SECRETE
SHROUD
SNIFF OUT
STASH
VEIL

113 Shakespearean Characters

V	O	I	S	S	A	C	O	Z	M	K	R	S	A	I
L	W	L	E	E	A	O	T	U	W	I	S	R	M	T
J	P	J	G	L	B	T	H	Z	O	K	U	T	N	D
I	Y	T	I	E	H	T	E	B	C	A	M	E	T	C
U	U	B	R	O	O	Z	L	O	G	D	C	I	V	T
E	A	O	V	N	A	J	L	G	Q	N	T	L	T	W
N	N	A	A	T	G	Y	O	T	M	A	T	U	S	E
O	A	R	C	E	H	N	A	O	N	R	O	J	D	P
K	R	H	N	S	E	M	A	I	E	I	D	M	U	O
N	E	S	A	R	I	R	A	M	Q	M	U	L	O	E
R	G	N	I	M	A	P	U	C	K	N	O	G	A	I
Y	A	L	B	N	L	P	N	E	D	Q	I	R	L	U
S	N	H	T	H	O	E	T	E	S	U	G	O	E	U
R	Z	E	E	S	I	M	T	I	D	R	F	O	I	Z
K	L	S	Q	F	V	T	S	H	R	U	M	F	O	I

BIANCA
CALIBAN
CASSIO
EDMUND
GONERIL
HAMLET
IAGO
JULIET
LEONTES
MACBETH
MACDUFF
MIRANDA
OBERON
ORSINO
OTHELLO
PUCK
REGAN
ROMEO
SHYLOCK
TITANIA
VIOLA

114 Historic Counties of Scotland

Q	N	A	I	R	N	I	F	P	L	M	T	E	R	F
S	S	A	T	F	G	A	N	T	A	W	U	T	Y	G
K	L	S	I	I	K	J	S	H	P	X	U	M	U	A
Y	S	F	S	H	E	T	L	A	N	D	I	R	S	N
L	E	L	R	T	T	L	Q	L	S	A	R	U	N	Q
D	Y	T	R	A	M	O	R	C	I	K	T	L	A	M
N	C	X	W	E	S	T	L	O	T	H	I	A	N	K
O	A	Z	M	J	U	Q	R	D	E	A	B	R	N	S
F	I	D	O	A	G	K	J	R	I	U	O	T	A	R
N	T	K	R	A	N	A	L	I	T	M	J	Y	M	I
J	H	H	A	E	A	A	S	E	L	K	I	R	K	J
T	N	E	Y	A	N	N	U	B	E	R	W	I	C	K
T	E	N	I	D	R	A	C	N	I	K	R	Y	A	E
A	S	S	O	R	N	I	K	A	R	G	Y	L	L	R
L	S	E	I	R	F	M	U	D	N	L	L	L	C	R

ANGUS	CROMARTY	MORAY
ARGYLL	DUMFRIES	NAIRN
AYR	FIFE	ORKNEY
BERWICK	KINCARDINE	SELKIRK
BUTE	KINROSS	SHETLAND
CAITHNESS	LANARK	SUTHERLAND
CLACKMANNAN	MIDLOTHIAN	WEST LOTHIAN

115 Surfing the Web

Z	L	S	O	S	O	N	L	I	N	E	E	P	O	Q
N	P	Z	P	N	D	T	T	I	O	M	Y	H	A	T
A	A	O	D	I	P	G	E	G	A	P	B	E	W	Y
G	U	S	A	C	O	O	K	I	E	M	F	V	T	C
F	M	L	O	Z	A	N	L	S	N	P	B	W	E	I
P	U	Q	L	L	O	R	T	F	I	A	H	E	L	R
P	P	Z	N	P	I	C	Z	J	G	R	L	B	W	T
X	L	X	W	D	O	M	A	I	N	N	A	M	E	R
A	O	H	O	M	E	P	A	G	E	C	Y	A	B	E
G	A	R	D	U	Q	N	B	S	H	E	F	S	S	S
B	D	T	E	A	L	L	C	A	C	K	V	T	I	W
B	R	C	T	R	U	P	L	A	R	I	V	E	T	O
L	R	E	B	R	O	A	D	B	A	N	D	R	E	R
U	Z	I	K	R	P	H	G	R	E	G	G	O	L	B
D	R	A	O	B	E	G	A	S	S	E	M	A	P	S

BLOGGER
BROADBAND
BROWSER
COOKIE
DIAL-UP
DOMAIN NAME
DOWNLOAD
EMAIL
HOME PAGE
LURK
MESSAGE BOARD
ONLINE
SEARCH ENGINE
SPAM
TROLL
UPLOAD
VIRAL
WEBMAIL
WEBMASTER
WEBPAGE
WEBSITE

116 Butter Wouldn't Melt...

U	N	S	U	L	L	I	E	D	T	S	E	N	O	H
N	I	A	H	A	F	Z	E	N	N	P	K	H	N	A
B	K	L	C	U	R	X	S	A	Y	T	P	J	G	R
L	L	Y	O	V	T	L	I	O	P	S	N	U	I	M
E	S	T	A	I	N	L	E	S	S	B	I	G	L	L
M	U	L	R	O	K	A	T	E	P	L	H	M	A	E
I	P	I	A	N	R	O	G	N	T	T	O	I	M	S
S	Q	U	E	A	K	Y	C	L	E	A	N	A	B	S
H	W	G	L	I	V	H	E	O	Q	C	S	E	L	E
E	R	T	C	V	P	S	U	J	O	H	E	L	I	L
D	J	O	E	E	S	S	T	R	A	A	T	D	K	N
N	O	N	H	J	P	P	R	I	S	T	I	N	E	I
D	T	Z	T	F	A	U	L	T	L	E	S	S	R	S
M	G	S	N	S	P	O	T	L	E	S	S	T	U	D
Z	G	N	I	T	S	U	R	T	L	L	G	A	P	W

DECENT
FAULTLESS
GUILTLESS
HARMLESS
HONEST
IN THE CLEAR
INCORRUPT
LAMBLIKE
NAIVE
NOT GUILTY
PRISTINE
PURE
RIGHTEOUS
SINLESS
SPOTLESS
SQUEAKY-CLEAN
STAINLESS
TRUSTING
UNBLEMISHED
UNSPOILT
UNSULLIED

117 Play it Again

X	Y	T	U	L	P	U	P	I	C	C	O	L	O	E
U	J	P	R	A	P	T	H	Q	U	A	R	L	N	A
R	O	S	A	I	A	U	K	U	L	E	L	E	A	E
S	E	I	G	U	I	T	A	R	U	R	F	B	I	I
I	N	T	S	D	R	A	O	B	H	S	A	W	P	A
R	R	A	E	A	O	M	A	M	O	G	N	O	B	K
R	S	R	R	P	X	B	Z	O	O	N	P	C	S	S
V	E	S	A	E	M	O	C	A	J	I	A	L	H	S
Z	P	C	T	C	D	U	P	P	T	L	N	F	S	L
N	I	O	O	O	S	R	R	H	E	O	P	U	S	P
P	P	T	J	R	M	I	U	T	O	D	I	X	A	I
K	G	S	H	N	D	N	Z	M	R	N	P	T	I	R
A	A	U	W	E	A	E	F	T	S	A	E	B	P	H
O	B	O	E	T	R	B	R	E	F	M	S	J	G	R
G	B	E	T	U	L	F	R	J	S	Z	M	W	O	L

BAGPIPES
BANJO
BONGO
CORNET
COWBELL
FLUTE
GUITAR
MANDOLIN
OBOE
PANPIPES
PIANO
PICCOLO
RECORDER
SAXOPHONE
SITAR
SNARE DRUM
TAMBOURINE
TRUMPET
UKULELE
WASHBOARD
ZITHER

118 Where Do You Come From?

B	W	O	I	R	E	K	T	E	P	J	S	Q	B	R
I	O	P	J	O	I	N	D	I	A	N	C	C	E	E
R	P	U	A	A	R	U	O	M	L	O	A	H	L	N
I	U	O	C	U	I	D	A	N	E	Y	N	M	G	P
S	Z	S	E	N	A	O	M	A	S	X	D	W	I	E
H	H	P	S	N	A	I	L	A	T	I	I	S	A	A
S	A	U	D	I	A	R	A	B	I	A	N	C	N	P
A	U	S	T	R	A	L	I	A	N	A	A	U	A	R
W	A	F	G	H	A	N	O	U	I	C	V	K	I	N
W	Y	S	Y	T	Z	A	I	G	A	T	I	L	R	A
S	B	R	A	Z	I	L	I	A	N	S	A	S	A	M
T	J	V	R	C	I	R	T	V	T	A	N	F	G	R
B	N	A	C	I	R	E	M	A	Q	J	T	W	N	E
G	P	E	R	S	I	A	N	J	A	R	N	F	U	G
I	L	G	S	H	S	I	T	T	O	C	S	B	H	S

AFGHAN	GERMAN	PALESTINIAN
AMERICAN	HUNGARIAN	PERSIAN
ANGOLAN	INDIAN	RUSSIAN
AUSTRALIAN	IRISH	SAMOAN
BELGIAN	ITALIAN	SAUDI ARABIAN
BRAZILIAN	MEXICAN	SCANDINAVIAN
DANE	PAKISTANI	SCOTTISH

119 Endless

A	J	L	A	S	S	E	L	D	N	U	O	B	W	B
R	K	B	U	S	U	O	M	R	O	N	E	G	I	L
V	I	I	N	E	V	E	R	E	N	D	I	N	G	E
I	N	N	L	L	I	N	S	O	R	I	E	I	N	T
N	T	C	I	T	N	S	A	Q	N	X	I	T	I	E
N	E	A	M	I	F	A	E	E	H	M	S	S	D	R
U	R	L	I	M	I	R	S	A	M	J	S	A	N	N
M	M	C	T	I	N	T	U	E	T	C	E	L	E	A
E	I	U	E	L	I	S	N	A	O	T	L	R	N	L
R	N	L	D	M	T	S	D	S	U	H	M	E	U	R
A	A	A	A	I	E	C	M	D	V	P	O	V	V	F
B	B	B	B	Q	W	I	T	H	O	U	T	E	N	D
L	L	L	B	S	C	P	E	R	P	E	T	U	A	L
E	E	E	H	S	S	E	L	T	N	U	O	C	O	R
D	L	U	V	R	D	E	D	N	U	O	B	N	U	A

BOTTOMLESS
BOUNDLESS
COSMIC
COUNTLESS
ENORMOUS
ETERNAL
EVERLASTING
IMMENSE
INCALCULABLE
INESTIMABLE
INEXHAUSTIBLE
INFINITE
INNUMERABLE
INTERMINABLE
LIMITLESS
NEVER-ENDING
PERPETUAL
UNBOUNDED
UNENDING
UNLIMITED
WITHOUT END

120 Room Service?

S	F	U	T	U	O	K	C	E	H	C	S	U	S	E
C	H	E	C	K	I	N	T	E	F	F	U	B	H	R
E	C	G	H	E	E	A	G	X	S	M	S	R	S	D
O	N	X	R	C	G	R	E	N	N	I	D	E	L	X
I	U	R	R	D	A	I	J	G	D	O	C	A	S	D
D	L	W	V	T	K	X	O	T	X	I	A	K	E	W
L	Q	F	R	T	C	A	A	W	V	R	T	F	Y	A
B	M	I	N	I	A	T	U	R	E	S	V	A	V	I
S	A	V	S	N	P	T	E	C	G	E	U	S	U	T
W	N	E	W	M	H	S	E	T	T	P	V	T	W	E
T	A	S	W	A	M	P	P	M	I	N	I	B	A	R
U	G	T	P	O	T	U	A	K	L	U	F	T	R	A
J	E	A	O	I	W	E	I	V	A	E	S	S	P	T
S	R	R	O	R	I	J	R	N	A	Z	P	N	N	Y
X	W	N	L	O	L	Q	E	R	S	G	B	R	E	L

BREAKFAST
BUFFET
CHECK-IN
CHECK-OUT
CHEF
DINNER
EN SUITE
FIVE STAR
LUNCH
MANAGER
MINIATURES
MINIBAR
PACKAGE
POOL
RECEPTION
ROOM SERVICE
SEA VIEW
TAXI RANK
TIP
WAITER
WATER

121 Couldn't Care Less

C	S	G	L	T	N	R	D	I	D	I	O	T	X	N
P	V	S	A	U	E	P	N	M	D	U	Z	E	W	T
S	J	T	C	N	U	E	A	P	E	F	P	A	D	V
Z	T	N	I	M	T	V	H	A	H	P	A	L	Y	X
A	N	A	O	O	R	I	F	S	C	O	O	L	R	K
U	A	T	T	V	A	S	F	S	A	K	H	D	R	X
N	L	S	S	E	L	N	O	I	T	O	M	E	O	Z
C	A	I	L	D	I	O	M	V	E	J	M	V	I	S
A	H	D	B	U	B	P	J	E	D	O	E	L	T	B
R	C	O	L	T	K	S	T	W	T	X	N	O	W	Q
I	N	D	I	F	F	E	R	E	N	T	N	V	A	N
N	O	O	T	O	P	R	W	Q	P	Y	J	N	C	O
G	N	K	H	O	L	N	F	A	T	I	W	I	O	O
Z	S	J	E	L	E	U	B	H	R	T	D	N	C	G
Z	J	E	R	A	R	L	T	J	P	M	R	U	Q	Y

ALOOF
BLITHE
COOL
DETACHED
DISTANT
EMOTIONLESS
ICY
IMPASSIVE
INDIFFERENT
LUKEWARM
NEUTRAL
NONCHALANT
OFFHAND
REMOTE
STOICAL
STONY
TEPID
UNCARING
UNINVOLVED
UNMOVED
UNRESPONSIVE

122 Cuts and Bruises

F	U	J	U	A	W	O	F	I	C	N	L	H	M	I
I	T	W	P	Z	Q	L	W	X	E	T	U	R	T	K
W	R	X	G	U	P	P	L	Z	T	R	B	W	I	O
O	A	Y	M	N	F	R	A	C	T	U	R	E	D	I
U	P	G	S	Y	U	L	W	R	E	N	C	H	E	D
N	P	U	T	O	U	T	O	F	J	O	I	N	T	E
D	E	N	I	A	R	P	S	T	T	Z	N	E	A	R
E	D	E	S	S	U	C	N	O	C	L	J	K	C	R
D	N	E	C	E	U	X	Z	P	R	G	U	O	O	A
T	E	A	R	A	M	U	S	C	L	E	R	R	L	C
D	R	O	U	I	T	W	P	T	R	I	E	B	S	S
Y	V	V	S	G	A	H	A	R	M	E	D	L	I	U
H	E	Y	H	O	P	P	M	A	N	G	L	E	D	Z
P	N	O	E	E	D	H	M	T	L	L	D	J	T	T
D	A	H	D	E	M	A	L	I	I	A	U	Y	A	R

BROKEN
CONCUSSED
CRUSHED
CUT
DISLOCATED
FRACTURED
HARMED
HURT
IMPAIRED
INJURED
LAMED
MANGLED
PUT OUT OF JOINT
SCARRED
SORE
SPRAINED
STUNG
TEAR A MUSCLE
TRAPPED NERVE
WOUNDED
WRENCHED

123 Down the Rabbit Hole

C	A	C	Q	M	U	D	E	L	D	E	E	W	T	E
A	L	H	U	M	P	T	Y	R	F	K	B	O	W	F
R	I	E	E	C	Y	S	U	R	L	A	W	H	E	O
P	C	S	E	T	A	O	L	Y	N	F	I	R	E	R
E	E	H	N	E	O	T	N	D	A	T	G	E	D	F
N	L	I	O	D	O	D	E	O	E	Z	T	S	L	M
T	T	R	F	B	T	R	I	R	H	C	F	B	E	A
E	R	E	H	L	S	I	A	M	P	P	J	Z	D	R
R	U	C	E	N	T	B	Q	O	U	I	Y	Z	E	C
T	T	A	A	S	B	B	S	U	A	T	L	R	E	H
W	K	T	R	I	K	U	S	S	O	H	P	L	G	H
R	C	T	T	T	M	J	R	E	T	T	A	H	A	A
H	O	Q	S	J	A	B	B	E	R	W	O	C	K	R
O	M	P	N	E	E	U	Q	E	T	I	H	W	C	E
G	H	Y	M	C	I	J	S	S	E	H	C	U	D	H

ALICE
BANDERSNATCH
CARPENTER
CATERPILLAR
CHESHIRE CAT
DODO
DORMOUSE
DUCHESS
GRYPHON
HATTER
HUMPTY
JABBERWOCK
JUBJUB BIRD
MARCH HARE
MOCK TURTLE
QUEEN OF HEARTS
TWEEDLEDEE
TWEEDLEDUM
WALRUS
WHITE QUEEN
WHITE RABBIT

124 Analyse This

I	W	E	Y	Y	G	P	R	S	T	S	R	C	R	A
P	G	X	R	F	B	I	R	E	D	N	E	R	Q	D
T	T	P	A	O	I	I	O	I	K	A	F	I	P	T
K	E	L	H	E	X	R	A	A	C	V	N	Z	B	R
J	E	A	G	T	U	G	A	Q	A	T	I	Z	G	P
E	K	I	I	A	N	N	E	L	R	G	P	P	D	O
O	C	N	Y	O	T	K	D	E	C	I	P	H	E	R
A	U	T	S	W	E	I	V	E	R	O	P	S	C	T
B	Z	E	T	A	L	S	N	A	R	T	U	S	O	R
Q	Z	R	T	U	O	L	L	E	P	S	S	I	D	A
U	F	P	T	A	N	A	L	Y	S	E	T	O	E	Y
C	R	R	T	R	E	V	N	O	C	A	V	A	S	O
X	D	E	D	U	C	E	U	K	N	B	C	L	N	S
Z	J	T	A	O	F	T	N	E	S	E	R	P	O	D
T	D	M	M	D	B	I	A	I	L	R	R	O	D	S

ANALYSE
CLARIFY
CONVERT
CRACK
DECIPHER
DECODE
DEDUCE
DIAGNOSE
EXPLAIN
INFER
INTERPRET
PORTRAY
PRESENT
READ
RENDER
REVIEW
SOLVE
SPELL OUT
SUSS OUT
TRANSLATE
UNDERSTAND

125 Household Items

H	O	C	S	N	L	S	I	Z	G	C	M	I	T	R
S	K	W	Y	B	E	D	I	S	H	E	W	R	I	S
H	R	D	A	Z	M	S	I	A	D	R	S	K	H	O
A	T	S	R	G	D	O	I	X	S	R	G	T	P	A
A	J	S	T	A	I	R	C	A	S	E	A	T	H	C
V	B	L	H	B	O	O	R	E	E	B	P	V	T	V
O	W	S	S	Y	I	B	V	A	L	K	V	T	U	V
A	L	U	A	R	W	Y	H	E	D	T	A	Y	A	E
E	B	O	R	D	R	A	W	S	N	I	T	R	L	Y
C	P	J	A	N	I	B	P	M	A	L	O	E	L	I
E	P	H	A	U	A	N	I	H	C	W	C	T	K	T
B	U	F	E	A	T	H	E	R	D	U	S	T	E	R
I	C	U	T	L	E	R	Y	T	S	Z	L	O	E	A
Y	G	G	S	B	R	G	G	A	S	I	O	P	O	M
D	W	A	S	H	I	N	G	M	A	C	H	I	N	E

ASHTRAY	CUTLERY	POTTERY
BED	FEATHER DUSTER	RADIO
BIN	KETTLE	STAIRCASE
CANDLE	LAMP	TABLE
CHAIR	LAUNDRY BAG	WARDROBE
CHINA	MOP	WASHBOARD
COMB	OVEN	WASHING MACHINE

126 Words Ending With X

W	R	F	G	U	C	G	E	C	A	Z	T	T	U	A
D	L	P	T	Z	O	S	T	T	I	C	L	E	T	C
U	S	I	X	I	A	I	R	I	I	C	U	J	G	I
N	R	X	E	A	X	I	F	F	A	O	U	S	F	N
P	W	C	D	G	W	Y	S	P	S	V	A	E	R	J
S	R	C	N	R	T	L	C	I	Y	S	U	Z	E	X
Q	S	H	I	L	X	J	I	C	C	N	S	R	H	U
S	S	A	U	R	Z	A	H	J	O	S	F	E	O	H
X	S	T	N	O	C	O	R	R	C	C	P	L	A	L
M	A	T	R	I	X	U	T	O	R	B	A	A	A	E
P	M	E	X	A	O	H	M	A	H	R	R	X	F	X
T	G	R	X	B	O	P	N	F	Y	T	A	O	X	C
A	H	B	D	D	L	T	O	N	L	Z	D	B	N	P
A	I	O	O	E	L	X	X	N	X	E	O	H	Z	X
T	R	X	X	C	L	S	U	F	F	I	X	I	M	Z

AFFIX
BRONX
CHATTERBOX
CIRCUMFLEX
COAX
COCCYX
COMPLEX
FLAX
FOX
HOAX
INDEX
LARYNX
MATRIX
MIX
PARADOX
RELAX
SIX
SUFFIX
THORAX
UNORTHODOX
WAX

127 Historical Counties of England

A	O	C	U	M	B	E	R	L	A	N	D	Y	V	N
K	B	L	W	T	E	E	M	U	E	E	O	Q	D	O
S	E	Q	I	W	A	R	H	J	R	R	L	T	W	V
L	S	N	L	C	U	I	I	B	I	A	L	E	U	E
Y	G	J	T	F	P	H	Y	H	H	V	A	S	U	D
M	X	E	S	S	U	S	E	R	S	R	W	R	L	U
T	L	M	H	E	H	K	R	U	A	K	N	E	A	R
Q	W	A	I	I	A	R	R	D	C	R	R	M	R	H
P	D	Z	R	D	H	E	U	Y	N	M	O	O	S	A
X	W	E	E	Y	D	B	S	X	A	A	C	S	Y	M
M	S	U	F	F	O	L	K	R	L	B	L	C	D	S
U	A	K	D	O	R	S	E	T	R	H	W	T	A	O
U	E	B	H	E	R	I	H	S	P	M	A	H	U	O
L	U	C	H	E	S	H	I	R	E	E	S	R	S	R
C	R	N	O	R	F	O	L	K	S	X	E	S	S	E

BERKSHIRE
CHESHIRE
CORNWALL
CUMBERLAND
DERBYSHIRE
DEVON
DORSET
DURHAM
ESSEX
HAMPSHIRE
KENT
LANCASHIRE
MIDDLESEX
NORFOLK
RUTLAND
SOMERSET
SUFFOLK
SURREY
SUSSEX
WILTSHIRE
YORKSHIRE

128 Strictly Unorthodox

E	S	R	L	B	C	N	M	Y	B	A	R	S	S	T
P	U	R	C	I	T	A	R	R	E	W	D	B	A	U
R	X	G	R	Z	D	X	V	P	T	J	E	L	C	P
A	I	T	O	A	E	M	O	U	A	S	T	I	C	A
N	Y	C	K	R	T	I	U	E	I	E	S	U	R	B
D	G	K	R	R	R	S	T	G	R	A	I	C	X	D
O	E	U	A	E	O	M	L	N	P	N	W	I	O	G
M	E	P	I	H	T	A	A	A	O	O	T	R	D	T
R	M	A	L	B	S	T	N	R	R	M	C	T	O	C
A	E	G	U	Y	I	C	D	T	P	A	S	N	H	I
G	A	S	C	V	D	H	I	S	P	L	O	E	T	U
G	I	O	E	Y	E	E	S	U	A	O	T	C	R	J
E	D	U	P	B	N	D	H	P	N	U	S	C	O	F
D	C	N	I	N	C	O	N	S	I	S	T	E	N	T
I	O	R	U	R	B	M	L	A	U	S	U	N	U	Y

ALTERNATIVE
ANOMALOUS
BIZARRE
DISTORTED
ECCENTRIC
ERRATIC
INAPPROPRIATE
INCONSISTENT
MISMATCHED
ODD
OUTLANDISH
PECULIAR
RAGGED
RANDOM
ROGUE
SHAKY
STRANGE
TWISTED
UNORTHODOX
UNUSUAL
WEIRD

129 These Sceptred Isles

S	O	E	I	E	P	T	T	B	R	E	S	S	A	Y
U	Z	D	S	M	A	U	U	O	Q	B	K	S	M	E
Q	B	A	L	S	S	T	A	P	B	Y	F	D	E	S
J	U	R	A	E	E	S	Y	E	E	A	U	R	R	E
V	H	E	Y	Q	W	R	G	M	I	R	R	W	S	L
J	A	S	N	E	A	I	A	U	P	N	X	R	E	G
X	T	R	F	R	P	I	S	L	E	O	F	M	A	N
U	T	D	R	O	Y	Y	C	L	O	R	X	I	W	A
I	A	H	Z	A	E	Z	O	F	R	T	N	D	O	Y
G	T	C	S	D	N	A	L	T	E	H	S	S	R	F
I	G	K	Y	I	K	T	O	N	L	U	L	A	E	H
M	S	M	B	E	R	I	N	T	K	I	O	R	G	Y
D	S	A	L	K	O	R	S	P	C	S	J	Q	L	A
B	Y	S	J	A	V	E	A	A	U	T	I	A	Y	L
Q	A	J	E	R	S	E	Y	H	M	U	M	L	O	Q

ANGLESEY
ARRAN
BARRA
BRESSAY
BUTE
COLONSAY
GUERNSEY
HARRIS
ISLAY
ISLE OF MAN
JERSEY
JURA
LEWIS
MERSEA
MUCKLE ROE
MULL
NORTH UIST
ORKNEY
SHETLAND
SKYE
TIREE

130 All Weather Clothing

R	W	I	N	D	C	H	E	A	T	E	R	D	H	R
O	A	B	E	R	A	A	B	Y	I	T	E	L	I	G
E	T	O	W	A	R	Z	G	Q	E	J	D	I	K	P
F	E	M	X	B	D	R	R	O	E	O	D	F	I	E
L	R	B	P	A	I	K	Q	R	U	E	F	E	N	L
E	P	E	X	T	G	B	K	B	S	L	S	J	G	R
E	R	R	P	E	A	I	L	E	A	L	E	A	B	E
C	O	J	T	O	N	E	R	K	L	L	E	C	O	Z
E	O	A	A	O	T	T	J	R	S	U	B	K	O	A
E	F	C	O	M	B	A	T	J	A	C	K	E	T	L
F	S	K	Z	O	C	E	T	U	D	L	O	T	S	B
L	T	E	O	K	A	R	O	N	A	E	L	F	W	P
L	J	T	E	K	C	A	J	R	E	N	N	I	D	R
I	S	T	A	O	C	L	E	F	F	U	D	I	J	U
U	L	X	J	H	S	O	T	N	I	K	C	A	M	S

ANORAK
BLAZER
BOMBER JACKET
CAGOULE
CARDIGAN
COMBAT JACKET
DENIM
DESERT BOOTS
DINNER JACKET
DOUBLET
DUFFEL COAT
FLAK JACKET
FLEECE
GILET
HIKING BOOTS
JERKIN
LIFE JACKET
MACKINTOSH
TABARD
WATERPROOFS
WINDCHEATER

131 All That Glitters

J	T	H	Q	X	S	G	N	Z	P	O	L	H	P	L
Z	W	R	S	U	K	N	P	L	T	E	K	C	O	L
T	A	O	E	H	K	I	O	O	A	X	B	O	O	A
N	N	G	B	P	A	R	E	L	G	N	A	B	H	M
B	I	A	G	X	I	R	I	G	T	R	K	E	F	U
S	D	P	D	G	I	A	M	N	E	J	C	L	H	L
D	C	L	R	N	H	E	E	I	L	E	J	L	E	E
S	U	Q	G	I	E	E	D	R	C	A	A	S	L	T
U	F	T	Z	R	A	P	A	M	R	E	K	O	H	C
T	F	I	S	T	R	H	L	R	I	H	N	F	S	A
Z	L	E	N	E	C	K	L	A	C	E	U	K	K	J
G	I	P	U	N	S	A	I	O	L	U	U	X	N	J
P	N	I	I	G	R	O	O	U	Q	B	D	O	D	G
T	K	N	G	I	R	R	N	I	P	T	A	H	R	S
Q	P	Q	U	S	B	A	N	D	V	V	O	U	P	R

AMULET
ANKLET
ARM RING
BAND
BANGLE
BROOCH
CHOKER
CIRCLET
CUFF LINK
EARRING
HAIRPIN
HATPIN
HOOP
LOCKET
MEDALLION
NECKLACE
NOSE STUD
PENDANT
SIGNET RING
TIEPIN
TOE RING

132 Home Economics

S	E	M	E	T	B	P	E	N	Q	V	K	H	O	U
A	S	X	Y	C	I	V	K	W	T	T	T	R	S	K
R	S	E	B	L	E	N	D	E	R	M	K	S	T	R
E	T	N	U	I	E	L	O	R	E	S	S	A	C	A
D	E	A	S	H	P	E	P	P	E	R	M	I	L	L
N	A	P	G	N	I	Y	R	F	E	I	G	R	D	U
A	M	E	S	E	L	A	C	S	X	N	L	C	N	T
L	E	C	S	O	A	R	A	I	R	C	E	A	I	A
O	R	U	K	Y	L	T	N	T	E	K	X	R	T	P
C	E	A	T	A	R	G	P	G	H	W	F	X	F	S
L	L	S	D	M	B	N	J	N	I	T	E	K	A	C
B	E	L	R	O	N	I	P	G	N	I	L	L	O	R
Y	E	S	W	P	T	K	S	I	H	W	D	E	L	W
H	P	L	B	R	E	A	D	K	N	I	F	E	O	J
X	E	P	K	Y	W	B	D	O	N	L	T	I	Z	A

BAKING TRAY
BLENDER
BREAD KNIFE
CAKE TIN
CASSEROLE
COLANDER
FRYING PAN
LADLE
LOAF TIN
MIXING BOWL
PEELER
PEPPER MILL
ROLLING PIN
SAUCEPAN
SCALES
SIEVE
SPATULA
STEAMER
TIN-OPENER
WHISK
WOK

133 Knots

Y	F	S	I	H	T	J	S	L	I	P	K	N	O	T
L	U	H	J	H	H	I	D	N	A	H	R	E	V	O
U	S	E	C	C	C	O	W	U	A	H	T	G	A	W
T	F	E	T	T	T	B	I	S	S	M	H	R	K	Z
T	T	T	J	I	I	C	N	P	M	W	G	A	K	A
L	L	B	A	H	H	H	D	E	O	H	I	N	N	I
E	Y	E	R	G	E	T	S	B	N	B	E	N	A	R
W	U	N	D	N	V	M	O	S	K	R	F	Y	H	H
V	T	D	U	I	O	H	R	H	E	U	O	R	S	B
I	H	Z	O	L	L	C	E	H	Y	N	E	E	P	A
D	J	E	R	L	C	N	E	A	F	N	R	T	E	U
B	V	S	H	O	F	I	F	Z	I	I	U	A	E	A
S	Y	A	S	R	O	L	I	A	S	N	G	W	H	E
E	O	U	A	U	E	C	A	U	T	G	I	P	S	L
I	O	S	F	O	P	H	C	T	I	H	F	L	A	H

BOW
CLINCH
CLOVE HITCH
FIGURE OF EIGHT
FLAT
GRANNY
HALF HITCH
HANGMAN'S
HARNESS HITCH
MONKEY FIST
OVERHAND
REEF
ROLLING HITCH
RUNNING
SAILOR'S
SHEEPSHANK
SHEET BEND
SHROUD
SLIPKNOT
WATER
WINDSOR

134 A Stitch in Time

Y	S	W	P	I	P	U	R	L	K	T	O	M	H	T
A	T	E	H	C	O	R	C	T	W	T	N	U	N	B
W	A	L	E	S	F	C	A	S	T	I	N	G	O	N
O	H	B	D	D	I	M	S	W	Y	E	V	X	I	E
H	C	T	I	T	S	E	L	B	A	C	S	W	L	E
C	T	I	A	A	H	T	S	I	E	T	E	P	I	D
T	I	N	G	U	E	E	I	R	I	C	O	G	V	L
I	T	K	O	N	R	A	Y	T	U	S	S	G	A	E
T	S	T	N	W	M	Y	C	Y	C	O	O	L	P	S
S	S	A	A	A	A	H	T	O	O	H	C	R	E	M
P	S	L	L	U	N	D	W	E	F	T	A	I	W	K
I	O	F	R	H	S	P	I	G	R	T	L	Q	T	H
L	M	I	I	R	R	A	N	B	S	U	L	E	S	J
S	G	M	B	B	I	R	E	K	A	T	S	I	M	J
T	Y	T	Q	Q	B	I	N	D	I	N	G	O	F	F

BINDING OFF
BOX STITCH
CABLE STITCH
CASTING ON
COURSE
CROCHET
DIAGONAL RIB
FISHERMAN'S RIB
FLAT KNIT
MISTAKE RIB
MOSS STITCH
NEEDLES
PAVILION
PURL
SEED STITCH
SLIP STITCH
TWINE
WALE
WARP
WEFT
YARN

135 Jobs

A	N	B	R	E	K	A	B	C	C	U	F	D	R	L
M	S	E	U	E	R	P	R	A	N	L	P	A	B	A
K	X	N	S	T	P	E	R	E	I	R	R	A	F	Y
V	R	G	P	S	C	P	H	I	Y	I	O	O	A	D
D	D	I	O	A	E	H	I	S	R	W	S	J	R	T
L	S	N	S	N	R	G	E	K	I	E	A	L	M	Y
N	S	E	T	Z	U	O	E	R	S	L	Z	L	E	P
N	E	E	M	P	I	L	O	T	O	Z	B	B	R	T
N	R	R	A	Z	P	N	C	C	R	R	D	U	C	X
C	T	U	N	W	M	L	K	U	I	E	O	A	P	I
E	S	S	J	O	M	S	U	F	E	H	C	Y	A	O
M	M	M	N	O	M	R	A	M	V	C	T	O	V	A
A	A	G	R	I	S	W	R	J	B	A	O	C	R	G
C	E	B	T	T	B	U	I	L	D	E	R	V	T	G
R	S	H	I	P	W	R	I	G	H	T	R	T	J	S

BAKER
BUILDER
BUTCHER
CARPENTER
CHEF
DOCTOR
ENGINEER
FARMER
FARRIER
GROCER
IRONMONGER
LAWYER
LOCKSMITH
PILOT
PLUMBER
POSTMAN
PUBLISHER
SEAMSTRESS
SHIPWRIGHT
SKIPPER
TEACHER

136 Seas

U	G	A	L	T	C	E	R	B	H	P	S	O	O	S
S	U	T	T	X	I	B	R	I	Z	A	Q	V	S	L
N	O	R	W	E	G	I	A	N	A	I	P	S	A	C
A	N	A	P	A	J	F	O	A	E	S	M	Z	D	B
D	A	N	R	C	L	G	A	M	N	A	E	G	E	A
T	K	Q	A	I	A	H	N	O	R	T	N	R	A	A
J	Y	U	K	T	B	U	I	F	R	A	I	A	D	A
T	T	I	M	A	R	S	H	O	T	N	P	Q	D	K
E	I	L	R	I	A	T	C	F	G	S	P	D	V	A
Y	N	L	T	R	D	F	H	L	U	B	I	G	H	R
E	E	I	Y	D	O	B	T	U	L	C	L	A	R	A
L	R	T	D	A	R	I	U	G	N	R	I	A	L	R
L	E	Y	E	E	B	C	O	R	A	L	H	T	C	B
O	S	S	A	G	R	A	S	P	X	U	P	S	L	K
W	X	S	L	T	C	T	T	W	X	H	I	D	G	A

ADRIATIC
AEGEAN
ARAL
BERING
BLACK
CASPIAN
CORAL
DEAD
GULF OF OMAN
KARA
LABRADOR
NORWEGIAN
PHILIPPINE
RED
SARGASSO
SEA OF CORTEZ
SEA OF JAPAN
SERENITY
SOUTH CHINA
TRANQUILLITY
YELLOW

137 Speak my Language

K	N	O	Q	K	T	V	P	S	P	P	T	J	S	C
O	H	C	T	U	D	L	E	U	Q	S	A	B	O	G
R	Y	O	S	R	D	P	U	S	F	T	L	R	E	Y
N	R	F	K	A	V	O	L	S	E	B	M	R	J	F
P	O	L	I	S	H	D	C	U	P	O	M	Z	J	R
L	M	C	R	O	A	T	I	A	N	A	R	X	A	E
C	A	T	A	L	A	N	D	Y	N	S	N	A	F	N
I	N	A	I	R	A	G	N	U	H	O	I	I	F	C
L	I	B	L	Y	Z	A	A	S	W	E	D	I	S	H
E	A	X	I	B	T	Z	L	I	B	A	N	S	M	H
A	N	L	A	S	A	R	E	I	G	N	S	R	R	E
G	L	F	A	S	C	N	C	O	I	E	N	L	Z	E
S	S	L	F	L	E	M	I	S	H	S	I	N	A	D
K	T	U	R	K	I	S	H	A	A	E	S	W	D	A
F	A	G	E	O	R	G	I	A	N	R	L	N	E	L

ALBANIAN
BASQUE
CATALAN
CROATIAN
DANISH
DUTCH
FAROESE
FINNISH
FLEMISH
FRENCH
GAELIC
GEORGIAN
GERMAN
HUNGARIAN
ICELANDIC
POLISH
ROMANIAN
SLOVAK
SPANISH
SWEDISH
TURKISH

138 Big and Brawny

F	U	S	K	I	T	B	T	D	R	L	L	G	E	Y
U	O	I	I	Z	S	Y	S	A	A	P	E	S	S	S
O	M	M	L	T	A	E	E	O	P	W	R	T	U	T
S	I	M	A	H	V	S	K	R	U	S	A	S	T	Q
T	A	E	S	I	Z	E	A	B	L	E	O	M	D	E
E	K	N	S	C	M	G	J	O	L	L	A	T	D	U
J	M	S	O	K	W	L	I	U	C	Q	U	O	T	S
C	A	E	L	S	J	G	G	N	M	H	S	F	I	A
M	M	N	O	E	R	N	N	T	O	B	U	U	W	M
U	M	K	C	T	X	I	I	I	W	R	O	N	C	Y
M	O	B	G	W	E	K	K	F	P	G	M	J	K	P
Y	T	H	G	I	M	L	C	U	D	P	R	O	R	Y
R	H	Y	W	G	S	U	A	L	U	E	O	E	U	K
R	S	E	G	S	T	H	H	E	W	O	N	H	R	S
O	H	U	G	E	D	I	W	V	D	A	E	O	W	O

BOUNTIFUL
BROAD
CHUNKY
COLOSSAL
ENORMOUS
FULL
GINORMOUS
HUGE
HULKING
IMMENSE
JUMBO
MAMMOTH
MASSIVE
MIGHTY
SIZEABLE
TALL
THICKSET
VAST
WHACKING
WHOPPING
WIDE

139 Room for Salad?

D	R	T	C	A	C	D	A	T	I	W	F	L	K	C
E	B	O	T	T	I	M	A	N	S	S	T	C	K	I
O	S	S	E	R	C	R	E	T	A	W	S	A	R	B
P	R	N	A	T	L	R	L	G	T	U	V	M	O	F
V	E	X	D	L	O	L	I	V	E	O	I	L	C	N
E	P	L	N	R	A	U	D	S	C	L	M	A	K	O
R	P	A	O	T	K	D	A	A	P	N	T	A	E	I
X	E	Z	I	N	L	O	D	N	T	H	O	T	T	N
B	P	Y	B	V	E	O	G	R	E	B	E	C	I	O
J	L	T	O	E	A	G	G	T	E	K	A	A	A	L
S	K	I	L	H	F	T	A	I	H	S	C	S	D	B
T	O	I	L	L	C	I	A	B	E	P	S	I	E	C
O	L	M	O	C	D	K	P	B	B	H	B	I	H	R
L	X	O	L	T	L	R	O	L	A	A	D	V	N	C
E	N	I	A	M	O	R	E	B	M	U	C	U	C	G

AVOCADO
BACON
BATAVIA
BOK CHOY
CABBAGE
CHICKEN
COS
CRISPHEAD
CUCUMBER
ICEBERG
LITTLE GEM
LOLLO BIONDA
OAKLEAF
OLIVE OIL
ONION
PEPPERS
ROCKET
ROMAINE
SALAD DRESSING
TOMATO
WATERCRESS

140 Time for a Tipple

J	C	D	A	H	N	C	O	P	I	A	H	I	R	I
P	E	R	N	O	D	T	O	M	V	L	P	A	T	B
A	S	T	G	A	L	L	I	A	N	O	O	R	A	U
B	U	A	M	A	R	U	L	A	A	G	T	A	A	A
A	E	L	S	U	T	R	O	F	M	R	T	T	C	R
O	R	N	H	R	M	G	S	R	S	A	E	A	O	J
B	T	R	E	A	L	A	O	A	I	N	R	F	V	X
O	R	Z	A	D	K	Z	R	N	T	D	A	I	D	U
A	A	O	X	R	I	C	H	G	S	M	M	A	A	O
C	H	X	R	J	R	C	M	E	A	A	A	K	A	F
A	C	U	B	M	A	S	T	L	P	R	L	S	H	B
R	A	D	R	A	M	B	U	I	E	N	I	R	T	B
U	J	U	S	S	F	N	C	C	N	I	B	T	D	O
C	U	A	E	R	T	N	I	O	C	E	U	R	A	B
O	O	Y	D	N	A	R	B	Y	R	R	E	H	C	T

ADVOCAAT
AMARETTO
AMARULA
BENEDICTINE
CHARTREUSE
CHERRY BRANDY
COINTREAU
CURACAO
DRAMBUIE
FRANGELICO
GALLIANO
GRAND MARNIER
KAHLUA
MALIBU
MARGARITA
PASTIS
PERNOD
RATAFIA
ROSOLIO
SAMBUCA
TIA MARIA

141 Have you Read This?

L	R	R	E	R	I	A	L	C	E	I	R	A	M	E
R	S	R	O	S	G	U	A	R	D	I	A	N	B	L
L	I	A	M	Y	L	I	A	D	P	B	P	G	A	R
R	A	D	O	T	M	I	R	R	O	R	W	L	T	I
D	A	I	L	Y	S	T	A	R	I	O	V	I	E	A
S	C	O	T	S	M	A	N	V	M	O	F	N	L	F
P	N	T	C	L	T	I	A	A	G	R	A	G	E	Y
E	F	I	L	Y	R	T	N	U	O	C	M	T	G	T
C	P	M	H	U	E	S	E	Z	R	H	V	I	R	I
T	T	E	N	E	W	S	T	A	T	E	S	M	A	N
A	A	S	Y	E	D	F	H	Y	E	R	B	E	P	A
T	F	E	E	T	R	V	E	O	M	A	R	S	H	V
O	W	K	L	Y	S	T	S	F	Z	L	Q	R	A	W
R	L	I	L	D	S	O	U	S	I	D	F	O	G	R
Y	A	Z	E	Z	S	D	N	S	H	L	K	Q	E	S

ANGLING TIMES
COUNTRY LIFE
DAILY MAIL
DAILY STAR
ELLE
GUARDIAN
HEAT
HERALD
MARIE CLAIRE
METRO
MIRROR
NEW STATESMAN
PRIVATE EYE
RADIO TIMES
SCOTSMAN
SPECTATOR
TELEGRAPH
THE SUN
VANITY FAIR
VOGUE
WOMAN'S WEEKLY

142 From Down Under

```
L I A T G N I R C Q P T N Z C
R L I U O S U N U M B A T W E
S E I E Z U J O I K F L R S I
U U D B R P L L Y B L I B T W
C L P I K L B E R O Y T Y R O
S H R Y L C I M O I I O I K O
U A K A T G U E O P N O F U T
C W T L E A R D R O G C X P M
U Y A A A B L A A S M I I A Z
J B B L N T A P G S O D V J Z
Y A M O L D R L N U U N L Q I
F L O W N A I N A M S A T H A
B L W S I L R H K O E B T F A
N A L D I N G O C K K M L M S
O W X R O E R R O E C J U U M
```

BANDICOOT
BILBY
CUSCUS
DINGO
DUCKBILL
ECHIDNA
EMU
FLYING MOUSE
KANGAROO
KOALA BEAR
NUMBAT
PADEMELON
PLATYPUS
POSSUM
QUOLL
RINGTAIL
SUGAR GLIDER
TASMANIAN WOLF
WALLABY
WALLAROO
WOMBAT

143 Martial Arts

F	P	T	O	M	K	K	Z	P	J	L	X	S	I	O
G	J	H	O	D	U	N	K	O	M	U	S	A	Q	G
W	N	A	G	I	N	A	T	A	D	O	D	S	T	U
A	I	I	S	R	G	O	Y	U	R	N	R	O	O	T
Z	N	B	X	O	F	T	W	T	K	A	E	G	S	U
J	J	O	E	O	U	G	A	K	H	I	T	K	N	U
R	U	X	F	E	B	E	X	J	E	A	D	E	B	S
G	T	I	K	U	U	K	G	U	M	A	I	O	K	T
I	S	N	A	S	C	S	C	J	A	K	T	P	Y	U
A	U	G	U	T	S	O	D	I	K	P	A	H	U	J
J	D	F	E	U	J	E	E	T	K	U	N	E	D	O
W	H	S	F	J	A	E	A	S	T	Z	N	E	O	S
A	A	I	K	I	D	O	H	U	R	E	P	F	O	W
D	C	I	T	A	I	C	H	I	C	H	U	A	N	V
H	G	A	R	I	E	O	P	A	C	Q	T	I	A	E

AIKIDO	KARATE	NINJUTSU
CAPOEIRA	KENDO	SOJUTSU
HAPKIDO	KICK BOXING	SUMO
IAIJUTSU	KUNG FU	TAE KWON-DO
JEET KUNE DO	KYUDO	TAI CHI CHUAN
JUDO	MUAY THAI	THAI BOXING
JUJITSU	NAGINATA-DO	TUKIDO

144 Measuring

B	T	P	E	S	O	G	Y	P	I	P	E	T	T	E
O	T	E	R	E	P	J	S	B	M	D	C	R	V	C
Y	P	G	E	I	G	E	R	C	O	U	N	T	E	R
W	L	U	A	R	E	T	E	M	O	R	A	B	R	I
C	A	A	P	W	E	U	U	D	E	P	L	K	T	P
R	C	G	T	L	S	T	A	T	O	C	A	T	N	H
Y	T	H	U	R	U	T	E	H	L	M	B	A	A	M
O	T	T	H	E	R	M	O	M	E	T	E	R	T	E
M	K	P	H	N	I	U	B	P	O	R	R	T	X	T
E	F	E	S	T	R	N	T	L	W	R	V	R	E	E
T	X	D	L	G	O	Z	V	F	I	A	D	T	S	R
E	B	A	L	O	R	T	S	A	U	N	T	Y	O	G
R	Z	A	G	Y	R	O	S	C	O	P	E	C	H	Q
S	S	A	P	M	O	C	T	A	N	T	R	H	H	T
S	E	R	E	L	U	R	E	T	E	M	W	O	L	F

ALTIMETER	FLOWMETER	PIPETTE
ASTROLABE	GEIGER COUNTER	PLUMB LINE
BALANCE	GYROSCOPE	RULER
BAROMETER	HOURGLASS	SEXTANT
COMPASS	HYDROMETER	SPEEDOMETER
CRYOMETER	OCTANT	STOPWATCH
DEPTH GAUGE	PH METER	THERMOMETER

145 Inch by Inch

R	A	E	Y	T	H	G	I	L	D	U	L	B	R	R
E	T	L	S	L	U	J	S	T	E	T	R	I	W	T
W	R	F	I	O	C	D	A	E	H	S	G	O	H	J
O	Q	T	R	V	I	M	I	L	L	I	B	A	R	G
P	R	G	E	C	N	U	O	I	L	T	F	I	I	F
E	R	A	C	M	J	W	U	M	A	N	C	I	U	S
S	P	D	E	C	I	B	E	L	R	B	Z	N	D	T
R	R	H	U	L	V	L	P	A	R	S	E	C	D	O
O	S	B	A	Z	N	S	L	C	Y	P	D	H	E	N
H	I	I	E	R	T	E	M	I	T	N	E	C	O	E
T	Z	S	A	C	A	R	A	T	M	H	H	L	W	A
L	E	C	O	E	P	O	S	U	I	S	L	E	C	L
D	S	K	I	L	O	G	R	A	M	A	P	R	P	T
T	G	M	F	U	R	L	O	N	G	P	E	T	M	I
L	U	A	S	T	C	T	Y	J	S	U	L	H	S	R

ACRE
CARAT
CELSIUS
CENTIMETRE
CUBIT
DECIBEL
FURLONG
GALLON
HOGSHEAD
HORSEPOWER
INCH
KILOGRAM
LIGHTYEAR
LITRE
MILLIBAR
MILLIMETRE
NAUTICAL MILE
OUNCE
PARSEC
STONE
VOLT

146 A Pound of Flesh

S	M	K	M	I	S	S	T	G	Z	M	P	M	A	Y
E	A	R	E	I	Y	C	C	S	R	T	E	U	S	X
T	P	J	X	L	E	U	A	T	J	S	H	T	L	G
H	H	L	S	R	W	K	U	M	P	D	S	T	X	I
J	F	T	M	U	L	V	O	J	A	E	S	O	O	G
U	E	G	E	L	N	S	X	J	S	H	A	N	K	O
V	E	N	D	K	E	H	D	R	A	K	O	G	Q	T
Q	B	E	A	C	S	H	X	P	A	C	G	U	S	M
I	R	K	L	A	P	I	I	M	O	O	R	E	I	Y
X	E	C	L	K	P	M	R	J	A	H	A	N	T	A
L	A	I	I	U	S	A	U	B	A	O	C	O	A	I
U	S	H	O	U	L	D	E	R	S	E	K	B	U	N
T	T	C	N	I	O	L	R	E	D	N	E	T	I	P
M	Y	B	S	A	U	S	A	G	E	T	L	R	Y	R
B	K	Z	C	P	M	T	T	G	G	O	R	T	P	V

BEEF
BREAST
BRISKET
CHICKEN
CHOP
GIGOT
GOOSE
HAM
HOCK
MEDALLIONS
MINCE
MUTTON
RACK
RIB
RUMP
SAUSAGE
SHANK
SHOULDER
T-BONE
TENDERLOIN
TONGUE

147 On the Ward

A Q P A R E S I L U B E N K S

K S A M N E G Y X O U L S P J

I R F N A I X U R S A X L A I

D K R O E L A O F S F I S C X

N Y V A R E C R Z I N P I E D

E M E R V C D K D T R S R M T

Y O N O I H E L D V E T O A Q

M G T S C A L P E L N A N K A

A R I S V M X P S H N N L E S

C A L E T F M Y T V A U U R C

H P A R G O I D R A C R N P V

I H T P N O E G R U S S G R P

N B O E C C A T H E T E R C A

E A R D T A L U N N A C O S T

K T T L D W N P X G C N S O P

CANNULA

CARDIOGRAPH

CAT SCANNER

CATHETER

CENTRIFUGE

CLAMP

DEPRESSOR

DRAIN

FORCEPS

IRON LUNG

KIDNEY MACHINE

KYMOGRAPH

NEBULISER

NEEDLE

NURSE

OXYGEN MASK

PACEMAKER

SCALPEL

SPLINT

SURGEON

VENTILATOR

148 Officers and Gentlemen

B	S	L	I	E	U	T	E	N	A	N	T	S	F	S
J	L	A	R	I	M	D	A	R	A	E	R	X	R	U
E	A	H	G	P	R	I	V	A	T	E	C	T	P	B
R	H	S	R	N	O	Y	T	B	A	H	R	E	G	A
E	S	R	O	A	J	R	J	L	I	I	A	D	E	L
I	R	A	U	M	A	X	S	E	R	G	E	A	N	T
D	A	M	P	P	M	A	F	S	C	E	C	C	E	E
A	M	R	C	I	N	O	C	E	O	E	O	I	R	R
G	D	I	A	H	F	A	O	A	M	M	R	E	A	N
I	L	A	P	S	X	Y	L	M	M	L	P	W	L	L
R	E	P	T	D	A	F	O	A	O	A	O	A	K	S
B	I	A	A	I	A	E	N	N	D	C	R	X	P	P
U	F	Q	I	M	U	D	E	K	O	Q	A	I	R	R
F	U	T	N	E	E	O	L	O	R	S	L	Z	N	I
Z	O	L	A	R	I	M	D	A	E	C	I	V	S	E

ABLE SEAMAN
AIR COMMODORE
AIR MARSHAL
BRIGADIER
CADET
CHIEF OF STAFF
COLONEL
COMMANDER
CORPORAL
FIELD MARSHAL
GENERAL
GROUP CAPTAIN
LIEUTENANT
MAJOR
MARINE
MIDSHIPMAN
PRIVATE
REAR ADMIRAL
SERGEANT
SUBALTERN
VICE ADMIRAL

149 Monkeys and Other Primates

R	U	I	L	S	H	N	W	R	P	T	T	P	Q	Z
I	O	T	E	Y	I	S	R	E	I	S	R	A	T	A
T	I	E	M	E	S	R	M	O	Y	C	T	O	R	P
P	S	V	U	K	Z	T	O	M	B	A	B	O	O	N
H	L	R	R	N	U	N	R	L	R	P	E	S	O	S
O	T	E	S	O	M	R	A	M	I	U	G	Y	W	U
E	A	V	I	M	A	T	N	P	I	C	L	W	A	B
L	M	P	F	R	N	E	G	E	M	H	O	N	U	O
Y	A	L	A	E	D	O	U	I	T	I	J	S	K	L
P	R	H	K	D	R	B	T	Q	B	N	H	I	B	O
Z	I	O	A	I	I	O	A	A	A	B	Z	C	A	C
M	N	W	L	P	L	N	N	S	A	C	O	O	D	L
A	W	L	Q	S	L	O	Y	B	F	T	A	N	O	I
E	A	E	S	T	C	B	Y	U	D	L	T	M	A	T
A	R	R	J	R	T	K	L	T	E	T	T	U	I	W

AYE-AYE
BABOON
BONOBO
BUSH BABY
CAPUCHIN
CHIMPANZEE
COLOBUS
GIBBON
GORILLA
HOWLER
LEMUR
LORIS
MACAQUE
MANDRILL
MARMOSET
ORANGUTAN
SIFAKA
SPIDER MONKEY
TAMARIN
TARSIER
VERVET

150 Mountains

K	L	T	J	E	L	C	Q	R	K	A	J	U	T	T
Y	Z	L	R	W	O	Z	N	E	L	N	L	T	T	A
E	P	R	W	V	S	C	A	G	U	T	C	M	S	V
P	N	O	D	W	O	N	S	I	V	E	N	N	E	B
L	R	H	N	R	O	H	R	E	T	T	A	M	R	N
P	R	U	R	J	Z	D	N	O	M	O	L	N	E	B
K	I	U	L	A	R	K	E	N	Y	A	B	E	V	D
K	A	A	S	A	C	J	P	X	I	R	T	O	E	O
R	W	I	N	H	B	O	B	W	I	A	N	L	P	O
O	K	I	L	I	M	A	N	J	A	R	O	Y	I	I
W	J	A	J	A	S	O	N	C	I	A	M	M	L	A
P	I	J	I	U	S	C	R	I	A	T	Y	P	A	C
M	D	L	F	A	F	H	A	E	K	G	A	U	N	S
W	I	E	L	B	R	U	S	U	I	V	U	S	E	V
Y	Y	N	P	P	L	S	C	S	R	U	T	A	D	U

ACONCAGUA
ARARAT
BEN LOMOND
BEN NEVIS
DENALI
EIGER
ELBRUS
ETNA
EVEREST
FUJI
KAILASH
KENYA
KILIMANJARO
KINABALU
MATTERHORN
MONT BLANC
OLYMPUS
RUSHMORE
SINAI
SNOWDON
VESUVIUS

151 Musical Number

O	N	J	L	D	J	L	T	J	D	D	P	A	A	A
A	N	U	O	I	E	H	T	O	G	B	E	P	H	S
S	O	I	M	X	M	E	Q	I	U	Y	S	U	T	S
G	Y	L	L	I	B	A	K	C	O	R	A	S	R	N
M	S	X	U	E	R	V	K	L	A	Y	E	T	S	M
T	O	W	D	L	J	Y	E	S	O	N	Z	T	A	O
J	S	E	I	A	D	M	V	V	Y	F	S	U	A	U
T	P	X	Z	N	R	E	G	G	A	E	O	O	T	D
F	Y	Z	T	D	G	T	A	P	H	R	C	T	Z	R
B	L	U	E	G	R	A	S	S	A	L	S	A	I	J
M	A	Q	C	Y	U	L	P	O	P	R	I	N	R	P
A	C	N	H	K	N	U	F	A	U	V	D	K	A	U
R	J	P	N	E	G	X	F	U	N	L	I	Q	H	T
X	J	Q	O	H	E	H	Y	I	K	D	T	N	E	T
L	T	C	G	A	R	S	A	T	T	K	K	Q	S	G

BLUEGRASS
CALYPSO
DISCO
DIXIELAND
FOLK
FUNK
GOTH
GRUNGE
HEAVY METAL
JAZZ
POP
PUNK
RAP
RAVE
REGGAE
ROCKABILLY
SALSA
SKA
SOUL
SWING
TECHNO

152 Titles

S	R	B	M	A	R	Q	U	E	S	S	L	P	T	O
R	S	S	R	O	I	S	J	K	S	Y	C	G	E	S
E	S	K	O	N	S	S	S	M	E	D	R	N	N	X
E	E	S	R	R	G	S	N	E	T	A	D	I	O	U
X	R	R	E	L	S	E	S	M	N	L	T	K	R	D
I	P	E	P	C	Z	N	D	D	U	O	B	O	A	Y
S	M	K	M	R	N	O	V	R	O	P	R	U	B	N
F	E	U	E	X	D	I	L	O	C	E	P	A	J	Y
D	W	D	L	Q	Z	H	R	L	S	H	L	T	B	R
P	U	H	R	I	P	C	A	P	I	F	Q	T	A	Q
U	T	C	E	O	Q	R	E	N	V	I	D	X	U	B
P	J	R	H	X	M	A	R	C	H	E	S	E	O	N
A	O	A	W	E	L	M	U	P	A	V	E	Y	A	W
E	P	T	O	T	S	L	E	P	I	N	A	Q	A	R
L	T	P	M	A	V	S	I	U	Q	R	A	M	I	E

ARCHDUKE
BARONESS
BARONET
BOYAR
DAUPHIN
DUCHESS
EARL
EMPEROR
EMPRESS
GRAND VIZIER
KING
LADY
LORD
MARCHESE
MARCHIONESS
MARQUESS
MARQUIS
PRINCESS
QUEEN
SIR
VISCOUNTESS

153 Counting Down

Y	T	X	I	S	O	I	Y	I	V	E	S	T	C	U
T	V	D	S	T	H	G	I	E	U	U	B	F	U	R
E	V	L	E	W	T	L	J	R	R	S	R	I	R	R
N	T	I	N	E	V	E	L	E	M	A	G	F	C	U
I	Y	S	D	N	A	S	U	O	H	T	R	T	I	O
N	I	R	E	T	W	V	O	M	H	I	R	Y	S	C
H	Z	I	R	Y	B	T	B	I	E	R	E	T	S	R
E	T	C	D	L	Y	Y	R	I	J	V	F	R	V	H
N	E	S	N	S	J	T	M	I	L	L	I	O	N	S
O	U	R	U	A	E	R	N	A	L	L	T	F	U	T
D	A	U	H	E	P	I	J	E	P	L	I	R	W	R
J	Q	F	N	T	X	H	P	L	V	Q	I	O	L	F
T	U	E	I	E	A	T	U	U	A	E	U	O	N	T
Z	O	V	R	S	P	T	A	P	T	E	S	I	N	U
U	U	D	E	L	U	C	O	S	A	W	L	B	Z	L

BILLION
EIGHT
ELEVEN
FIFTY
FIVE
FORTY
FOUR
HUNDRED
MILLION
NINETY
ONE
SEVENTY
SIXTY
THIRTEEN
THIRTY
THOUSAND
THREE
TRILLION
TWELVE
TWENTY
TWO

154 Getting About

J	U	E	O	M	N	I	B	U	S	T	X	R	U	M
N	A	S	N	T	O	Z	I	S	G	M	X	E	L	H
E	N	U	W	A	S	N	W	E	J	G	U	Y	I	R
I	H	B	S	D	L	G	O	N	D	O	L	A	Z	F
Q	X	W	I	O	X	P	L	R	M	P	E	W	E	R
H	C	A	O	C	T	X	O	A	A	R	D	L	P	S
P	B	Y	T	S	Y	E	M	R	I	I	T	I	P	L
F	E	R	R	Y	V	C	W	A	E	V	L	A	E	U
O	N	Q	H	A	H	U	L	A	R	A	F	R	L	J
E	D	H	I	B	U	L	L	E	T	T	R	A	I	N
I	Y	R	E	T	P	O	C	I	L	E	H	I	N	T
I	B	A	L	K	I	C	B	A	H	J	R	R	U	O
L	U	C	P	A	S	Z	U	A	E	E	U	B	S	L
C	S	U	B	Y	E	L	L	O	R	T	E	M	U	O
P	Z	A	E	Q	E	R	E	O	V	U	J	R	O	S

AEROPLANE
BENDY-BUS
BICYCLE
BULLET TRAIN
CAR
COACH
FERRY
GONDOLA
HELICOPTER
METRO
MONORAIL
OMNIBUS
PRIVATE JET
RAILWAY
SUBWAY
TAXI
TRAM
TROLLEYBUS
TUBE
WATER BUS
ZEPPELIN

155 US Presidents

T	A	L	S	T	D	R	T	R	U	M	A	N	Y	K
O	U	Q	Q	S	E	R	E	R	N	J	W	I	U	I
L	K	C	C	B	E	A	I	V	O	Q	B	X	I	A
R	P	R	L	B	G	G	W	V	O	O	U	O	P	S
R	I	H	I	A	D	I	R	H	B	O	S	N	J	T
M	E	O	N	T	L	S	P	A	X	F	H	R	O	F
T	R	D	T	S	K	T	M	N	N	E	T	U	H	R
Y	C	R	O	L	Y	A	T	C	F	T	O	H	N	I
K	E	N	N	E	D	Y	A	T	K	S	L	T	S	M
T	T	A	D	I	V	R	F	X	H	I	I	R	O	A
P	G	G	S	R	T	B	U	C	H	A	N	A	N	P
Z	O	O	R	E	O	X	D	R	V	W	C	L	Q	T
H	N	T	R	S	W	F	I	L	L	M	O	R	E	A
N	Z	U	A	O	S	Y	M	F	L	S	L	E	Z	Y
I	U	R	Q	N	B	R	A	I	L	W	N	E	C	R

ARTHUR
BUCHANAN
BUSH
CARTER
CLINTON
FILLMORE
FORD
GRANT
HOOVER
JOHNSON
KENNEDY
LINCOLN
MADISON
MCKINLEY
NIXON
OBAMA
PIERCE
REAGAN
TAYLOR
TRUMAN
WILSON

156 British Prime Ministers

T	C	A	L	L	A	G	H	A	N	C	A	T	S	P
O	R	T	N	A	L	L	I	M	C	A	M	T	U	T
N	E	D	E	L	L	I	V	N	E	R	G	L	C	I
W	F	R	L	U	J	H	H	T	I	U	Q	S	A	A
S	B	L	O	T	H	A	T	C	H	E	R	T	E	Y
O	D	A	P	S	B	O	N	A	R	L	A	W	U	F
J	I	M	L	F	L	L	E	S	S	U	R	Z	U	U
S	W	H	A	D	O	V	I	E	H	P	H	A	L	P
C	L	U	W	H	W	N	O	R	E	M	A	C	I	Q
H	L	F	T	I	L	I	R	I	A	L	B	T	U	I
P	T	P	E	E	L	E	N	D	T	S	T	S	T	A
E	D	S	R	A	R	S	P	T	H	Y	E	T	A	U
A	Q	T	H	A	B	R	O	W	N	R	O	J	A	M
W	A	W	P	A	S	C	I	N	R	V	E	I	Q	R
H	Q	T	U	L	R	L	R	C	H	S	H	T	L	Z

ASQUITH
ATTLEE
BALDWIN
BLAIR
BONAR LAW
BROWN
CALLAGHAN
CAMERON
CHURCHILL
EDEN
GRENVILLE
HEATH
MACMILLAN
MAJOR
PEEL
PELHAM
PITT
RUSSELL
THATCHER
WALPOLE
WILSON

157 Printing and Publishing

I	O	D	L	Z	S	W	N	K	W	S	O	S	E	P
I	U	Y	H	P	A	R	G	O	H	T	I	L	A	T
K	L	O	E	D	L	F	O	L	I	O	I	R	I	Y
O	B	E	Q	K	R	A	M	R	E	T	A	W	C	P
O	O	R	T	S	Q	U	I	R	E	G	I	P	O	E
C	O	O	R	T	N	O	F	R	R	R	V	D	V	S
O	K	Y	T	O	E	I	A	A	S	V	A	T	E	E
P	P	A	S	S	E	R	P	Y	R	A	T	O	R	T
Y	R	L	U	F	Y	H	P	A	R	G	O	P	Y	T
R	E	T	S	A	F	O	O	R	P	A	W	I	D	I
I	S	I	G	T	B	M	G	J	E	E	Z	A	S	N
G	S	E	L	F	P	U	B	L	I	S	H	I	N	G
H	N	S	I	T	E	K	C	A	J	T	S	U	D	A
T	P	I	R	C	S	E	P	Y	T	X	I	L	F	R
P	T	P	M	T	N	X	B	I	N	D	I	N	G	H

BINDING
BOOK PRESS
COPYRIGHT
COVER
DUST JACKET
EDITION
FOLIO
FONT
LETTER PRESS
LITERARY AGENT
LITHOGRAPHY
PARAGRAPH
PROOF
QUIRE
ROTARY PRESS
ROYALTIES
SELF-PUBLISHING
TYPESCRIPT
TYPESETTING
TYPOGRAPHY
WATERMARK

158 Off the Record

S	T	Z	H	H	X	T	E	B	R	S	P	O	T	S
O	D	D	D	I	S	S	T	E	E	R	C	S	I	D
L	E	E	E	N	D	U	P	L	C	J	L	N	C	E
I	H	S	T	W	R	D	H	L	L	E	U	O	A	D
T	S	O	C	A	O	U	E	H	U	L	N	D	C	U
A	I	L	I	R	C	T	F	N	S	F	Q	E	L	L
R	L	C	R	D	E	I	V	A	I	U	R	L	A	C
Y	B	S	T	H	R	V	N	D	V	G	H	A	N	E
I	U	I	S	T	E	E	E	U	E	Q	P	E	D	S
N	P	D	E	I	H	N	S	L	M	R	C	C	E	A
S	N	N	R	W	T	K	N	E	I	M	L	N	S	T
U	U	U	W	I	F	L	H	V	R	U	O	O	T	H
L	S	U	A	Z	F	P	A	L	F	V	Y	C	I	I
A	N	L	S	R	O	T	S	O	M	R	E	N	N	I
R	S	E	C	R	E	T	U	N	T	O	L	D	E	U

CLANDESTINE
CONCEALED
CONFIDENTIAL
DISCREET
HIDDEN
HUSH-HUSH
INNERMOST
INSULAR
OFF THE RECORD
PRIVATE
RECLUSIVE
RESERVED
RESTRICTED
SECLUDED
SECRET
SOLITARY
UNCOMMUNICATED
UNDISCLOSED
UNPUBLISHED
UNTOLD
WITHDRAWN

159 Come Up With

S	D	E	L	P	R	X	Y	A	R	S	P	S	R	P
D	E	L	I	V	E	R	E	N	D	E	R	R	U	T
R	H	H	I	R	T	S	X	C	Q	T	G	C	V	P
A	O	D	O	U	T	S	M	E	R	D	W	U	K	R
W	D	L	I	M	B	U	A	R	G	E	I	T	B	O
R	O	W	L	S	H	P	N	R	E	V	A	L	G	V
O	W	R	Z	S	P	P	U	C	N	E	O	T	S	I
F	B	P	G	F	U	L	F	F	E	L	S	H	E	D
G	T	E	X	J	H	Y	A	P	R	O	D	U	C	E
N	U	R	G	P	E	R	C	Y	A	P	G	U	P	P
I	O	X	W	E	Z	K	T	R	T	N	E	V	N	I
R	N	R	N	I	T	L	U	S	E	R	S	P	P	P
B	R	I	N	G	F	O	R	T	H	K	U	K	P	E
T	U	S	L	G	V	B	E	A	R	N	A	W	N	E
T	T	I	R	P	P	L	A	P	I	X	C	M	I	V

BEAR
BEGET
BRING FORTH
BRING FORWARD
BUILD
CAUSE
CREATE
DELIVER
DEVELOP
DISPLAY
GENERATE
GROW
INVENT
MAKE
MANUFACTURE
PRODUCE
PROVIDE
RENDER
RESULT IN
SUPPLY
TURN OUT

160 Words Containing Cat

K	N	O	I	T	A	C	I	L	P	I	T	L	U	M
A	T	A	C	C	O	T	D	E	T	A	C	A	V	A
C	L	Z	S	E	Y	E	C	A	T	C	H	I	N	G
E	E	L	E	T	A	C	I	R	T	N	I	T	O	N
T	N	R	O	A	A	B	X	H	T	N	N	Z	I	I
A	O	O	T	C	C	O	D	X	T	O	D	E	T	F
C	I	T	I	I	A	U	U	I	E	I	I	R	A	I
E	T	E	O	T	F	T	R	R	C	T	C	E	C	C
R	A	T	T	N	A	I	I	A	R	A	A	P	O	A
P	C	A	A	E	A	C	C	O	I	C	T	L	V	T
E	I	C	C	H	A	I	R	A	N	U	I	I	N	I
D	D	I	C	T	S	U	L	U	T	D	V	C	O	O
C	N	L	A	U	W	U	G	L	F	E	E	A	C	N
F	I	E	T	A	C	I	D	E	D	I	A	T	T	U
M	V	D	S	C	A	T	H	E	I	Q	B	E	I	P

ABDICATION
ALLOCATION
AUTHENTICATE
BIFURCATION
CERTIFICATE
CONVOCATION
DEDICATE
DELICATE
DEPRECATE
EDUCATION
EYE-CATCHING
INDICATIVE
INTRICATE
MAGNIFICATION
MULTIPLICATION
REPLICATE
SCATHE
STACCATO
TOCCATA
VACATED
VINDICATION

161 You're Making Progress!

Y	E	I	C	K	I	H	B	L	Q	V	G	D	E	A
Y	U	L	G	L	D	G	Z	L	R	S	U	T	I	D
A	N	E	A	T	R	U	R	P	O	L	E	V	E	D
W	I	V	I	Q	A	O	W	U	M	S	S	N	S	P
D	T	E	N	X	W	R	S	Y	A	R	S	O	R	F
A	N	L	G	I	R	H	E	R	T	T	C	O	O	O
E	O	U	R	B	O	T	D	L	U	H	G	R	M	I
H	C	P	O	R	F	K	I	D	R	R	G	A	S	M
E	L	P	U	R	O	A	R	D	E	E	C	O	R	P
K	C	L	N	O	G	E	T	S	A	S	T	I	N	R
A	A	N	D	W	U	R	S	H	N	E	Y	O	L	O
M	G	D	A	U	A	B	E	E	T	P	E	O	Q	V
S	R	J	T	V	R	A	K	V	C	V	J	C	V	E
N	O	T	E	G	D	V	A	N	O	K	C	A	R	C
P	W	L	L	E	T	A	M	M	X	C	S	T	P	Q

ADVANCE
BLOSSOM
BREAK THROUGH
CONTINUE
COVER GROUND
CRACK ON
DEVELOP
FORGE AHEAD
GAIN GROUND
GET ON
GO FORWARD
GROW
IMPROVE
LEVEL UP
MAKE HEADWAY
MAKE STRIDES
MATURE
MOVE ON
PROCEED
PROGRESS
TRAVEL

162 Volcanic Activity

H	P	W	F	C	S	U	E	A	I	M	C	E	E	G
A	P	V	R	I	W	T	L	U	A	F	I	T	N	L
P	L	A	T	E	S	U	R	N	M	S	M	I	O	T
A	V	V	F	E	T	S	T	I	U	U	S	N	C	X
E	R	H	V	T	S	L	U	S	K	P	I	D	R	L
P	I	A	L	A	E	R	I	R	U	E	E	I	E	P
W	W	T	N	A	M	R	O	D	E	R	S	S	D	O
S	R	P	W	A	V	E	S	S	A	V	H	L	N	T
Y	A	O	G	D	E	A	L	H	G	O	E	T	I	P
C	T	M	M	D	D	T	H	A	O	L	G	N	C	P
D	A	E	T	E	C	T	O	N	I	C	S	P	T	U
T	T	I	E	A	R	T	H	Q	U	A	K	E	E	M
A	C	X	F	R	E	T	A	R	C	N	L	C	R	I
V	S	I	G	N	E	O	U	S	R	O	C	K	M	C
Y	M	A	I	M	A	X	C	Z	W	F	G	G	I	E

AFTERSHOCK
CINDER CONE
CRATER
DORMANT
EARTHQUAKE
FAULT
FISSURE VENT
IGNEOUS ROCK
LAVA
MAGMA
MANTLE
P-WAVES
PLATES
PUMICE
S-WAVES
SEISMIC
STRIKE-SLIP
SUPERVOLCANO
TECTONICS
THRUST
TREMOR

163 Geography Lesson

E	N	E	N	I	E	E	E	Q	U	A	T	O	R	K
E	D	G	I	C	N	T	L	D	N	Z	V	L	L	T
T	T	A	A	S	U	M	U	H	U	S	R	M	H	R
T	N	E	R	E	H	P	S	O	M	T	A	L	B	E
S	V	C	D	D	A	D	K	E	Y	P	I	L	O	I
Q	Q	I	I	I	Y	W	S	A	A	P	Y	T	T	C
E	A	S	C	M	R	R	R	T	E	L	S	I	A	A
D	L	Z	A	E	S	C	A	R	P	M	E	N	T	L
U	K	E	H	N	A	T	M	U	A	F	G	V	G	G
T	E	C	V	T	E	A	X	D	T	L	X	S	E	Y
I	A	S	O	A	F	E	R	S	T	S	U	R	C	L
G	J	S	W	R	T	T	B	U	T	T	E	S	M	M
N	Z	E	O	Y	D	I	U	I	U	I	Y	S	N	K
O	O	S	R	E	R	E	O	I	M	O	U	T	S	I
L	T	S	S	P	L	F	B	N	O	I	S	O	R	E

ACID RAIN
ATLAS
ATMOSPHERE
BEDROCK
BUTTE
CRUST
ELEVATION
EQUATOR
EROSION
ESCARPMENT
ESTUARY
GLACIER
HUMUS
ICE AGE
INSULAR
LATITUDE
LONGITUDE
MAP
PERMAFROST
SEA LEVEL
SEDIMENTARY

164 Words Containing Tin

G	B	R	C	B	A	R	W	F	V	U	U	J	V	S
V	D	Y	G	N	I	T	N	A	P	O	L	G	T	I
M	I	U	Z	R	A	Z	V	T	P	L	L	I	R	G
Y	E	Y	N	A	O	A	O	R	E	O	N	F	O	N
B	W	N	E	W	N	U	E	N	I	T	U	O	R	I
P	D	I	I	X	I	T	I	N	E	R	A	R	Y	T
P	P	T	V	T	T	T	I	F	U	P	G	E	J	I
B	S	U	O	U	N	I	T	N	O	C	S	T	B	R
L	Y	M	M	E	E	A	N	I	E	P	A	I	U	W
X	N	T	S	O	N	L	R	G	N	L	O	N	L	J
F	I	G	H	T	I	N	G	A	U	G	R	A	L	S
N	T	D	I	S	T	I	N	G	U	I	S	H	E	D
S	S	R	M	A	R	T	I	N	J	Q	S	K	T	G
R	E	M	V	G	E	L	A	T	I	N	R	H	I	Y
A	D	E	L	M	P	L	A	T	I	N	U	M	N	P

BULLETIN
BYZANTINE
CONTINUOUS
DESTINY
DISTINGUISHED
EXTINGUISH
FIGHTING
GELATIN
ITINERARY
MARTIN
MUTINY
PANTING
PERTINENT
PLATINUM
QUARANTINE
RETINA
ROUTINE
SENTINEL
STINT
UNWITTING
WRITING

165 Shades of Purple

R	U	L	A	M	E	T	H	Y	S	T	V	T	Q	Z
O	Y	S	A	X	L	A	V	E	N	D	E	R	U	T
K	F	C	I	P	P	D	R	G	Z	L	I	L	A	C
Y	D	N	U	G	R	U	B	E	O	T	F	A	T	G
R	Q	E	R	X	U	B	M	I	H	S	E	C	P	S
R	Y	S	N	A	P	O	V	U	L	T	L	T	Z	R
E	V	U	A	M	L	N	F	T	L	A	A	A	T	A
B	T	Y	R	I	A	N	P	U	R	P	L	E	P	G
L	U	U	U	I	Y	E	F	E	T	B	T	A	H	A
U	T	W	T	P	O	T	T	T	I	J	T	U	E	O
M	E	N	I	G	R	E	B	U	A	N	A	I	R	R
A	E	L	K	N	I	W	I	R	E	P	D	A	Y	M
G	Y	P	U	C	E	R	D	G	L	A	C	I	C	S
K	Q	H	A	S	O	C	A	R	M	I	N	E	G	T
L	U	D	Y	O	A	M	K	X	I	P	U	R	U	O

AMETHYST
AUBERGINE
BURGUNDY
CARMINE
CLARET
DUBONNET
GENTIAN VIOLET
HEATHER
INDIGO
LAVENDER
LILAC
MAGENTA
MAUVE
MULBERRY
PANSY
PERIWINKLE
PLUM
PUCE
ROYAL PURPLE
TYRIAN PURPLE
WINE

166 Having a Barney

T	U	X	S	E	J	J	T	R	V	C	F	E	U	D
J	Y	G	Q	W	H	U	T	A	R	E	K	C	I	B
R	U	D	U	Y	R	S	F	R	A	C	A	S	R	W
T	N	L	A	C	S	A	I	O	T	A	A	A	M	A
A	I	F	B	L	R	N	N	M	R	G	W	E	R	E
R	E	L	B	H	L	O	I	G	R	L	R	G	N	T
T	U	O	L	L	A	F	S	E	L	I	U	E	U	U
V	V	C	E	U	K	P	E	S	B	E	K	R	R	P
A	C	K	F	O	A	M	L	Q	S	S	F	S	E	S
J	O	H	F	T	E	M	O	U	L	W	K	R	F	I
U	W	O	I	N	K	T	H	A	A	M	O	P	F	D
C	K	R	T	R	I	Y	K	R	S	A	S	R	I	R
Z	I	N	O	I	T	A	C	R	E	T	L	A	D	R
R	I	S	P	O	X	R	I	E	B	R	N	E	W	S
P	I	A	R	C	U	F	P	L	D	E	W	U	I	E

ALTERCATION
ARGUE
BICKER
BRAWL
CROSS SWORDS
DIFFER
DISAGREEMENT
DISPUTE
FALL OUT
FEUD
FRACAS
FRAY
LOCK HORNS
PICK HOLES IN
QUARREL
SKIRMISH
SPAT
SQUABBLE
TIFF
TURF WAR
WRANGLE

167 Words Containing Ant

S	A	H	M	A	N	T	L	E	L	P	Z	K	L	M
B	I	M	E	S	G	U	U	S	B	E	X	T	E	O
T	N	A	F	N	I	F	Q	U	A	D	R	A	N	T
B	F	P	H	E	Y	E	K	B	E	A	E	T	C	N
I	I	A	K	R	T	T	H	S	P	S	T	G	H	A
G	R	U	M	I	N	A	N	T	P	U	N	I	A	H
M	R	E	S	T	A	U	R	A	N	T	A	G	N	P
F	M	O	L	A	R	G	G	N	L	A	B	A	T	A
C	T	T	W	E	R	E	N	T	A	I	P	N	A	N
U	A	N	Q	U	A	N	T	I	F	Y	G	T	D	T
H	O	A	A	N	W	B	I	A	T	D	I	I	O	O
T	O	M	T	I	P	A	S	L	O	N	W	C	V	E
M	I	R	I	C	F	H	E	S	I	T	A	N	T	A
W	Y	O	A	Z	K	E	T	N	A	G	E	L	E	S
T	T	D	T	A	S	W	D	E	I	K	O	Y	P	L

BANTER
DEFIANT
DORMANT
ELEGANT
ENCHANT
GIGANTIC
HESITANT
INFANT
MANTLE
PAGEANTRY
PANTHEISM
PANTO
PHANTOM
PLANTING
QUADRANT
QUANTIFY
RESTAURANT
RUMINANT
SUBSTANTIAL
VIGILANT
WARRANTY

168 Shades of Red

Y	A	P	I	O	R	R	R	S	Q	Q	S	K	T	R
B	R	G	V	P	A	A	S	L	K	S	P	T	V	C
O	T	I	Y	Q	I	Z	A	T	N	E	G	A	M	R
G	E	O	R	A	B	A	N	N	I	C	A	R	K	I
M	M	S	R	T	Y	U	L	Y	P	P	O	P	T	M
M	O	O	E	T	D	B	D	A	N	I	S	E	L	S
W	O	W	H	O	N	U	W	D	O	O	L	B	X	O
A	T	H	C	C	U	R	U	R	M	E	O	B	A	N
L	R	Q	X	A	G	N	O	I	L	I	M	R	E	V
K	D	O	Y	R	R	E	B	W	A	R	T	S	A	C
V	S	C	S	R	U	M	A	I	S	H	C	U	F	M
O	P	U	C	E	B	S	I	N	F	N	E	R	A	L
K	N	T	Z	T	Y	S	S	N	Z	U	U	S	A	V
L	P	T	E	K	S	C	E	E	E	S	H	J	W	L
C	P	O	R	X	V	P	N	E	T	E	R	A	L	C

AUBURN
BURGUNDY
CARMINE
CHERRY
CINNABAR
CLARET
CRIMSON
FUCHSIA
MAGENTA
MAROON
OXBLOOD
POPPY
PUCE
ROSE
RUBY
RUSSET
RUST
SALMON PINK
STRAWBERRY
TERRACOTTA
VERMILION

169 Shades of Blue

I	G	F	C	D	S	D	O	U	D	M	R	L	A	E
V	D	Y	Q	O	Q	Y	T	E	T	O	N	Z	A	P
Z	A	K	V	D	B	S	E	L	Y	W	U	D	L	E
N	Y	S	T	G	N	A	A	A	P	R	J	U	R	L
C	D	A	R	E	G	P	L	I	E	L	S	X	N	E
A	P	T	W	R	N	P	Y	T	R	A	I	R	K	E
A	D	E	E	O	A	H	R	L	S	R	R	M	S	T
Z	Y	S	Q	S	I	I	T	S	I	E	I	I	U	S
O	W	W	L	A	S	R	R	R	A	D	J	O	O	E
X	R	E	J	Z	S	E	U	F	N	E	Y	A	C	L
E	O	E	O	H	U	E	E	I	O	F	V	B	U	E
X	O	S	L	P	R	E	G	D	I	R	B	M	A	C
T	I	H	I	L	P	H	K	G	S	J	C	I	L	B
M	X	S	A	S	T	U	V	O	T	T	F	E	G	S
S	F	L	L	J	R	U	F	S	R	R	U	J	W	R

AIR FORCE
AZURE
BABY
CAMBRIDGE
CELESTE
COBALT
CYAN
DODGER
ETON
FEDERAL
GLAUCOUS
IRIS
MIDNIGHT
PERSIAN
PRUSSIAN
ROYAL
SAPPHIRE
SKY
STEEL
TEAL
TRUE

170 Shades of Yellow

I	C	J	P	O	X	F	R	T	J	P	P	T	A	B
N	O	A	J	O	J	S	P	O	G	E	R	O	I	M
J	S	M	X	E	A	P	R	I	C	O	T	R	A	E
A	P	B	S	F	C	A	R	O	A	R	L	Z	M	M
S	D	E	F	I	N	R	U	Y	T	L	E	D	F	R
M	T	R	D	E	L	I	U	Q	N	O	J	A	W	U
I	O	E	R	X	I	A	L	L	I	N	A	V	M	K
N	A	V	A	J	O	W	H	I	T	E	R	E	S	E
E	O	I	T	T	N	D	E	Q	B	J	Y	A	W	I
S	P	L	S	U	N	G	L	O	W	O	C	V	L	J
K	S	O	U	E	P	W	Y	T	D	D	R	W	S	T
L	Y	R	M	G	L	A	C	Z	Z	A	R	U	T	I
K	T	U	H	I	W	P	I	O	D	K	U	S	X	M
U	N	O	M	E	L	B	A	R	F	I	J	I	L	A
C	F	F	U	B	G	S	R	N	C	M	A	I	Z	E

AMBER
APRICOT
BEIGE
BUFF
CREAM
ECRU
GOLD
JASMINE
JONQUIL
LEMON
LION
MAIZE
MIKADO
MUSTARD
NAPLES
NAVAJO WHITE
OLIVE
SAFFRON
SUNGLOW
UROBILIN
VANILLA

171 Venomous Snakes

A	S	H	T	I	G	E	R	S	N	A	K	E	A	V
E	A	D	B	K	O	R	B	M	A	B	L	C	T	I
Q	R	A	L	E	R	A	U	A	E	U	A	N	C	N
A	B	E	A	K	E	D	S	E	A	S	N	A	K	E
F	O	H	C	A	D	R	H	K	S	H	C	L	G	S
X	C	R	K	N	D	A	V	A	T	M	E	E	T	N
T	G	E	M	S	A	W	I	N	E	A	H	D	O	A
E	N	P	A	E	F	G	P	S	R	S	E	R	E	K
G	I	P	M	L	F	P	E	L	N	T	A	E	S	E
B	T	O	B	T	U	Y	R	A	B	E	D	F	N	C
F	T	C	A	T	P	G	I	R	R	R	I	I	A	K
I	I	T	I	A	R	K	H	O	O	E	E	L	P	I
N	P	P	O	R	T	U	A	C	W	C	D	C	I	S
U	S	B	O	O	M	S	L	A	N	G	I	U	A	B
A	Z	N	I	S	A	C	C	O	M	T	N	L	T	R

ASP
BEAKED SEA SNAKE
BLACK MAMBA
BOOMSLANG
BUSH VIPER
BUSHMASTER
COPPERHEAD
CORAL SNAKE
EASTERN BROWN
FER-DE-LANCE
GWARDAR
KRAIT
LANCEHEAD
MOCCASIN
PUFF ADDER
RACER
RATTLESNAKE
SPITTING COBRA
TAIPAN
TIGER SNAKE
VINE SNAKE

172 Reptiles

R	H	E	L	M	E	T	E	D	L	I	Z	A	R	D
E	S	I	O	T	R	O	T	A	G	I	L	L	A	R
Q	O	A	S	N	P	E	K	A	N	S	K	L	I	M
I	G	R	B	A	L	L	P	Y	T	H	O	N	L	T
E	L	I	D	O	C	O	R	C	T	E	P	V	E	B
Z	T	A	I	P	A	N	P	L	H	B	I	A	K	N
E	L	T	R	U	T	A	E	S	O	L	S	C	A	I
T	K	F	L	Y	I	N	G	D	R	A	G	O	N	P
O	U	A	J	N	Z	E	O	Z	N	C	I	A	S	A
E	K	A	N	S	E	E	R	T	L	K	A	C	N	R
A	O	C	T	S	C	R	U	U	I	R	K	H	R	R
U	M	R	E	A	D	G	E	V	Z	A	S	W	O	E
P	O	Q	A	G	R	U	V	D	A	C	M	H	C	T
Q	D	B	J	K	C	A	M	Z	R	E	F	I	T	E
W	O	R	M	L	I	Z	A	R	D	R	A	P	P	Z

ALLIGATOR	GECKO	TAIPAN
BALL PYTHON	GREEN ANOLE	TERRAPIN
BLACK RACER	HELMETED LIZARD	THORN LIZARD
COACHWHIP	KOMODO	TORTOISE
CORN SNAKE	MILK SNAKE	TREE SNAKE
CROCODILE	MUD SNAKE	TUATARA
FLYING DRAGON	SEA TURTLE	WORM LIZARD

173 Whale or Dolphin?

B	G	A	I	F	A	A	R	W	G	B	T	O	C	U
B	O	M	S	A	R	U	M	O	T	A	Y	I	P	E
N	M	W	B	L	A	I	N	V	I	L	L	E	S	B
W	T	E	H	S	A	V	V	G	L	E	F	A	L	D
I	I	O	D	E	H	T	O	O	T	H	G	U	O	R
W	I	S	L	K	A	R	I	V	E	R	E	N	U	I
Q	F	D	T	I	D	D	D	U	S	K	Y	U	B	S
O	R	C	A	L	P	S	Z	S	Q	S	T	E	R	S
L	A	O	D	L	N	A	R	W	H	A	L	J	W	O
E	S	O	N	E	L	T	T	O	B	U	V	P	V	S
I	E	R	A	R	K	S	S	X	G	C	E	E	L	T
P	R	I	G	H	T	A	A	A	I	A	N	K	S	J
S	S	E	L	N	I	F	E	K	N	I	M	C	P	E
S	A	N	N	M	R	F	Q	B	U	N	I	S	E	L
I	V	Q	D	J	L	A	K	I	C	U	L	P	Z	A

BEAKED
BELUGA
BLAINVILLE'S
BLUE
BOTTLENOSE
BOWHEAD
DALL'S
DUSKY
FALSE KILLER
FINLESS
FRASER'S
MINKE
NARWHAL
OMURA'S
ORCA
PILOT
RIGHT
RISSO'S
RIVER
ROUGH-TOOTHED
VAQUITA

174 James Who?

N	T	T	K	C	B	S	T	F	Q	B	O	N	D	I
I	W	B	E	L	U	S	H	I	R	U	Y	A	M	L
T	Y	V	F	R	A	N	C	O	A	O	L	A	E	R
R	O	L	Y	A	T	A	L	K	S	L	O	C	R	W
A	V	R	T	A	M	I	Q	N	I	J	L	S	O	W
M	A	T	T	E	N	L	N	W	O	R	B	U	I	Y
O	C	K	R	I	W	R	O	Y	K	P	E	X	B	P
N	M	O	I	A	Y	M	C	J	R	B	K	L	Z	L
R	N	O	B	I	W	E	N	A	E	D	U	B	O	L
O	A	C	X	U	H	E	N	S	O	N	V	H	X	H
E	O	Z	O	P	R	A	T	G	T	L	T	T	P	U
L	I	T	O	X	U	N	L	S	A	T	A	A	I	S
R	V	G	U	K	G	I	Y	A	N	C	O	E	F	E
E	F	D	A	E	Y	P	W	Q	R	L	D	N	X	S
X	R	I	O	U	K	O	D	H	S	Z	J	U	V	Z

BELUSHI
BEST
BLUNT
BOND
BROLIN
BROWN
CAAN
CAGNEY
CAMERON
COBURN
COOK
DEAN
FRANCO
HENSON
JOYCE
MARTIN
MAY
MCAVOY
MONROE
STEWART
TAYLOR

175 At the Cinema

R	E	B	E	C	C	A	T	O	Y	S	T	O	R	Y
O	J	I	T	H	E	P	I	A	N	I	S	T	E	V
T	L	H	I	O	C	G	U	O	M	K	T	H	N	A
A	A	B	J	T	O	F	U	S	A	H	A	E	N	P
I	W	U	X	I	R	T	A	M	E	H	T	T	U	G
D	A	C	N	A	L	B	A	S	A	C	K	H	R	O
A	S	U	L	R	A	S	H	O	M	O	N	I	E	O
L	O	L	T	A	X	I	D	R	I	V	E	R	D	D
G	G	G	R	A	N	T	O	R	I	N	O	D	A	F
A	N	E	V	I	G	R	O	F	N	U	T	M	L	E
A	S	S	N	I	G	E	B	N	A	M	T	A	B	L
O	O	G	D	O	W	N	F	A	L	L	H	N	D	L
B	L	A	C	K	S	W	A	N	U	U	Z	F	W	A
A	R	T	E	B	R	A	V	E	H	E	A	R	T	S
S	T	A	R	W	A	R	S	A	M	E	L	I	E	E

AMELIE
BATMAN BEGINS
BLACK SWAN
BLADE RUNNER
BRAVEHEART
CASABLANCA
DOWNFALL
GLADIATOR
GOODFELLAS
GRAN TORINO
MEAN GIRLS
RASHOMON
REBECCA
STAR WARS
TAXI DRIVER
THE MATRIX
THE PIANIST
THE SHINING
THE THIRD MAN
TOY STORY
UNFORGIVEN

176 Japan

```
X H Z Q X P E Y K O K E H I T
X V N T P H B E U K I M O N O
R P A O A I N R I O E T K N N
I U N K O D I I J M O A U U Z
A R A Y O I A R U M A S S G K
A M B O R B A R D T Q U A O R
A F E C I H A T O O T N I H S
C L K H G K Y O T O S C R S T
S S I C A L L I G R A P H Y V
F K T M M I Z N L R S D I Z H
Y A I F I I K E P F A O K L V
Y D J P E H Y U L S E N W H O
T V U G E I S H A T U Q R A N
U Z F U H B M A N G A P T I M
C T P T B O M U S I Q W S H C
```

CALLIGRAPHY
FUJI
GEISHA
HAIKU
HAKAMA
HOKUSAI
IKEBANA
JUDO
KENDO
KIMONO
KOI CARP
KYOTO
MANGA
MURAKAMI
ORIGAMI
SAMURAI
SASHIMI
SHINTO
SHOGUN
SUMO
TOKYO

177 Building Site

S U K O N E Z R N W P E J M N
D S K C I R B R T S I Q G H O
H R R R O O F I S H R R S S E
S S T B B N N P X O A U O T F
S E L I T E C B R I T I K T R
W W R W A B A R R A R S T B P
U A G U F R A M E W O R K D C
S G N I T T I F L T M R A J T
W E I A P X N W E J E E N W Q
T X T C E T I H C R A D V M N
W S N E T H L F T J P L E M T
G N I N N A L P R W K I L Z L
C J A O Z I G N I B M U L P D
I A P T J S G Q C H O B Z E A
C V C S L L A W S T A I R S U

ARCHITECT
BEAM
BRICKS
BUILDER
CONCRETE
ELECTRICS
FITTINGS

FIXTURES
FRAMEWORK
JOIST
MORTAR
PAINTING
PLANNING
PLUMBING

PREFAB
ROOF
SEWAGE
STAIRS
STONE
TILES
WALLS

178 Batten Down the Hatches

S	S	I	O	S	R	W	A	L	L	X	R	I	U	S
L	E	R	A	X	L	N	E	T	S	A	F	Q	U	A
P	U	E	T	L	C	E	I	L	E	T	S	R	T	F
E	T	D	T	H	L	U	H	W	K	V	R	H	D	S
T	T	L	O	B	C	I	I	S	S	C	I	A	S	B
R	A	R	W	L	C	N	A	L	A	M	U	R	P	T
Q	L	N	E	F	A	B	I	N	D	E	C	B	T	C
C	W	C	D	F	I	E	E	L	K	L	L	Y	K	L
T	H	O	A	U	S	I	S	A	C	K	A	E	A	K
A	O	A	C	C	I	P	T	T	O	C	M	T	O	B
A	P	E	I	D	Y	P	A	C	L	A	P	T	B	R
A	P	T	R	N	H	J	K	H	D	H	T	L	T	E
A	O	D	R	A	U	G	E	F	A	S	T	E	R	U
I	E	A	A	H	S	E	U	E	P	K	C	A	I	T
U	U	W	B	S	G	L	V	I	E	U	F	M	U	Q

ANCHOR
BARRICADE
BIND
BOLT
BUCKLE
CHAIN
CLAMP
CLINCH
FASTEN
HANDCUFF
LASH
LATCH
LEASH
NAIL
PADLOCK
RIVET
SAFEGUARD
SEAL
SHACKLE
STAKE
STRAP

179 Make a House a Home

U	B	S	V	O	H	L	I	M	L	D	D	T	O	M
E	N	H	P	Y	S	L	A	S	L	B	A	S	S	O
J	B	E	B	B	S	R	R	H	G	E	S	P	A	O
N	T	V	R	L	T	L	H	H	C	D	A	N	C	R
U	P	O	E	S	I	F	V	G	A	R	A	G	E	H
R	A	C	D	B	I	V	O	L	I	O	O	B	L	T
S	N	L	R	S	K	T	I	Y	B	O	F	P	L	A
E	T	A	A	B	I	E	T	N	E	M	E	S	A	B
R	R	W	L	D	J	M	R	I	G	R	T	U	R	U
Y	Y	F	K	I	T	C	H	E	N	R	N	T	V	R
R	R	Z	Y	C	W	A	A	J	Z	G	O	O	O	U
E	A	E	D	U	T	I	L	I	T	Y	R	O	O	M
U	L	O	F	T	Q	H	L	R	R	T	Q	O	M	S
J	T	A	I	R	D	I	N	I	N	G	R	O	O	M
R	S	C	S	P	B	H	H	S	A	T	R	I	U	M

ALCOVE
ATRIUM
ATTIC
BASEMENT
BATHROOM
BEDROOM
CELLAR
DINING ROOM
FOYER
GARAGE
HALL
KITCHEN
LARDER
LIBRARY
LIVING ROOM
LOFT
NURSERY
PANTRY
PORCH
SITTING ROOM
UTILITY ROOM

180 Bread

I	O	A	J	M	L	Z	J	F	W	X	G	U	X	E
I	T	N	R	X	F	B	L	A	C	K	T	A	H	T
E	B	A	G	E	L	B	C	L	H	C	E	B	X	A
F	D	N	P	T	G	R	E	L	D	O	P	A	L	S
S	W	A	A	A	D	I	X	I	L	O	M	G	O	O
A	O	B	S	A	H	O	T	T	V	O	U	U	P	X
A	T	P	S	I	R	C	O	R	N	B	R	E	A	D
T	O	E	H	Y	R	H	Y	O	S	D	C	T	N	A
Z	M	G	Y	P	G	E	E	T	O	Q	B	T	D	E
N	E	U	O	X	A	E	S	U	D	M	A	E	O	R
A	O	F	I	G	N	T	G	T	A	U	N	P	R	B
O	X	Z	J	X	W	H	B	A	S	F	N	P	O	T
R	X	Z	H	L	G	W	O	U	A	F	O	S	G	A
E	J	L	P	U	M	P	E	R	N	I	C	K	E	L
S	D	R	U	B	C	A	L	U	R	N	K	W	O	F

BAGEL
BAGUETTE
BANANA
BANNOCK
BLACK
BRIOCHE
BUN

CHAPATI
CORNBREAD
CRISP
CRUMPET
FARL
FLATBREAD
MUFFIN

PANDORO
PUMPERNICKEL
RYE
SODA
SOURDOUGH
TIGER
TORTILLA

181 Rich as Croesus

P B T C R S U O I R U X U L R
Z R L A X S S M W M M R O A M
H T O S D E T A L P D L O G E
T I I H P O I D L R J R I X R
U A T R K R N E M C E Y I A W
Y S N I C H K O W M R K I E A
U T A C N C I F N E I E N D L
O N R H O I N M I T A N P A K
J E E X P R G O S L N L T P B
S U B H U Y R N D A O U T E U
S L U S L H I E I M I A S H D
F F X I E T C Y U L L U D G Y
M F E V N L H I Q W L D I E U
P A L A T I A L V D I O S M D
H S U L P F L U S H B D R E T

AFFLUENT
BANKER
BILLIONAIRE
CASH RICH
EXUBERANT
FILTHY RICH
FLUSH
GOLD-PLATED
LAVISH
LOADED
LUXURIOUS
MADE OF MONEY
MINTED
OPULENT
PALATIAL
PLUSH
QUIDS IN
ROLLING IN IT
STINKING RICH
UPPER CLASS
WEALTHY

182 Famous Rivers

I	J	I	S	S	G	S	N	I	L	E	Q	H	D	W
L	A	G	B	Y	U	I	N	D	U	S	R	U	R	T
H	R	B	W	L	G	N	J	V	L	M	S	P	G	T
A	R	A	V	E	E	N	I	H	R	G	W	T	T	Q
C	J	S	R	E	B	I	T	P	P	I	M	R	R	S
A	F	S	M	I	U	T	Y	E	D	S	H	P	F	W
U	R	S	A	T	N	K	H	R	R	O	M	F	L	S
T	G	R	E	F	A	O	H	E	N	I	E	S	N	A
C	I	N	J	M	D	S	Z	E	K	A	R	S	R	D
Q	L	G	O	Y	A	T	E	A	S	L	S	K	C	P
A	A	Y	R	K	W	H	A	G	M	Z	E	S	N	C
R	W	K	D	I	E	Z	T	G	N	A	Y	M	O	R
I	X	T	A	E	S	M	O	Y	O	A	I	N	T	Y
P	U	B	N	R	R	U	P	V	O	L	G	A	T	Y
M	D	P	N	A	P	I	C	P	L	O	I	R	E	Y

AMAZON	LOIRE	SEINE
CLYDE	MEKONG	TAY
CONGO	MERSEY	THAMES
DANUBE	NIGER	TIBER
GANGES	NILE	TIGRIS
INDUS	RHINE	VOLGA
JORDAN	RHONE	YANGTZE

183 Largest Deserts

E	A	F	X	E	E	N	A	I	R	Y	S	R	M	I
K	R	R	A	W	D	K	A	R	A	K	U	M	K	Q
Y	D	N	A	S	T	A	E	R	G	I	B	S	O	N
Z	Y	U	I	H	A	S	S	C	O	T	S	U	M	O
Y	X	Q	E	S	A	O	T	H	O	N	X	P	O	I
L	A	N	U	U	A	S	L	I	T	C	O	V	J	N
K	N	A	M	I	B	B	O	H	R	E	W	S	A	C
U	P	K	O	O	L	S	T	U	Z	G	L	R	V	O
M	D	A	C	I	T	C	R	A	T	N	A	U	E	Z
C	A	M	A	C	A	T	A	H	E	B	A	U	T	P
I	R	A	H	A	L	A	K	U	I	R	L	O	X	X
Z	R	L	C	O	L	O	R	A	D	O	G	O	B	I
R	C	K	T	O	O	Y	N	N	O	S	P	M	I	S
F	N	A	I	N	O	G	A	T	A	P	F	N	E	I
U	I	T	C	I	L	R	T	M	A	T	E	P	A	T

ANTARCTICA
ARABIAN
ATACAMA
CHIHUAHUAN
COLORADO
DASHT-E LUT
GIBSON
GOBI
GREAT BASIN
GREAT SANDY
KALAHARI
KARAKUM
KYZYL KUM
MOJAVE
NAMIB
PATAGONIAN
SAHARA
SIMPSON
SONORAN
SYRIAN
TAKLAMAKAN

184 Rocks

A	I	L	F	X	O	L	T	A	G	O	H	J	R	R
S	R	R	O	E	Q	D	C	D	L	N	V	S	O	H
K	A	R	O	P	M	B	A	I	C	C	E	R	B	X
H	V	L	O	P	T	Z	G	O	R	V	N	I	R	C
S	A	T	S	U	O	O	A	B	G	I	O	S	S	R
L	L	E	N	M	A	R	B	L	E	I	T	T	E	S
C	L	A	Y	I	S	U	B	S	T	N	S	I	F	S
Q	S	S	T	C	L	D	R	P	I	A	E	R	P	Y
Q	A	A	H	E	N	F	O	B	N	D	M	G	F	C
A	E	A	G	U	A	X	I	D	A	Y	I	R	O	F
T	L	H	E	L	A	H	S	T	R	Y	L	A	S	P
K	S	C	H	I	S	T	X	S	G	I	L	V	N	Z
K	G	P	A	D	O	L	O	M	I	T	E	E	S	C
R	X	I	X	N	T	Y	L	G	L	T	E	L	U	T
A	T	A	E	N	O	T	S	D	U	M	V	N	S	L

BRECCIA
CHALK
CLAY
COAL
DOLOMITE
FLINT
GABBRO
GNEISS
GRANITE
GRAVEL
GRIT
LAVA
LIMESTONE
MARBLE
MUDSTONE
OBSIDIAN
PUMICE
SANDSTONE
SCHIST
SHALE
SLATE

185 Move

C	N	Q	B	A	X	R	E	K	U	Q	X	F	L	V
B	I	N	T	W	I	R	L	C	R	A	E	R	P	J
F	P	U	W	L	E	D	M	O	P	A	A	Z	U	P
O	S	W	I	V	E	L	E	R	G	Y	R	A	T	E
T	T	S	S	P	J	E	D	T	U	R	I	Y	U	S
R	T	S	T	T	B	V	H	N	A	M	D	G	M	O
H	R	O	N	S	U	A	R	W	U	T	B	P	B	O
S	L	N	S	R	V	R	A	S	C	R	O	L	L	C
H	C	S	L	S	I	T	N	P	Q	E	T	R	E	C
Q	P	R	O	P	L	I	I	O	H	V	S	P	C	S
M	B	Z	T	A	T	V	J	O	Q	O	A	W	V	X
B	B	P	U	H	O	P	T	L	K	L	P	E	A	N
O	U	T	U	T	L	M	N	R	L	V	O	D	R	Y
H	A	O	D	P	R	R	A	U	T	E	G	K	T	Q
F	A	L	Z	I	G	Z	B	O	R	W	U	I	I	H

GO PAST
GYRATE
LIST
PIVOT
REVOLVE
ROCK
ROTATE
RUMBLE
SCROLL
SPIN
SPOOL
SWAY
SWIVEL
TOSS
TRAVEL
TRUNDLE
TUMBLE
TURN
TWIRL
TWIST
WHEEL

186 Game of Rugby?

Y	R	N	O	K	C	O	N	K	R	U	T	R	R	C
G	T	O	E	A	T	Z	F	Q	U	H	J	H	K	R
T	A	I	T	R	X	W	I	L	S	M	D	T	N	A
Y	S	S	L	C	R	O	S	S	B	A	R	U	C	K
R	Y	R	A	M	E	E	C	T	M	R	A	U	G	I
L	E	E	O	R	G	T	R	A	B	K	W	A	L	V
A	L	V	G	L	N	Y	U	E	N	R	R	U	B	I
E	W	N	P	V	I	L	M	O	L	E	O	P	H	T
S	R	O	O	L	W	P	M	C	E	K	F	E	O	J
B	S	C	R	U	M	H	A	L	F	N	C	N	L	I
O	L	P	D	K	O	I	G	C	H	A	I	A	O	K
T	Z	U	W	O	C	D	E	I	K	L	T	L	T	T
J	H	I	K	F	L	A	H	Y	L	F	W	T	N	B
G	O	E	U	I	T	I	B	Z	S	U	S	Y	U	R
W	R	I	Y	A	U	I	S	X	U	S	A	Y	P	L

BACK ROW
CONVERSION
CROSSBAR
DROP GOAL
FLANKER
FLY HALF
FORWARD
HOOKER
KNOCK-ON
LINE-OUT
MARK
MAUL
PACK
PENALTY
PUNT
RUCK
SCRUM HALF
SCRUMMAGE
TACKLE
TRY
WINGER

187 Make a Run for it!

G	T	A	T	S	C	R	A	M	B	L	E	C	A	R
A	S	I	P	N	T	E	U	T	R	A	D	E	R	Z
D	S	E	V	Q	I	P	F	N	W	C	E	W	L	I
P	E	E	J	O	G	R	G	H	A	M	P	U	O	T
D	P	L	P	F	E	A	P	A	G	W	M	Y	P	U
S	N	F	T	L	L	C	L	S	T	A	A	S	B	I
N	R	A	L	L	A	S	P	T	K	A	T	Y	X	N
E	O	E	O	C	H	A	S	E	V	R	S	R	T	L
U	V	P	B	A	T	S	O	N	E	Q	O	R	H	O
S	P	R	R	L	A	F	A	A	Z	T	V	U	T	C
U	O	T	U	B	F	X	K	D	T	M	R	C	G	I
A	X	A	X	L	G	F	H	S	U	R	S	S	S	O
F	B	O	P	C	W	N	V	D	Y	M	G	S	O	W
I	P	R	S	N	K	Z	F	S	X	T	H	E	W	L
E	N	P	I	W	Q	T	Q	S	A	P	K	K	A	T

BOLT
CHASE
DART
DASH
FLEE
GALLOP
HASTEN
HURRY
JOG
LEG IT
MAKE OFF
RACE
RUN AWAY
RUSH
SCARPER
SCRAMBLE
SCURRY
SPEED
SPRINT
STAMPEDE
STREAK

188 In a Hurry

```
T T Z Q U I B S T P E T C R J
O U S P R S Z S R P O S F A S
I Z X G J M O R N R U U B Z I
T T O E N E F E L D N U B R Z
X D W O E U L E S U R G E I S
A I F J M A A T C N E S E M U
C P E E I T S Y R N S A S A T
V A G T T M H U S U A M T K R
N R R N O R B I T N H V W E A
H T A E N B O J C A W I D H N
B B H R E T A R E L E C C A P
F O C R S R R K R L R G Q S E
I A L O O M W P D S O F F T N
B U S T L E M P H U S T L E P
C D J T L S R U U A W B L Y H
```

ACCELERATE
ADVANCE
BOLT
BUNDLE
BURN RUBBER
BUSTLE
CAREER
CHARGE
FAST
FLASH
FLY
HURTLE
HUSTLE
JET
LOSE NO TIME
MAKE HASTE
PELT
RAPID
SURGE
TORRENT
ZOOM

189 Down in the Mouth

D	Y	S	D	E	S	S	E	R	P	E	D	L	B	W
I	R	D	O	L	E	F	U	L	Y	M	O	O	L	G
S	U	Y	W	O	S	L	P	D	A	A	W	O	U	L
J	T	M	N	R	Z	M	U	G	B	H	N	N	O	U
S	P	E	C	D	D	E	K	F	V	E	H	F	S	M
E	I	L	A	E	E	E	L	N	W	A	E	I	S	F
T	T	A	S	R	L	T	S	B	P	O	A	E	E	N
P	I	N	T	B	F	R	C	P	A	E	R	W	L	L
N	F	C	S	M	C	U	Y	E	O	R	T	R	Y	R
N	U	H	N	O	U	D	L	D	J	N	E	V	O	J
U	L	O	W	S	P	I	R	I	T	E	D	S	J	S
B	T	L	J	L	S	U	B	D	U	E	D	E	I	O
O	D	I	S	M	A	L	T	K	U	U	O	O	N	M
R	R	C	F	V	D	O	R	E	Q	L	X	S	V	T
L	A	I	O	L	W	Z	J	L	O	B	R	T	M	Y

BLUE
DEJECTED
DEPRESSED
DESPONDENT
DISMAL
DOLEFUL
DOWNCAST
DOWNHEARTED
GLOOMY
GLUM
JOYLESS
LOW-SPIRITED
MELANCHOLIC
MISERABLE
PITIFUL
SAD
SOMBRE
SORROWFUL
SUBDUED
TEARFUL
UNHAPPY

190 Save Our Souls

T	R	A	N	A	T	U	S	D	E	C	N	P	B	Z
P	E	K	V	L	P	J	C	P	O	R	F	Y	N	U
D	L	H	R	R	L	Z	D	L	P	C	T	R	H	Z
B	J	Y	T	C	N	U	U	S	S	C	I	E	I	O
C	B	R	T	E	N	M	A	J	A	E	S	U	C	U
O	J	A	R	S	B	P	O	P	T	L	K	R	O	A
E	O	M	T	A	V	A	E	I	A	T	I	U	M	H
T	H	A	F	X	N	J	Z	K	L	S	B	S	L	K
S	N	R	L	O	A	Z	E	I	P	P	E	T	E	R
G	A	G	F	O	C	E	C	I	L	I	A	R	U	A
L	N	A	A	I	Y	Q	N	C	B	E	D	E	E	M
U	R	R	R	S	B	S	T	E	P	H	E	N	U	T
C	R	E	S	C	T	V	I	T	U	S	W	O	C	U
Y	P	T	Y	W	S	C	U	U	I	D	Y	G	S	W
R	A	J	T	U	G	S	M	M	S	R	L	D	C	L

ALOYSIUS
BEDE
CECILIA
COLUMBA
CRISPIN
DUNSTAN
ELIZABETH
ELMO
JOAN OF ARC
JOHN
LUCY
LUKE
MARGARET
MARK
MARY
PAUL
PETER
SILAS
STEPHEN
TERESA
VITUS

191 All Hands on Deck!

T	R	B	E	F	Z	F	L	X	Y	G	M	K	I	D
L	N	O	H	R	S	R	I	V	A	O	A	L	A	E
B	A	A	T	E	O	S	S	S	C	D	S	J	I	W
I	M	T	M	A	L	D	T	Z	H	A	T	E	C	A
T	A	S	A	T	G	M	O	X	T	E	E	O	M	E
F	E	W	T	X	A	I	S	M	S	S	R	O	P	B
E	S	A	E	D	J	O	V	M	M	S	D	M	U	X
V	P	I	R	A	T	E	B	A	A	O	E	C	A	V
R	U	N	C	A	P	T	A	I	N	N	C	L	D	N
O	R	A	D	E	V	O	R	X	E	A	K	T	M	H
L	P	C	O	X	S	W	A	I	N	K	B	T	I	D
I	K	T	S	O	A	D	N	E	S	R	O	S	R	H
A	S	A	P	T	S	M	E	T	I	L	Y	E	A	B
S	K	I	P	P	E	R	O	L	G	A	U	Z	L	M
Z	E	O	A	N	L	I	T	K	N	A	M	A	E	I

ADMIRAL
BOATMAN
BOATSWAIN
BUCCANEER
CAPTAIN
COMMODORE
CORSAIR
COXSWAIN
DECK BOY
ENSIGN
FISHERMAN
HELMSMAN
MASTER
MATE
NAVIGATOR
PIRATE
SAILOR
SEADOG
SEAMAN
SKIPPER
YACHTSMAN

192 In the Sauce

Y	T	A	R	O	L	Q	H	L	U	S	X	P	R	V
R	T	N	W	O	R	B	M	R	O	P	S	O	D	R
I	M	I	N	T	E	R	T	O	X	I	T	E	T	R
E	E	C	Q	A	G	E	U	L	L	V	S	T	R	T
A	L	T	M	M	N	A	I	V	A	P	R	O	E	L
T	N	U	W	O	A	Z	Z	N	A	M	R	T	Y	S
O	T	Y	O	T	R	U	C	Y	B	T	E	S	I	A
Q	I	C	R	Q	O	N	T	L	A	I	U	E	E	S
X	E	R	C	B	R	E	A	D	R	L	S	P	Y	K
X	H	E	E	A	G	C	B	Y	B	E	T	O	A	G
F	O	A	S	T	K	Y	A	T	E	T	I	H	W	U
U	I	M	T	B	S	P	S	H	C	H	I	L	L	I
T	S	C	E	O	P	Y	C	S	U	R	Z	Z	K	M
W	I	A	R	L	Z	H	O	I	E	U	D	O	W	I
R	N	R	E	N	I	W	L	F	D	L	Y	F	L	S

APPLE
BARBECUE
BLACK BEAN
BREAD
BROWN
CHEESE
CHILLI
CREAM
FISH
HOISIN
MINT
MORNAY
ORANGE
OYSTER
PESTO
SOY
TABASCO
TOMATO
WHITE
WINE
WORCESTER

193 Branches of Science

V	E	T	E	R	I	N	A	R	Y	R	Y	O	T	S
R	Y	M	S	T	P	P	U	N	G	G	G	Y	G	S
J	G	H	E	C	H	T	O	P	O	L	O	G	Y	C
S	O	C	P	D	I	Y	A	L	L	A	L	O	R	I
S	L	A	A	A	I	N	O	E	O	L	O	L	T	T
C	O	N	X	S	R	C	E	W	T	R	E	O	S	E
I	O	A	N	H	E	G	I	G	N	Q	G	I	I	N
S	Z	T	A	S	T	R	O	N	O	M	Y	B	M	E
Y	G	O	L	O	R	U	E	N	E	Y	J	X	E	G
H	D	M	Y	G	O	L	O	C	A	M	R	A	H	P
P	A	Y	N	A	T	O	B	C	L	E	U	C	C	D
S	C	I	T	A	M	E	H	T	A	M	C	A	L	P
I	S	O	G	E	O	G	R	A	P	H	Y	O	M	U
A	S	S	S	C	I	N	A	H	C	E	M	I	O	P
L	S	U	U	X	P	X	E	R	U	A	X	Z	L	O

ANATOMY
ASTRONOMY
BIOLOGY
BOTANY
CHEMISTRY
CRYOGENICS
ECOLOGY
GENETICS
GEOGRAPHY
GEOLOGY
MATHEMATICS
MECHANICS
MEDICINE
NEUROLOGY
OCEANOGRAPHY
PALAEONTOLOGY
PHARMACOLOGY
PHYSICS
TOPOLOGY
VETERINARY
ZOOLOGY

194 Chemistry Lesson

E	P	Z	S	C	O	N	D	E	N	S	E	R	Q	K
C	H	K	G	T	H	E	R	M	O	M	E	T	E	R
O	T	N	T	N	C	H	E	M	I	C	A	L	S	T
N	H	S	I	D	I	R	T	E	P	E	Z	E	T	T
I	R	E	N	R	U	B	N	E	S	N	U	B	C	S
C	O	P	P	E	R	S	U	L	P	H	A	T	E	T
A	P	S	S	B	Z	A	O	T	E	K	T	S	N	I
L	I	A	Y	U	U	C	C	O	R	N	O	U	T	R
F	P	H	R	T	E	R	R	T	E	E	N	L	R	R
L	E	D	I	T	A	U	E	U	K	Z	B	U	I	I
A	T	L	N	S	M	W	G	T	C	U	R	B	F	N
S	T	Q	G	E	S	A	I	O	T	I	P	H	U	G
K	E	K	E	T	I	R	E	K	A	E	B	F	G	R
T	B	O	I	L	I	N	G	T	U	B	E	L	E	O
P	E	M	E	M	I	C	R	O	S	C	O	P	E	D

BEAKER
BOILING TUBE
BUNSEN BURNER
BURETTE
CENTRIFUGE
CHEMICALS
CONDENSER
CONICAL FLASK
COPPER SULPHATE
CRUCIBLE
FUNNEL
GEIGER COUNTER
MICROSCOPE
PETRI DISH
PIPETTE
RUBBER TUBING
STEAM TRAP
STIRRING ROD
SYRINGE
TEST TUBE
THERMOMETER

195 Scottish Clans

U	M	L	C	Y	R	V	X	Z	L	A	S	U	R	Q
U	R	B	L	D	O	U	G	L	A	S	T	P	S	L
A	Z	C	S	E	U	S	R	C	A	N	A	U	I	C
F	T	W	K	N	B	R	I	O	F	O	D	Y	A	C
O	R	B	A	N	U	P	Q	M	U	R	R	A	Y	K
B	R	D	A	E	C	P	M	U	Y	E	I	S	S	L
B	L	O	S	K	H	G	R	A	H	M	U	M	S	G
E	T	A	D	L	A	N	O	D	C	A	M	A	O	M
V	C	K	I	W	N	A	G	E	W	C	R	R	R	S
R	U	U	T	R	A	W	E	T	S	T	D	T	S	I
T	T	Q	R	O	B	E	R	T	S	O	N	T	R	L
B	A	A	A	B	H	A	G	P	N	K	R	V	R	U
R	B	P	W	H	D	B	C	A	S	Q	I	N	H	W
Q	G	S	E	D	X	L	A	M	O	N	T	J	U	S
P	P	A	D	Q	U	R	M	J	E	K	Q	D	R	M

BLAIR	GORDON	MUNRO
BRUCE	IRVINE	MURRAY
BUCHAN	KENNEDY	RAMSAY
CAMERON	LAMONT	ROBERTSON
CAMPBELL	MACDONALD	ROSS
DEWAR	MACGREGOR	STEWART
DOUGLAS	MUIR	URQUHART

196 Sharks in the Water

P	A	K	T	T	L	R	P	P	O	S	N	A	S	T
W	C	D	Z	R	U	G	N	O	G	E	B	B	O	W
P	O	C	O	T	T	X	O	R	B	A	O	P	U	O
O	O	C	K	G	I	G	E	J	R	T	E	R	P	H
R	K	B	A	S	F	A	D	O	O	H	M	G	F	A
B	I	A	M	L	T	I	B	G	N	R	X	U	I	M
E	E	S	Q	W	I	S	S	G	Z	E	L	L	N	M
A	C	K	H	D	N	U	O	H	E	S	R	U	N	E
G	U	I	O	A	B	L	U	E	W	H	A	L	E	R
L	T	N	N	L	B	E	R	T	H	E	N	U	A	H
E	T	G	U	M	M	Y	K	C	A	R	P	E	T	E
R	E	T	N	I	O	P	E	U	L	B	E	S	T	A
L	R	S	H	O	V	E	L	H	E	A	D	G	Q	D
D	B	R	R	K	N	O	K	G	R	Y	W	R	I	N
U	E	P	H	Z	B	R	O	V	C	V	M	U	Z	T

ANGEL
BASKING
BLUE POINTER
BLUE WHALER
BRONZE WHALER
CARPET
COOKIECUTTER
COW
DOGFISH
GREAT WHITE
GUMMY
HAMMERHEAD
MAKO
NURSEHOUND
PORBEAGLE
SHOVELHEAD
SOUPFIN
THRESHER
TIGER
TOPE
WOBBEGONG

197 Words Containing Bat

F	T	C	I	S	H	N	H	N	Y	E	T	E	L	U
E	B	M	G	A	T	A	C	E	L	O	X	I	N	A
F	U	A	U	P	A	M	T	B	R	A	M	O	U	J
R	N	I	I	P	B	S	A	W	C	C	I	E	U	R
R	A	I	C	R	B	T	B	E	O	T	T	L	H	D
V	B	L	C	O	A	A	R	M	A	M	A	T	U	A
M	A	L	B	B	S	B	B	B	C	W	B	T	U	R
K	T	B	E	A	A	A	R	W	R	F	R	A	U	E
R	E	D	R	T	T	U	V	T	O	B	E	B	T	V
S	D	U	E	I	N	R	R	L	B	A	V	G	R	K
Z	N	A	V	O	C	H	O	B	A	T	T	E	R	Y
L	T	E	C	N	L	K	A	S	T	I	N	U	E	G
L	J	T	E	O	Z	T	B	L	S	K	A	J	W	R
X	P	A	R	P	O	Q	S	A	W	L	Z	C	U	R
A	M	B	I	N	C	U	B	A	T	E	H	T	A	B

ACROBAT
ALBATROSS
APPROBATION
BATCH
BATEAU
BATHE
BATIK
BATON
BATSMAN
BATTERY
BATTLE
BRICKBAT
COMBATIVE
CONURBATION
DEBATABLE
EXACERBATE
INCUBATE
SABBATH
UNABATED
VERBATIM
WOMBAT

198 In the Soup

A	Y	U	I	R	U	O	X	T	A	I	L	T	K	W
V	B	C	T	V	H	H	K	J	E	U	Q	S	I	B
T	A	A	H	H	O	C	T	C	N	S	W	C	C	U
R	M	B	C	O	U	A	S	R	E	D	W	O	H	C
C	U	B	S	B	E	P	H	S	T	G	C	T	A	Y
O	S	A	R	M	Q	Z	H	S	T	U	L	C	R	N
T	H	G	O	U	L	A	S	H	L	H	E	H	A	A
F	R	E	B	G	R	G	L	L	E	L	N	B	M	B
B	O	I	J	K	S	E	E	O	M	O	T	R	E	A
A	O	R	F	R	E	N	C	H	O	N	I	O	N	F
R	M	I	N	E	S	T	R	O	N	E	L	T	O	T
L	N	E	L	K	N	E	S	M	L	I	N	H	P	U
E	S	S	I	A	B	A	L	L	I	U	O	B	E	H
Y	L	N	O	O	H	I	Z	L	A	S	Q	X	A	I
S	K	N	P	I	R	D	P	S	V	S	O	W	L	E

BARLEY
BISQUE
BORSCHT
BOUILLABAISSE
CABBAGE
CHOWDER
CULLEN SKINK
DHAL
FRENCH ONION
GAZPACHO
GOULASH
GUMBO
LENTIL
MINESTRONE
MISO
MUSHROOM
NETTLE
OXTAIL
RAMEN
SCOTCH BROTH
SHARK FIN

199 To Boldly Go...

S	Z	T	S	L	T	W	V	I	R	N	Y	A	O	U
U	R	A	O	K	A	U	T	A	B	Y	M	L	U	S
V	O	S	T	O	K	S	Z	D	R	I	J	Q	R	V
W	I	H	Y	R	Q	P	G	E	M	I	N	I	M	U
S	B	K	T	R	U	I	V	R	E	G	A	Y	O	V
G	A	L	I	L	E	O	S	E	R	E	N	I	T	Y
H	G	L	A	N	C	N	V	K	I	N	T	U	P	S
P	N	N	Y	S	G	E	B	A	L	Y	K	S	N	E
T	R	P	I	U	B	E	X	R	E	N	I	R	A	M
P	A	D	A	W	T	R	L	N	C	D	R	Q	E	E
B	P	O	L	C	X	A	Y	O	J	O	N	P	R	Y
S	O	O	M	O	R	T	S	O	N	T	F	E	A	P
E	L	G	A	E	B	M	L	M	J	L	T	I	V	T
P	L	H	A	D	O	H	E	L	B	B	U	H	L	S
I	O	S	O	S	U	R	A	C	I	S	Q	U	G	I

APOLLO
BEAGLE
COSMOS
DISCOVERY
ENDEAVOUR
GALILEO
GEMINI
HUBBLE
ICARUS
MARINER
MOONRAKER
NOSTROMO
PIONEER
SALYUT
SERENITY
SKYLAB
SPUTNIK
VIKING
VOSTOK
VOYAGER
X-WING

200 Onomatopoeia

H	V	R	A	U	T	F	L	P	L	X	F	I	Z	Z
E	Z	O	E	Q	B	X	K	T	S	G	K	P	U	T
A	E	B	L	F	A	O	M	O	O	B	S	H	L	P
P	O	I	X	S	O	E	U	A	E	L	O	Z	B	N
I	Z	T	R	A	Q	D	K	E	C	O	D	I	N	G
N	K	G	E	B	U	U	P	H	T	U	P	I	N	G
T	I	V	A	J	E	V	E	T	P	C	L	A	N	G
P	T	C	K	T	K	E	E	L	V	R	E	R	U	P
E	E	R	N	U	P	D	R	H	C	E	E	R	C	S
C	F	E	I	Q	A	R	K	H	E	H	G	Z	L	P
N	I	U	L	U	T	O	I	J	W	L	N	S	U	S
Z	T	W	C	B	S	R	P	Z	E	U	O	E	N	S
H	R	X	L	C	R	A	C	K	L	E	D	S	K	D
E	R	W	X	U	S	U	S	L	M	I	Y	C	V	R
E	B	P	P	G	N	A	B	U	Z	Z	J	L	J	X

BANG
BEEP
BLEEP
BOING
BOOM
BURBLE
BUZZ
CHEEP
CHIRRUP
CLANG
CLINK
CLUNK
CRACKLE
DING
DONG
FIZZ
GURGLE
HOOT
PING
SCREECH
SQUELCH

201 Pretty Strong Stuff!

T	J	R	A	K	I	R	S	C	H	N	A	P	P	S
W	Z	T	S	R	E	T	T	I	B	E	O	U	Z	O
X	E	R	T	R	E	A	I	U	R	Q	T	D	X	D
L	J	A	S	Q	C	K	E	S	S	K	F	I	A	A
T	Q	R	U	S	E	D	L	A	H	R	Z	X	P	V
S	E	I	H	D	S	O	U	W	A	T	A	Q	P	L
E	L	H	Y	Z	E	V	M	M	H	T	F	O	A	A
A	R	F	T	G	L	V	B	U	S	I	T	C	R	C
O	A	T	I	N	P	O	I	S	R	E	S	M	G	O
R	P	N	J	B	I	D	J	E	E	E	A	K	N	G
G	J	C	L	S	R	S	W	N	P	G	T	C	Y	N
G	D	I	E	I	T	A	B	E	N	G	S	I	D	A
A	J	P	F	V	T	M	N	A	T	W	A	E	H	C
H	T	X	T	E	W	E	C	D	B	G	F	S	Y	W
P	J	T	R	Z	I	A	K	Z	Y	Z	T	R	I	H

ABSINTHE
ARMAGNAC
BITTERS
BRANDY
CALVADOS
COGNAC
EAU DE VIE
FIREWATER
FRAMBOISE
GRAPPA
KIRSCH
OUZO
POTEEN
RAKI
SCHNAPPS
SLOE GIN
TEQUILA
TRIPLE SEC
VODKA
WHISKY
WHITE RUM

202 Biggest Waterfalls

E	A	E	S	S	Y	T	E	D	T	U	S	E	N	P
L	T	U	C	T	W	L	Z	I	U	J	N	U	N	Q
M	C	C	A	R	A	A	M	Y	G	R	I	F	T	L
M	O	R	A	R	O	S	K	C	E	A	A	S	C	I
I	G	U	A	Z	U	F	R	K	L	A	G	S	U	T
R	A	I	R	R	H	E	H	I	A	R	A	O	Q	A
K	O	Q	J	B	O	W	T	G	A	K	R	F	C	D
X	B	R	I	D	A	L	V	E	I	L	A	I	E	K
F	Q	G	A	U	I	A	R	G	I	H	C	T	U	B
H	I	K	O	N	N	A	H	P	R	A	I	T	S	G
A	S	V	L	R	I	B	B	O	N	A	K	E	S	S
Z	S	I	U	G	G	G	B	F	N	X	N	D	T	K
A	R	G	N	O	R	U	J	S	A	H	O	G	S	G
E	P	F	G	V	I	C	T	O	R	I	A	I	E	C
O	L	E	P	N	V	T	A	T	U	R	H	D	K	L

ANGEL
BRIDALVEIL
DETIAN
DETTIFOSS
GOCTA
HANNOKI
HIGH FORCE
IGUAZU
JIAO LUNG
JURONG
KAIETEUR
KRIMML
LORA
NIAGARA
RIBBON
ST CLAIR'S
TAKAKKAW
TUGELA
TYSSE
VICTORIA
VIRGINIA

203 Keep an Eye On

E	D	M	R	Y	K	C	O	L	C	B	D	T	L	P
T	R	G	A	Z	E	A	T	D	I	U	R	T	A	A
O	A	I	D	L	C	O	D	N	P	T	A	B	Y	A
N	G	K	T	I	N	B	E	I	Y	D	U	I	R	T
T	E	E	O	I	A	S	E	M	T	U	G	L	O	A
O	R	T	K	O	L	E	H	O	G	R	E	O	Z	V
O	A	A	U	U	L	R	Y	N	R	N	F	O	C	Z
K	T	T	C	O	I	V	A	I	M	K	A	K	E	P
B	C	C	R	K	E	E	P	T	A	B	S	O	N	R
A	E	E	K	F	V	K	T	O	R	E	T	U	V	E
S	U	P	H	B	R	C	A	R	K	F	A	T	W	N
R	A	S	Y	C	U	F	R	T	P	R	R	F	M	Y
A	R	L	A	O	S	Y	E	S	S	N	E	O	O	R
A	S	I	K	P	R	E	E	P	L	S	A	R	T	L
I	U	I	P	N	O	Y	P	S	O	P	T	S	R	E

CHECK
CLOCK
GAZE AT
KEEP TABS ON
LOOK AT
LOOK OUT FOR
MARK
MIND
MONITOR
NOTE
OBSERVE
PAY HEED TO
PEER AT
REGARD
SAFEGUARD
SPECTATE
SPY ON
STAKE OUT
STARE AT
SURVEILLANCE
TRACK

204 Whatever the Weather

R	S	P	K	B	S	L	D	E	U	E	U	V	E	N
W	P	E	X	M	M	U	S	Z	J	G	J	Q	P	S
U	T	S	F	S	R	I	L	L	E	V	R	M	U	E
Z	F	O	G	G	Y	M	L	A	B	G	M	H	V	E
Z	R	L	H	T	P	N	D	D	T	R	U	K	E	Z
T	E	C	S	I	P	T	I	R	A	W	L	S	E	G
L	S	R	W	R	I	U	C	A	Y	R	E	I	I	E
A	H	N	S	U	N	N	Y	E	R	S	T	U	C	B
A	U	O	O	T	Y	U	L	L	U	D	U	I	N	E
K	M	B	S	W	S	A	X	C	O	L	D	P	S	E
Y	I	N	V	A	Y	Z	A	H	C	F	H	R	V	A
V	D	M	G	L	D	D	E	Y	J	X	K	P	R	L
K	C	S	R	F	U	Q	N	B	K	Z	T	X	V	C
H	T	N	A	R	N	O	I	I	I	Q	L	L	Z	I
R	O	W	L	E	M	W	F	D	W	Y	C	L	L	R

BALMY
CLEAR
CLOSE
COLD
DRY
DULL
FINE

FOGGY
FOUL
FRESH
HAZY
HOT
HUMID
ICY

MILD
NIPPY
RAINY
RAW
SNOWY
SUNNY
WINDY

205 Weeds

T	M	I	W	C	A	M	U	S	J	F	X	B	A	Y
M	A	D	D	E	E	W	D	N	I	B	R	H	C	A
A	E	E	N	A	L	S	R	U	P	A	S	O	W	S
F	J	E	Y	S	N	Z	P	A	C	H	R	O	O	B
U	D	W	D	V	W	D	M	K	E	N	O	W	L	I
T	E	T	E	R	I	A	E	M	F	D	T	C	L	S
M	E	O	A	U	R	N	P	L	S	H	H	C	A	H
B	W	N	D	A	P	N	O	O	I	Y	L	Z	M	O
R	G	K	N	X	E	W	R	S	A	O	O	I	N	P
E	O	T	E	T	E	R	T	R	I	A	N	E	A	S
H	H	Z	T	R	E	L	R	X	I	O	B	R	I	L
W	B	L	T	L	E	O	P	A	I	A	P	S	D	A
O	E	L	L	E	W	D	E	E	P	S	X	K	N	C
C	R	E	E	P	I	N	G	C	H	A	R	L	I	E
M	G	I	P	S	Y	W	O	R	T	T	A	K	S	P

AMARANTH
BINDWEED
BISHOP'S LACE
BRACKEN
CORNFLOWER
COWHERB
CREEPING CHARLIE
DANDELION
DEAD-NETTLE
GIPSYWORT
HEMP NETTLE
HOGWEED
INDIAN MALLOW
KNOTWEED
POISON IVY
PURSLANE
SOW THISTLE
SPEEDWELL
SUMAC
WOOD SORREL
YARROW

206 In One Piece

D	L	U	T	P	R	R	T	D	D	R	R	P	K	S
U	E	N	D	C	C	E	L	O	H	W	H	R	R	U
S	N	N	E	J	A	N	L	L	A	O	Y	M	T	T
E	E	C	C	K	T	T	O	A	M	O	J	E	A	I
D	T	S	U	O	O	I	N	B	H	L	A	Z	R	O
H	E	D	D	T	T	R	F	I	A	A	L	A	S	K
L	L	M	E	M	A	E	B	I	C	N	C	N	A	T
L	P	N	R	G	L	S	D	N	U	O	S	A	L	A
T	M	O	N	A	D	T	S	W	U	L	L	T	Z	B
B	O	Z	U	K	H	I	P	E	R	F	E	C	T	S
V	C	U	L	W	B	N	R	H	L	K	S	D	I	O
V	S	T	R	U	H	N	U	B	O	W	F	U	L	L
A	E	I	O	H	R	D	E	G	A	M	A	D	N	U
H	T	L	A	E	H	D	O	O	G	N	I	L	U	T
U	M	S	D	E	D	I	V	I	D	N	U	O	F	E

ABSOLUTE
ALL
COMPLETE
ENTIRE
FLAWLESS
FULL
HALE
IN GOOD HEALTH
INTACT
PERFECT
SOUND
TOTAL
UNABRIDGED
UNBROKEN
UNCUT
UNDAMAGED
UNDIVIDED
UNHARMED
UNHURT
UNREDUCED
WHOLE

207 Authors

A	C	R	N	O	E	R	Z	J	A	B	I	C	E	S
E	C	K	N	L	S	O	T	O	T	R	Z	F	X	R
O	O	Z	Y	D	R	A	H	H	A	A	W	A	J	N
Q	Q	A	K	E	T	L	M	G	Q	A	Y	Z	R	T
D	R	S	I	S	E	P	F	U	P	U	I	L	T	E
T	T	R	N	E	T	S	U	A	D	S	R	R	E	F
P	B	O	G	W	K	A	Q	W	U	B	A	B	N	X
T	G	P	I	E	B	P	V	B	R	L	L	B	R	C
R	N	O	I	L	L	D	U	O	S	Y	K	A	P	V
K	I	I	L	L	E	T	N	L	T	E	N	S	S	T
R	V	F	J	D	C	T	T	O	L	S	T	O	Y	U
T	R	E	B	R	E	H	N	T	O	M	L	H	D	W
P	I	X	M	I	L	N	E	M	A	H	A	R	G	E
A	Y	I	B	R	D	C	E	R	L	N	R	N	I	F
I	T	E	T	H	K	E	U	T	T	L	S	G	J	W

AUSTEN
BLYTON
BRONTE
DUMAS
ELIOT
FAULKS
GOLDEN

GRAHAME
HARDY
HERBERT
IRVING
KING
LEE
MILNE

PILCHER
PULLMAN
RANSOME
SETH
SEWELL
TOLSTOY
WAUGH

208 Stationery Shop

R	E	F	O	U	N	T	A	I	N	P	E	N	T	I
O	R	E	T	B	B	P	Y	T	N	E	P	L	E	G
B	S	Z	L	W	A	T	R	E	K	R	A	M	D	C
R	A	I	S	U	L	Y	T	S	B	K	H	G	A	H
U	I	L	N	U	X	P	S	K	I	I	W	B	P	A
K	O	F	L	K	C	E	A	R	G	N	R	S	H	L
V	U	E	B	P	B	W	N	H	I	S	O	O	C	K
R	V	L	V	M	O	R	L	O	V	B	I	R	U	K
L	M	T	V	L	E	I	U	L	Y	R	U	R	O	E
S	A	T	A	E	G	T	N	S	B	A	S	N	T	Y
O	R	I	D	H	S	E	U	T	H	I	R	T	T	B
U	K	P	T	M	T	R	Q	U	I	L	L	C	F	O
O	E	E	T	T	P	E	N	C	I	L	W	A	U	A
N	R	R	S	F	L	L	A	B	R	E	L	L	O	R
R	D	V	T	N	I	A	P	Y	A	R	P	S	K	D

BALLPOINT
BIRO
CD MARKER
CHALK
CRAYON
FELT-TIP
FOUNTAIN PEN
GEL PEN
HIGHLIGHTER
INK BRUSH
KEYBOARD
PENCIL
PERKINS BRAILLER
QUILL
REED PEN
ROLLERBALL
SPRAY PAINT
STYLUS
TOUCHPAD
TYPEWRITER
UV MARKER

209 Fancy a Read?

Z	J	Y	A	V	P	A	A	P	A	R	O	D	Y	S
Y	U	G	X	D	A	Z	S	K	S	W	H	T	R	N
S	A	O	G	R	Z	N	A	A	O	L	D	A	T	S
E	R	L	A	A	C	O	T	O	G	R	M	B	E	K
F	A	U	P	M	Q	I	M	L	A	A	T	R	O	R
Y	D	E	G	A	R	T	V	E	I	T	M	A	P	A
R	U	X	T	E	E	C	N	A	M	O	R	K	R	L
A	V	H	P	A	T	I	P	E	N	O	H	T	O	E
I	Y	K	I	M	I	F	L	R	E	V	I	E	W	X
D	P	I	R	K	R	L	S	R	R	C	T	R	N	X
M	H	T	C	O	M	E	D	Y	L	D	R	P	S	K
A	V	U	S	L	G	C	V	E	A	I	T	A	R	R
S	T	L	B	M	W	L	U	A	C	S	B	N	F	Z
O	H	G	T	I	S	X	M	P	R	O	S	E	U	R
B	K	T	K	P	T	J	U	U	V	B	S	E	P	L

ARTICLE
COMEDY
DIARY
DRAMA
EPITAPH
ESSAY
EULOGY
FARCE
FICTION
MEMOIRS
PARODY
PLAY
POETRY
PROSE
REVIEW
ROMANCE
SAGA
SATIRE
SCRIPT
SERMON
TRAGEDY

210 Career in Writing?

A	Q	R	U	E	N	A	I	R	O	T	S	I	H	T
U	S	P	I	D	L	G	R	F	W	O	T	Q	M	M
K	E	O	T	C	O	L	U	M	N	I	S	T	N	T
M	R	E	T	E	E	W	T	G	S	E	I	L	O	D
R	B	T	B	N	A	S	W	O	S	V	T	J	V	R
Q	E	R	T	T	U	R	C	S	O	W	A	A	E	T
V	P	D	E	S	I	A	A	I	L	W	M	O	L	S
V	E	N	I	T	I	Y	Y	R	M	N	A	L	I	I
S	T	R	E	T	I	R	W	N	E	E	R	C	S	R
T	S	R	N	S	O	R	I	S	O	G	D	H	T	O
A	I	T	T	U	R	R	W	T	C	G	G	A	H	H
H	R	L	S	T	S	K	K	Y	A	R	A	O	C	P
U	A	R	T	O	I	W	T	P	P	S	I	T	L	A
A	I	C	R	E	H	P	A	R	G	O	I	B	T	B
O	D	O	K	N	A	I	D	E	M	O	C	B	E	W

ACADEMIC
AGONY AUNT
APHORIST
BIOGRAPHER
BLOGGER
COLUMNIST
COMEDIAN
COPYWRITER
DIARIST
DRAMATIST
EDITOR
ESSAYIST
HACK
HISTORIAN
NOVELIST
POET
SATIRIST
SCREENWRITER
SCRIBE
SONGWRITER
TWEETER

211 At the Zoo

L	S	T	L	T	Q	W	E	L	K	T	S	K	T	L
H	G	S	S	O	R	C	Y	W	T	N	R	T	H	L
B	L	A	C	K	P	O	O	L	R	A	K	B	A	E
J	N	L	R	R	E	R	U	W	P	A	P	N	M	X
C	O	L	C	H	E	S	T	E	R	O	S	E	E	M
O	T	I	X	R	E	F	S	S	R	Y	W	W	R	O
T	N	S	Q	L	R	I	T	T	J	W	S	Q	T	O
S	G	U	Y	M	D	A	L	M	H	Z	C	U	O	R
W	I	R	X	A	A	Y	H	I	G	H	L	A	N	D
O	A	D	R	S	M	H	P	D	R	L	J	Y	W	L
L	P	A	X	P	V	S	N	L	O	T	S	I	R	B
D	P	U	N	N	N	G	T	A	E	L	G	N	O	L
C	T	E	W	A	E	D	I	N	B	U	R	G	H	O
Y	E	L	D	U	D	N	O	D	N	O	L	N	Z	U
C	Y	E	L	S	W	O	N	K	Q	V	Q	I	A	B

BANHAM
BLACKPOOL
BRISTOL
COLCHESTER
COTSWOLD
DRUSILLAS
DUDLEY
EDINBURGH
EXMOOR
HAMERTON
HIGHLAND
KNOWSLEY
LONDON
LONGLEAT
NEWQUAY
PAIGNTON
PARADISE PARK
PORT LYMPNE
TWYCROSS
WEST MIDLAND
WHIPSNADE

212 Wanderer

C	R	E	T	F	I	R	D	T	M	L	V	R	S	V
B	R	D	E	N	Z	V	D	I	D	H	L	H	T	A
E	E	K	A	N	A	N	G	E	O	K	K	F	M	G
G	R	I	A	G	O	R	S	M	T	Z	E	L	T	P
G	E	S	R	B	A	T	E	L	H	A	G	T	U	G
A	D	A	A	N	I	L	S	N	G	U	P	R	O	W
R	N	G	T	T	E	N	O	G	I	U	A	A	D	A
T	A	A	U	S	T	U	O	U	N	T	A	V	N	Y
V	W	T	S	A	T	R	L	P	Y	I	I	E	A	F
S	E	U	I	C	R	E	T	M	B	C	L	L	N	A
N	O	M	A	D	T	V	O	A	Y	V	L	L	W	R
L	S	S	E	L	T	O	O	R	L	S	T	E	O	E
U	T	S	I	Q	K	R	F	T	F	R	S	R	D	R
T	W	R	L	P	D	R	O	A	O	O	S	T	X	U
O	U	J	Y	H	U	G	N	I	M	A	O	R	T	S

BEGGAR
DESTITUTE
DOWN AND OUT
DRIFTER
FLY-BY-NIGHT
FOOTLOOSE
HOMELESS
ITINERANT
MIGRANT
NOMAD
OUTCAST
ROAMING
ROLLING STONE
ROOTLESS
ROVER
TRAMP
TRAVELLER
VAGABOND
VAGRANT
WANDERER
WAYFARER

213 That Would be Acceptable

C	L	A	G	E	L	P	R	A	M	U	I	R	D	A
D	A	C	M	A	R	D	E	M	U	K	I	C	X	A
R	A	P	W	O	U	E	T	D	N	U	O	S	Q	P
Z	X	F	P	T	E	D	A	Z	I	G	X	I	O	L
E	U	E	U	F	L	N	M	S	E	F	A	U	S	A
L	R	J	M	G	B	U	I	N	O	T	A	E	A	U
A	S	R	R	L	A	O	T	U	T	N	N	N	Y	S
P	R	O	D	A	I	R	I	G	N	S	A	A	O	I
E	S	F	V	N	V	G	G	X	I	E	U	B	A	B
Z	R	F	A	O	W	L	E	B	U	R	G	J	L	L
N	B	I	L	I	I	L	L	A	C	I	G	O	L	E
Y	Q	C	I	T	N	E	H	T	U	A	R	R	V	O
T	S	I	D	A	E	W	P	R	H	E	I	U	N	S
L	I	A	A	R	I	S	S	I	M	O	D	W	S	U
I	E	L	B	I	D	E	R	C	O	R	R	E	C	T

AUTHENTIC
BONA FIDE
COGENT
CORRECT
CREDIBLE
GENUINE
JUST
LAWFUL
LEGAL
LEGITIMATE
LOGICAL
OFFICIAL
PLAUSIBLE
PROPER
RATIONAL
REASONABLE
SENSIBLE
SOUND
VALID
VIABLE
WELL-GROUNDED

214 You're so Vicious

B	D	D	T	O	P	M	I	D	C	B	S	I	P	E
W	A	R	T	C	R	U	E	L	I	O	S	M	M	S
H	L	R	S	W	C	P	Q	T	D	R	G	H	A	U
N	M	F	B	B	R	U	T	H	L	E	S	S	L	O
T	S	A	V	A	G	E	S	F	A	R	C	A	I	I
N	V	G	V	D	R	P	C	S	T	F	O	K	G	C
E	U	E	R	X	I	O	I	I	U	E	T	O	N	O
L	D	U	L	T	R	S	U	O	R	O	C	N	A	R
O	E	A	E	R	M	U	D	S	B	I	I	J	N	E
V	U	F	U	X	P	O	E	I	P	Q	M	C	T	F
E	U	P	B	S	U	M	K	N	G	G	M	V	I	S
L	T	L	S	C	B	O	C	F	O	E	O	E	O	V
A	N	A	M	U	H	N	I	U	S	A	R	X	S	I
M	F	I	E	R	C	E	W	L	D	G	A	S	O	M
K	S	Y	L	S	P	V	S	J	X	U	L	E	Y	U

BAD
BARBAROUS
BITTER
BRUTAL
CORRUPT
CRUEL
DEPRAVED
FEROCIOUS
FIERCE
IMMORAL
INHUMAN
MALEVOLENT
MALIGNANT
RANCOROUS
RUTHLESS
SAVAGE
SINFUL
SPITEFUL
VENOMOUS
VICIOUS
WICKED

215 Put on Ice

S	G	O	F	J	E	T	P	K	G	X	V	O	J	M
R	Z	Y	P	R	F	N	X	Y	A	S	I	M	Y	Z
E	U	G	P	S	K	R	E	T	K	S	V	N	D	S
S	H	M	S	P	C	N	P	D	G	S	T	K	X	K
T	A	R	R	Y	A	H	W	A	I	T	A	G	A	T
A	W	T	D	S	B	I	H	P	U	T	O	F	F	R
N	O	R	E	T	D	A	U	D	E	S	T	O	P	E
D	U	P	F	A	L	T	L	A	H	Z	E	R	I	T
B	I	D	E	Y	O	U	R	T	I	M	E	N	M	I
Y	T	S	R	N	H	S	S	T	P	T	T	A	Y	O
N	H	T	H	A	N	G	F	I	R	E	G	N	I	L
P	A	O	O	O	U	R	U	L	R	S	R	E	U	A
R	L	I	V	J	V	K	L	V	O	U	M	L	P	F
D	M	T	L	E	P	Y	A	L	E	D	L	S	S	R
I	F	I	P	L	R	L	W	A	T	S	A	S	U	B

BIDE YOUR TIME
DEFER
DELAY
HALT
HANG FIRE
HIATUS
HOLD BACK
HOVER
INTERVAL
LINGER
LOITER
LULL
PAUSE
PUT OFF
PUT ON HOLD
REST
STAND BY
STAY
STOP
TARRY
WAIT

216 Words Beginning With A

R	U	R	E	O	W	A	N	H	I	Y	H	R	H	P
N	S	I	O	A	U	B	H	Q	R	S	E	H	R	A
Y	R	F	D	A	P	B	B	R	E	G	N	A	L	W
L	M	O	A	D	V	E	R	T	O	T	V	G	C	E
R	T	R	C	S	N	Y	R	S	E	B	E	A	C	L
S	V	A	O	A	O	D	O	F	E	B	E	I	V	P
T	U	P	V	L	I	V	N	Y	R	R	V	N	A	P
K	E	P	A	A	T	B	J	A	B	A	I	S	J	A
R	I	E	V	S	C	E	W	P	S	J	T	T	R	L
A	F	T	E	R	I	D	P	P	P	R	C	T	G	A
V	U	I	R	P	L	A	O	E	O	S	E	T	D	M
D	Y	S	S	P	F	R	A	N	A	R	J	P	U	I
R	Z	E	I	C	F	C	A	D	Y	S	D	H	M	N
A	E	R	O	N	A	U	T	I	C	S	A	R	R	A
A	T	O	N	Z	T	R	T	X	T	N	L	F	A	S

AARDVARK
ABBEY
ACORN
ADJECTIVE
ADVERT
AERONAUTICS
AFFLICTION
AFTER
AGAINST
ALGEBRA
AMPERSAND
ANGER
ANIMAL
APPENDIX
APPETISER
APPLE
ARM
ARTERY
ASTRONAUT
AVERSION
AVOCADO

217 Who Played That?

B	A	U	T	O	U	A	O	T	E	J	A	O	I	T
R	Q	N	P	P	N	D	W	W	B	D	X	K	I	U
U	D	V	N	I	J	O	R	M	E	N	I	M	E	L
J	E	S	S	O	N	L	S	C	U	T	P	O	P	I
A	Z	R	T	D	D	S	I	C	T	Q	I	A	N	P
N	W	M	E	D	I	A	A	A	D	S	R	H	M	R
O	A	R	W	N	D	A	M	R	N	T	B	I	W	H
S	T	J	A	R	R	I	T	T	O	R	A	V	A	P
K	P	T	R	X	C	U	S	N	M	I	T	K	F	G
C	R	E	T	H	U	O	T	E	A	C	R	U	S	S
A	E	E	A	S	T	A	L	Y	I	H	O	T	M	T
J	S	E	H	R	T	I	F	L	D	I	G	A	E	U
Y	L	R	Z	C	S	L	F	H	I	E	E	T	V	T
P	E	Z	F	R	H	A	M	D	E	N	R	E	A	T
A	Y	U	J	L	R	B	R	O	O	K	S	K	Z	R

BROOKS
CHER
COLLINS
DIAMOND
DION
EMINEM
JACKSON
MADONNA
MCCARTNEY
MICHAEL
PARTON
PAVAROTTI
PRESLEY
RICHIE
ROGERS
SINATRA
SPEARS
STEWART
TURNER
WHITE
WONDER

218 Playing in a Band

S	A	S	M	G	U	N	S	N	R	O	S	E	S	A
I	S	E	T	E	L	A	C	I	L	L	A	T	E	M
S	R	E	A	G	L	E	S	A	Z	A	U	W	N	O
E	F	G	N	E	P	Y	B	Y	L	L	L	Q	O	P
N	D	E	T	D	L	E	T	F	F	C	L	R	T	K
E	O	E	L	S	A	A	B	A	N	G	L	E	S	T
G	O	B	P	T	K	M	L	C	H	I	C	A	G	O
K	R	P	L	E	D	Z	E	P	P	E	L	I	N	A
G	S	E	T	P	C	D	Y	O	L	F	K	N	I	P
O	S	H	W	S	O	H	R	A	U	P	T	E	L	R
G	A	S	L	R	I	G	E	C	I	P	S	E	L	C
T	P	R	A	E	R	O	S	M	I	T	H	U	O	R
X	A	I	B	V	D	S	R	R	O	C	R	Q	R	V
P	E	F	B	E	H	S	F	A	Z	D	Y	F	C	T
A	E	V	A	N	E	S	C	E	N	C	E	S	M	G

ABBA
AEROSMITH
BANGLES
BEATLES
BEE GEES
CHICAGO
CORRS
DEPECHE MODE
DOORS
EAGLES
EVANESCENCE
GENESIS
GUNS N' ROSES
LED ZEPPELIN
MADNESS
METALLICA
PINK FLOYD
QUEEN
ROLLING STONES
SPICE GIRLS
TAKE THAT

219 In the Park

W	E	D	A	N	S	L	A	V	I	T	S	E	F	L
Y	R	U	S	E	S	E	E	R	T	K	N	I	U	A
G	R	C	I	D	W	Q	L	L	A	B	T	O	O	F
I	W	K	N	R	T	A	U	T	L	J	U	K	B	B
Q	F	S	T	A	T	U	E	I	V	O	G	E	E	E
P	O	N	D	W	V	P	T	U	R	T	A	F	N	X
S	U	R	U	R	A	M	L	D	C	R	M	R	C	U
D	N	U	O	R	G	Y	A	L	P	N	E	R	H	D
O	T	P	K	G	P	I	G	E	O	N	S	L	E	T
G	A	D	Z	F	L	O	W	E	R	B	E	D	S	H
S	I	D	Y	M	S	B	S	G	B	C	R	A	K	G
I	N	L	O	O	Z	G	N	I	T	T	E	P	D	S
I	P	E	Y	U	T	W	N	W	C	I	N	C	I	P
T	S	R	Y	R	N	S	T	L	A	U	W	Q	I	J
N	A	C	K	X	S	S	R	B	L	L	L	U	T	A

BENCHES
BINS
DOGS
DUCKS
FESTIVALS
FLOWER BEDS
FOOTBALL
FOUNTAIN
GAMES
ICE CREAM VAN
LAWN
PETTING ZOO
PICNIC
PIGEONS
PLAYGROUND
POND
SKATE PARK
SQUIRRELS
STATUE
TREES
WARDEN

220 Time for Tea

R	E	I	W	O	S	T	G	O	R	S	T	R	S	T
M	I	N	T	L	H	O	N	E	Y	B	U	S	H	A
C	T	D	P	C	J	A	I	O	T	B	E	M	H	D
O	I	I	A	A	T	R	L	H	M	R	Z	A	C	T
N	U	A	C	M	O	A	E	H	O	B	X	S	I	H
G	U	N	P	O	W	D	E	R	I	D	L	S	R	X
O	S	A	I	M	G	O	J	A	R	I	C	A	I	K
U	X	B	S	I	P	N	R	R	R	O	K	N	C	C
O	O	T	O	L	Y	S	A	U	O	L	L	E	S	K
S	L	U	O	E	L	I	D	S	K	U	G	E	R	I
J	E	U	L	M	A	Q	J	S	P	G	Z	R	Z	A
Y	M	L	O	B	B	F	K	I	T	A	H	G	E	T
I	O	T	N	R	R	S	Z	A	T	J	L	C	I	Y
W	N	R	G	O	E	S	E	N	I	H	C	X	X	G
O	D	E	T	I	H	W	R	L	S	L	A	I	C	L

ASSAM
BLACK
BOHEA
CAMOMILE
CHINESE
CONGOU
DARJEELING

EARL GREY
GREEN
GUNPOWDER
HERBAL
HONEYBUSH
INDIAN
LAPSANG

LEMON
MINT
OOLONG
ROOIBOS
RUSSIAN
WHITE
YELLOW

221 Simply Marvellous

T	N	X	T	B	F	T	W	L	E	M	X	H	Z	Z
R	O	R	S	O	Y	Y	P	E	A	R	L	E	R	J
E	S	U	O	E	G	R	O	G	T	I	S	T	A	A
F	N	A	M	A	Z	I	N	G	T	X	U	A	G	X
I	V	I	S	I	R	I	A	W	E	S	O	M	E	P
R	M	L	V	Y	F	R	S	U	P	E	R	B	M	T
S	A	G	N	I	K	A	T	H	T	A	E	R	B	R
T	Y	D	C	F	D	O	Y	O	T	N	F	E	I	P
R	D	E	G	W	P	H	A	T	C	V	I	Z	U	L
A	N	Q	N	P	P	G	A	I	K	I	D	T	I	K
T	A	Z	I	E	X	C	E	L	L	E	N	T	C	T
E	R	N	T	S	U	O	D	N	E	M	E	R	T	S
P	G	L	L	I	R	B	G	O	I	J	L	S	P	Q
T	U	Y	E	V	E	S	N	S	A	F	P	M	R	D
F	U	A	B	O	D	A	C	I	O	U	S	C	S	O

AMAZING
AWESOME
BELTING
BODACIOUS
BREATHTAKING
BRILL
DIVINE
EXCELLENT
FINE
FIRST-RATE
GORGEOUS
GRAND
MAGNIFICENT
MEGA
PEARLER
PHAT
RAD
SPLENDIFEROUS
SUPERB
TOPPING
TREMENDOUS

222 Cotton On

N	Z	G	K	N	O	W	E	U	R	Z	P	E	S	Y
R	Z	Q	N	P	T	U	D	P	Q	C	R	I	A	R
A	E	U	I	R	U	B	E	L	I	E	V	E	A	B
E	T	H	H	D	P	R	T	E	G	S	M	C	B	U
L	P	A	T	N	E	X	R	I	A	I	O	T	F	P
M	Q	W	X	A	U	S	S	P	M	M	H	X	T	L
F	I	X	L	T	G	T	E	C	P	R	T	Y	O	R
G	V	I	B	S	E	R	U	R	H	U	A	C	I	F
H	S	A	L	R	C	I	E	K	D	S	F	A	I	D
E	U	S	E	E	T	H	E	L	I	G	H	T	S	R
A	S	U	I	D	E	O	X	N	S	R	E	C	T	J
R	S	V	E	N	W	E	F	N	C	A	K	H	L	P
Q	E	X	D	U	T	E	I	A	E	S	X	O	A	L
P	I	L	B	R	R	T	S	A	R	P	T	N	Z	E
U	I	S	Q	N	S	R	S	G	N	L	G	L	L	N

BELIEVE
CATCH ON
COMPREHEND
DISCERN
FATHOM
GATHER
GET
GRASP
HEAR
INFER
KNOW
LEARN
PERCEIVE
REALISE
REGISTER
SEE THE LIGHT
SURMISE
SUSS
THINK
TWIG
UNDERSTAND

223 A Suit for Every Occasion

W	T	U	X	E	D	O	R	S	W	A	M	Z	A	M
D	R	T	O	A	T	D	K	J	U	D	O	L	O	K
X	O	I	C	A	T	S	U	I	T	O	A	R	D	S
O	U	U	W	B	H	I	A	L	T	Q	N	K	T	S
Y	S	S	B	W	R	N	E	T	R	I	M	D	K	K
T	E	M	F	L	E	O	P	E	N	G	U	I	N	T
W	R	I	S	H	E	L	L	G	V	P	J	S	X	T
E	P	W	A	A	P	B	D	I	I	E	A	K	G	E
T	U	S	Y	V	I	R	R	S	A	F	E	R	T	E
S	I	N	G	L	E	B	R	E	A	S	T	E	D	K
U	K	S	A	S	C	Y	F	R	A	M	J	A	N	N
I	I	C	S	B	E	P	I	P	A	S	A	U	P	L
T	C	M	A	H	L	M	O	O	O	Z	T	J	T	Y
R	J	T	Y	L	O	U	N	G	E	S	E	E	Y	Z
I	H	Y	R	W	S	J	J	R	A	S	A	R	D	P

CATSUIT
DOUBLE-BREASTED
G-SUIT
JUMP
LOUNGE
MAO
MORNING DRESS
PENGUIN
PYJAMAS
SAFARI
SAILOR
SHELL
SINGLE-BREASTED
SKI
SLACKS
SWIMSUIT
THREE-PIECE
TROUSER
TUXEDO
WETSUIT
ZOOT

224 Words Beginning With B

Y	F	R	Q	B	X	B	P	K	P	U	C	G	L	D
G	E	V	A	R	B	E	A	I	A	X	A	N	I	A
N	Y	C	B	B	A	L	A	N	C	E	F	I	X	G
I	K	P	E	E	R	G	E	V	O	E	R	R	F	R
N	K	Q	L	E	R	I	T	C	P	K	L	B	J	U
N	C	T	U	L	A	A	L	I	E	G	T	R	W	R
I	O	C	G	T	C	N	O	X	V	S	O	O	C	L
G	L	L	A	T	U	R	B	R	A	S	H	P	P	O
E	B	H	S	I	D	N	A	R	B	J	L	O	X	O
B	I	O	G	R	A	P	H	Y	P	G	A	T	C	O
S	N	A	T	B	A	G	W	R	P	U	A	D	V	G
R	R	R	B	T	J	K	X	E	I	O	G	P	I	E
R	E	P	U	I	L	J	B	C	S	J	R	S	C	W
J	K	L	A	B	R	E	A	M	U	U	C	S	A	Y
B	H	G	F	I	E	O	I	C	E	I	U	R	T	T

BACK
BALANCE
BALK
BARRACUDA
BEGINNING
BELGIAN
BELUGA

BIOGRAPHY
BIRO
BLOCK
BOLT
BOTTLE
BRANDISH
BRASH

BRAVE
BREAK
BREAM
BRING
BRITTLE
BRUTAL
BURN

225 Splashing About

S	D	R	P	C	L	I	Z	S	R	E	B	H	R	T
B	L	I	S	T	F	O	Y	S	U	D	A	T	T	W
O	K	A	G	Y	L	F	R	E	T	T	U	B	H	X
E	U	N	D	E	R	W	A	T	E	R	R	R	X	Y
P	K	I	H	K	L	T	F	N	F	R	P	I	V	E
F	V	O	N	O	C	T	N	R	V	M	H	T	U	A
E	R	N	R	R	Y	I	E	E	K	Q	E	N	A	L
A	Y	O	T	T	U	E	K	L	P	C	S	R	V	I
H	R	A	N	S	S	T	L	N	L	I	U	U	L	G
A	T	F	R	T	O	K	E	D	I	A	R	T	L	T
K	S	G	Y	S	C	O	C	L	E	H	B	P	W	I
W	C	L	N	A	A	R	B	A	B	M	P	I	I	A
J	E	O	P	E	J	B	A	Q	B	M	S	L	F	A
S	E	S	L	R	L	U	O	W	W	T	U	F	O	K
J	A	R	M	B	A	N	D	S	L	E	B	T	T	D

ARMBANDS
BACKSTROKE
BALLET LEG
BLOCK
BOOST
BREASTSTROKE
BUTTERFLY
DIVE
DOLPHIN KICK
FLIP TURN
FREESTYLE
FRONT CRAWL
LANE
LENGTH
MEDLEY
PIKE
RIP ENTRY
TUCK
TUMBLE TURN
TWIST
UNDERWATER

226 Supernatural Beasts

R	R	C	C	E	S	X	R	K	X	D	P	M	N	G
E	F	T	N	A	T	T	L	T	S	E	Z	S	H	O
K	S	Q	L	M	J	S	I	N	M	E	L	O	G	A
B	R	O	W	N	I	E	I	N	E	G	S	F	Z	F
S	S	A	W	U	T	G	I	A	N	T	W	U	K	J
T	G	M	U	A	B	P	O	S	P	A	C	Q	U	Q
E	R	P	Q	H	R	T	U	D	Q	L	T	P	F	U
I	T	T	V	C	G	L	A	R	D	A	L	E	H	R
P	L	I	V	E	D	R	O	P	D	E	M	O	N	G
L	E	I	R	R	E	R	E	C	R	O	S	I	R	A
E	G	A	M	P	D	R	W	M	K	S	V	S	O	T
K	R	E	U	E	S	A	I	I	L	A	I	V	J	P
X	N	O	M	L	O	A	E	H	T	I	A	R	W	L
G	L	S	P	U	N	W	G	C	D	C	N	I	E	U
S	P	H	H	J	O	A	R	T	L	I	H	I	R	N

BROWNIE
DEMON
DEVIL
ELF
GENIE
GHOST
GIANT

GNOME
GODDESS
GOLEM
GREMLIN
KELPIE
LEPRECHAUN
MAGE

SIREN
SORCERER
SPRITE
TROLL
WARLOCK
WITCH
WRAITH

227 Sugar

P	A	D	C	E	V	D	I	R	I	L	H	K	O	C
H	U	O	S	O	S	U	E	C	A	J	W	R	R	A
T	Y	R	O	C	K	O	Q	N	I	A	J	S	L	S
Q	R	S	Y	E	N	A	C	O	I	N	V	E	R	T
B	S	S	E	S	O	T	C	U	R	F	G	N	D	E
O	T	T	I	S	N	S	R	R	L	G	E	D	O	R
Q	R	N	M	Y	S	E	K	S	E	G	W	R	S	R
X	W	O	I	W	R	A	D	L	I	O	U	D	E	S
O	E	B	R	D	H	E	L	L	A	C	T	O	S	E
O	T	N	R	E	M	I	G	O	O	N	Y	E	T	E
Z	H	A	L	E	N	U	T	G	M	G	S	R	K	M
O	M	S	R	G	W	L	L	E	A	L	B	N	W	S
V	V	A	H	C	O	N	A	P	P	J	A	Y	I	C
E	R	W	M	G	R	A	P	E	L	T	R	P	P	G
A	C	H	S	B	B	L	R	E	E	Y	P	R	E	A

BROWN
CANE
CASTER
DEMERARA
FRUCTOSE
GELLING
GLUCOSE
GOLDEN SYRUP
GRAPE
ICING
INVERT
JAGGERY
LACTOSE
MAPLE
MOLASSES
PALM
PANOCHA
REFINED
ROCK
WASANBON
WHITE

228 Survey the Situation

E T E B L F T V K I C U R T Z
Y N X E R T I O N N O C E R R
E D A S S E S S Q S N R V A P
T O U C W Y A U O P T P O A T
N O I T S E U Q G E E L K H C
R B I T S U T Q S C M T O C B
E S I A R P P A U T P A O R A
X E U B S Y S R M O L H L A R
A R O R A S P U L I A Y R E T
M V Y L E V A L U A T E L S C
I E A D L L M V R Q E S Z E N
N T R K R M C O N S I D E R C
E C C E R O V Y U A I Q O F N
Z M N O X S U S N E C E H J A
L N C S A R V K T H K Z S U T

APPRAISE
ASSESS
CANVASS
CENSUS
CONSIDER
CONTEMPLATE
ESTIMATE
EVALUATE
EXAMINE
EYE UP
INSPECT
LOOK OVER
OBSERVE
POLL
QUESTION
RECCE
RECONNOITRE
RESEARCH
SCAN
STUDY
VIEW

229 Prop Up

A	R	T	O	R	F	G	Z	E	R	R	A	I	S	A
A	E	U	S	D	Y	I	S	I	B	E	V	R	E	S
W	T	N	H	I	V	V	S	X	E	R	T	G	P	G
A	S	E	C	S	S	E	R	T	T	U	B	S	M	Y
K	L	T	A	O	C	S	E	I	C	S	S	J	O	S
P	O	R	J	O	U	T	A	H	Q	S	T	E	A	F
U	B	D	N	U	O	R	Y	L	L	A	R	C	O	A
A	J	D	S	D	E	E	A	E	T	E	E	R	R	V
S	B	C	U	I	J	N	B	G	Z	R	N	O	Z	B
U	Z	E	S	X	Y	G	L	L	E	L	G	F	S	R
P	R	O	T	E	C	T	K	A	P	A	T	N	G	P
P	O	L	A	D	S	H	B	E	B	E	H	I	N	D
O	N	N	I	N	X	A	X	P	B	A	E	E	R	S
R	O	A	N	C	H	A	M	P	I	O	N	R	V	B
T	R	O	F	M	O	C	B	S	J	T	Q	J	E	K

ABET
AID
ASSIST
BE BEHIND
BOLSTER
BUTTRESS
CHAMPION
COMFORT
ENCOURAGE
FOSTER
GIVE STRENGTH
HELP
PROTECT
RALLY ROUND
REASSURE
REINFORCE
SECOND
SERVE
STRENGTHEN
SUPPORT
SUSTAIN

230 Words Beginning With C

N	P	O	A	I	T	A	S	W	S	A	C	E	W	B
L	Y	P	C	A	T	A	S	T	R	O	P	H	I	C
Z	F	G	H	H	O	S	S	A	L	C	J	S	Q	O
O	P	O	A	A	R	C	G	U	O	A	O	I	W	L
P	Z	E	R	E	E	I	M	R	R	C	R	F	T	L
I	C	R	I	N	K	N	S	X	A	L	E	E	S	E
B	O	K	T	S	C	C	P	T	C	I	M	L	U	G
T	M	R	Y	R	A	A	O	C	M	M	O	T	A	E
R	E	O	E	S	R	M	E	N	S	A	T	T	S	B
I	E	A	E	R	C	E	T	A	N	T	S	U	C	T
O	M	B	E	Q	T	L	S	Q	T	E	U	C	T	S
I	A	A	M	N	G	I	A	P	M	A	C	U	Z	U
X	E	G	N	A	H	C	O	R	R	U	P	T	J	S
S	K	X	S	I	C	L	R	U	L	D	T	R	R	P
G	P	Q	M	O	E	T	T	L	T	Z	Y	J	V	U

CAMBER
CAMEL
CAMPAIGN
CAROL
CASE
CATASTROPHIC
CENTRE
CHANGE
CHARITY
CHRISTMAS
CLASS
CLIMATE
COLLEGE
COLUMN
COME
CONNECT
CORRUPT
CRACKER
CREAM
CUSTOMER
CUTTLEFISH

231 Let's Twist Again

L	I	I	W	T	P	L	J	L	A	Q	O	P	A	T
T	R	N	J	T	O	K	E	D	O	D	C	I	S	P
Q	B	L	W	Z	O	N	R	P	H	Q	E	A	I	S
R	R	I	E	A	L	I	K	I	L	T	Q	D	K	P
B	A	O	N	V	R	K	D	D	P	A	N	V	F	I
U	I	C	T	T	I	P	C	N	J	X	T	B	R	W
P	D	U	W	A	W	W	R	I	T	H	E	O	T	S
A	S	R	I	N	T	M	S	W	R	N	K	D	I	H
O	Q	L	N	G	P	E	V	T	D	X	A	Z	E	O
W	V	K	E	L	A	G	M	S	O	A	N	R	A	E
T	P	K	A	E	R	S	S	A	T	O	S	Q	C	V
V	M	I	T	P	W	E	S	E	V	S	N	R	A	A
E	T	A	T	S	N	P	C	S	P	S	E	P	P	E
T	F	B	P	B	L	A	A	E	A	E	L	K	U	S
F	T	O	P	K	L	S	H	L	T	A	M	R	I	V

ARC
BEND
BRAID
COIL
CURL
ENTWINE
JERK
KINK
KNOT
LOOP
PLAIT
RICK
ROTATE
SNAKE
SWIVEL
TANGLE
TWIRL
WARP
WIND
WRAP
WRITHE

232 Desks and Tables

L	U	N	O	P	O	T	E	C	T	Q	G	I	W	W
H	G	R	I	X	F	C	P	P	O	T	L	L	O	R
U	Y	B	R	E	A	K	F	A	S	T	B	A	R	I
U	S	E	C	R	E	T	A	I	R	E	B	A	K	T
Y	W	D	L	R	E	P	G	L	A	L	U	N	B	I
T	J	S	A	L	E	T	T	N	O	O	E	R	E	N
S	E	I	M	V	O	D	N	R	I	S	M	E	N	G
A	O	D	U	H	E	R	E	U	T	N	U	P	C	O
R	G	E	A	C	A	N	T	N	O	O	I	S	H	S
E	H	T	C	F	O	C	P	A	Z	C	S	D	T	G
I	O	A	M	A	A	F	C	O	E	A	S	R	F	O
T	P	B	N	R	F	E	F	J	R	T	U	X	D	D
T	W	L	R	W	W	R	L	E	L	T	S	E	R	T
O	Q	E	J	R	R	B	U	R	E	A	U	U	A	A
P	L	I	U	W	V	P	T	S	Z	R	M	Q	C	D

BEDSIDE TABLE
BREAKFAST BAR
BUREAU
CARD
CARREL
COFFEE
CONSOLE
COUNTER
CREDENZA
DAVENPORT
DINING
DRUM
LEAF
NEST
ROLL-TOP
SECRETAIRE
SURFACE
TEA TROLLEY
TRESTLE
WORKBENCH
WRITING

233 Words Beginning With D

R	E	M	M	I	D	T	M	C	U	O	A	D	S	R
S	U	C	S	I	D	L	L	D	A	T	I	N	G	A
W	N	D	N	A	T	R	A	U	I	S	A	S	O	P
A	A	H	A	E	J	L	A	C	C	G	U	B	D	I
R	Y	I	C	N	F	O	I	O	D	I	I	G	S	A
E	Y	R	O	T	C	E	R	I	D	A	F	T	I	X
P	T	L	A	K	U	E	D	B	T	W	G	F	A	Y
E	Y	A	A	T	N	D	R	J	H	F	U	G	I	L
I	A	W	B	T	N	E	M	P	O	L	E	V	E	D
D	I	F	F	E	R	E	N	C	E	X	S	N	V	R
H	M	T	P	N	D	A	M	R	E	G	N	A	D	A
A	W	E	P	I	O	R	P	U	A	F	A	A	V	T
S	C	A	I	F	T	R	P	V	C	R	E	M	T	S
Z	L	H	K	E	L	D	I	S	P	O	S	E	A	A
E	P	O	I	D	K	E	L	I	Z	P	D	U	I	D

DAGGER
DAMAGE
DANCE
DANGER
DASTARDLY
DATING
DEBATE
DEFENCE
DEFINE
DEVELOPMENT
DIFFERENCE
DIFFICULT
DIGITAL
DIMMER
DIRECTORY
DISCO
DISCUS
DISPOSE
DOCUMENTARY
DOG
DUTCH

234 Treading the Boards

M	I	F	U	C	T	N	E	R	A	R	B	I	Q	N
O	P	M	T	I	H	T	X	R	S	U	L	S	V	R
A	R	S	B	R	G	O	I	E	F	I	P	X	C	F
G	R	C	E	C	I	F	T	P	M	O	R	P	L	T
H	U	L	H	L	N	R	H	M	F	U	L	I	O	A
E	N	L	R	E	T	O	E	L	C	P	E	L	F	A
B	D	A	E	W	S	N	A	Y	K	S	A	E	P	K
A	E	C	M	R	R	T	T	T	E	T	E	U	U	R
C	R	N	U	E	I	O	R	E	X	A	S	G	S	H
K	S	I	L	N	F	F	E	A	U	G	E	O	S	B
S	T	A	G	E	W	H	I	S	P	E	R	L	N	S
T	U	T	M	C	E	O	S	E	N	I	L	O	O	F
A	D	R	L	S	P	U	E	K	A	M	T	N	L	R
G	Y	U	B	Y	T	S	R	S	S	U	R	O	H	C
E	R	C	L	W	L	E	A	D	I	N	G	M	A	N

BACKSTAGE
CHORUS
CIRCLE
CURTAIN CALL
EXIT
FIRST NIGHT
FLAT
FLIES
FRONT OF HOUSE
LEADING MAN
LINES
MAKE-UP
MONOLOGUE
ORCHESTRA PIT
PROMPT
ROLE
SCENE
STAGE WHISPER
THEATRE
UNDERSTUDY
UPSTAGE

235 Flying Machines

L	E	K	N	I	E	H	M	N	T	N	P	O	R	L
G	O	V	A	T	M	T	A	U	W	W	C	S	B	U
T	X	E	J	U	N	K	E	R	S	E	T	O	K	V
G	O	R	Y	G	O	T	U	A	R	T	E	E	E	E
G	R	U	B	N	E	D	N	I	H	I	A	A	L	S
B	L	A	C	K	B	I	R	D	N	D	E	N	I	O
E	R	I	F	T	I	P	S	G	N	O	T	R	G	O
D	S	I	E	Z	E	N	A	C	I	R	R	U	H	G
R	M	E	S	S	E	R	S	C	H	M	I	T	T	E
O	S	U	U	P	Y	P	T	G	U	I	V	R	N	C
C	H	I	N	O	O	K	P	Q	E	N	U	W	I	U
N	V	O	J	F	O	C	K	E	W	U	L	F	N	R
O	D	A	N	R	O	T	U	N	L	T	V	M	G	P
C	A	V	L	E	M	A	C	H	T	I	W	P	O	S
K	W	C	S	P	R	E	T	S	A	C	N	A	L	I

AUTOGYRO	HARRIER	MESSERSCHMITT
BLACKBIRD	HEINKEL	MUSTANG
BOEING	HINDENBURG	NIMROD
CHINOOK	HURRICANE	SOPWITH CAMEL
CONCORDE	JUNKERS	SPITFIRE
FOCKE-WULF	LANCASTER	SPRUCE GOOSE
GRAF ZEPPELIN	LIGHTNING	TORNADO

236 Over-Anxious

U	S	J	U	N	E	A	S	Y	Q	A	O	R	P	R
D	Z	I	G	N	U	R	M	P	H	J	A	M	O	A
E	P	R	K	M	T	S	A	S	A	C	B	L	R	Q
I	N	S	E	C	U	R	E	G	H	P	T	J	W	E
R	S	H	V	S	U	R	I	S	E	P	H	I	S	V
R	P	A	I	U	T	T	R	R	N	S	R	T	W	U
O	A	K	S	Y	A	L	T	Z	I	E	R	T	C	T
W	T	Y	N	T	V	U	E	T	D	A	T	E	W	H
F	D	D	E	B	R	U	T	S	I	D	U	R	R	M
S	R	D	H	B	V	I	S	N	S	L	T	Y	P	E
U	P	S	E	T	K	N	E	R	V	O	U	S	U	D
O	W	D	R	S	Y	D	D	J	E	S	K	T	Y	Q
N	T	A	P	F	G	A	P	E	A	E	R	N	E	T
Q	P	S	P	C	D	U	T	N	O	D	I	A	T	T
I	L	L	A	T	E	A	S	E	G	D	E	N	O	F

AGITATED
ANTSY
APPREHENSIVE
DISTURBED
EDGY
ILL AT EASE
INSECURE
JITTERY
NERVOUS
ON EDGE
PERTURBED
RESTLESS
SHAKY
SKITTISH
STRAINED
TENSE
TWITCHY
UNEASY
UPSET
WIRED
WORRIED

237 Anyone for Tennis?

Z	L	V	B	A	C	K	H	A	N	D	X	P	O	Q
Q	T	Z	I	R	S	H	D	P	Z	O	S	F	R	D
A	H	K	B	R	U	V	G	Z	B	T	T	G	S	O
S	M	A	S	H	A	L	F	V	O	L	L	E	Y	G
R	R	B	O	N	T	B	S	L	I	C	E	K	T	W
A	L	E	T	T	O	L	I	S	W	J	W	O	R	S
T	C	A	P	T	P	S	N	S	R	U	V	R	R	E
I	G	P	A	S	S	I	N	G	S	H	O	T	P	L
E	M	J	S	O	P	D	E	N	I	L	E	S	A	B
B	R	R	I	K	I	E	T	U	C	R	E	D	N	U
R	A	I	A	E	N	L	N	I	F	H	C	N	R	O
E	A	L	P	C	P	I	W	K	L	O	U	U	P	D
A	A	L	L	M	K	N	A	P	U	F	E	O	U	T
K	M	S	L	L	U	E	L	R	K	Q	D	R	N	I
R	U	U	N	Y	P	Y	T	E	S	P	I	G	C	R

ADVANTAGE	GROUND STROKE	SIDELINE
BACKHAND	HALF-VOLLEY	SLICE
BALL	LAWN TENNIS	SMASH
BASELINE	LET	TIEBREAK
COURT	PASSING SHOT	TOPSPIN
DEUCE	RACKET	UMPIRE
DOUBLES	RALLY	UNDERCUT

238 Words Beginning With E

H	N	O	I	T	A	C	U	D	E	S	V	V	A	X
S	I	S	U	S	L	I	E	T	N	T	Y	A	Z	C
U	B	L	E	C	H	D	L	L	D	R	L	D	T	C
Y	H	T	A	P	M	E	O	W	E	G	G	S	U	S
Z	W	S	B	F	X	A	N	V	A	C	H	D	L	R
S	A	U	I	P	K	G	E	S	V	U	T	G	I	F
K	R	L	E	L	O	L	Y	P	O	U	Z	I	N	N
N	E	C	O	D	G	E	B	G	U	F	D	S	O	M
R	T	V	E	D	I	N	B	U	R	G	H	L	I	N
P	N	W	X	G	M	T	E	T	R	E	T	M	T	C
S	E	R	T	V	E	G	O	R	E	E	N	R	C	V
T	Z	U	E	D	A	V	E	R	E	C	D	E	I	T
R	G	J	N	A	H	S	H	J	A	H	S	Q	V	F
I	F	S	D	E	I	G	H	T	R	O	P	X	E	G
L	U	A	J	T	H	V	R	E	F	J	N	L	N	X

EAGLE
EAR
ECHO
EDINBURGH
EDITOR
EDUCATION
EGGS

EGO
EIGHT
ELECTION
EMPATHY
ENDEAVOUR
ENERGY
ENGLISH

ENTER
EVADE
EVERY
EVICTION
EXPECT
EXPORT
EXTEND

239 Thin as a Rake

Q	R	U	X	I	M	T	Q	T	N	R	V	R	R	E
Y	A	D	E	T	A	I	C	A	M	E	S	Z	I	R
T	N	Q	E	N	H	F	E	L	S	D	U	L	T	A
Z	M	W	J	T	O	G	L	R	T	N	L	F	H	P
B	E	J	A	I	L	B	I	I	L	E	A	O	I	S
U	S	T	A	R	V	E	D	E	M	L	N	E	N	K
I	K	P	I	H	C	N	V	N	W	S	K	A	A	E
G	A	U	N	T	T	S	G	S	A	T	Y	S	S	L
U	B	P	A	P	E	R	T	H	I	N	H	E	A	E
E	F	L	U	O	E	P	I	R	Y	D	I	G	W	T
A	L	T	H	E	B	T	J	M	T	N	T	K	I	A
W	A	T	D	O	O	R	L	T	L	K	N	B	S	L
Q	P	Y	G	U	B	O	N	Y	L	D	N	I	P	S
C	S	S	S	E	A	U	X	I	T	V	R	L	K	X
D	T	R	X	A	O	O	U	U	A	L	M	I	L	S

BONY
EMACIATED
FLIMSY
GAUNT
LANKY
LIGHTWEIGHT
PAPER-THIN
PETITE
REEDY
SCRAWNY
SKELETAL
SKIN AND BONE
SKINNY
SLENDER
SLIM
SPARE
SPINDLY
STARVED
SVELTE
THIN AS A WISP
TRIM

240 Famous Horses

S	R	O	H	I	L	A	T	B	U	E	S	R	D	R
H	E	C	Z	S	V	A	E	D	E	S	K	O	I	T
A	D	C	O	P	E	N	H	A	G	E	N	R	H	R
D	R	G	R	M	B	N	O	I	T	A	T	I	C	R
O	U	S	S	E	A	B	I	S	C	U	I	T	R	E
W	M	S	I	I	T	N	M	S	A	M	P	S	O	N
F	X	E	O	B	L	A	C	K	B	E	A	U	T	Y
A	D	B	U	S	N	V	R	H	N	P	W	R	R	A
X	E	K	M	O	N	L	E	I	E	R	A	L	E	U
A	I	C	W	D	A	O	L	R	A	V	A	A	S	N
P	H	A	R	L	A	P	F	A	E	T	X	A	E	B
S	R	L	R	R	D	I	J	L	M	O	E	D	D	S
C	T	B	I	N	K	Y	L	M	A	R	E	N	G	O
S	C	H	L	L	S	E	L	U	C	R	E	H	A	I
S	A	E	L	K	R	A	U	S	E	B	L	I	V	I

ALFONSO
ARKLE
BINKY
BLACK BEAUTY
BLACK BESS
CITATION
COMANCHE
COPENHAGEN
DESERT ORCHID
HERCULES
LLAMREI
MAN O' WAR
MARENGO
PHAR LAP
RED RUM
SAMPSON
SEABISCUIT
SECRETARIAT
SHADOWFAX
SILVER
TRAVELLER

241 Trouser Browser

A	E	U	E	R	S	I	O	F	R	P	C	E	M	X
N	D	T	I	P	D	R	L	N	J	D	D	I	K	Y
E	R	S	S	D	B	R	E	E	C	H	E	S	U	A
S	S	W	E	I	R	U	A	G	N	T	W	K	G	U
O	T	E	T	D	T	N	L	I	G	N	O	C	C	U
H	N	R	T	E	S	W	S	E	N	O	A	A	V	A
R	A	T	O	P	B	I	I	D	G	P	J	L	O	T
E	P	V	L	H	L	L	R	J	S	G	I	S	F	L
D	T	I	U	E	S	T	O	V	E	P	I	P	E	E
E	O	A	C	C	E	D	R	O	O	E	D	N	E	V
L	H	U	X	H	H	Z	R	L	M	E	H	A	G	I
X	A	U	O	P	L	I	A	A	N	E	D	P	N	S
O	T	G	U	N	D	I	N	I	O	L	R	A	T	W
G	N	R	O	T	A	B	M	O	C	B	O	S	P	T
P	S	E	R	A	L	F	O	T	S	G	C	A	I	E

BLOOMERS
BOARD SHORTS
BREECHES
CHINOS
COMBAT
CORD
CULOTTES
DENIM
DRAINPIPE
FLANNEL
FLARES
HOT PANTS
JEANS
JODHPURS
JOGGERS
LEDERHOSEN
LEGGINGS
LEVI'S
SLACKS
STOVEPIPE
TREWS

242 Watch my Clock

T	N	R	H	H	O	U	R	G	L	A	S	S	A	P
E	G	E	S	V	W	R	E	E	R	O	A	P	T	L
P	B	E	E	K	D	A	T	R	E	S	G	O	O	O
T	B	O	L	G	E	L	E	E	T	W	N	C	M	S
P	P	O	F	R	R	T	M	R	A	R	I	K	I	H
T	Z	U	W	P	E	A	O	Q	W	I	K	E	C	S
T	D	H	I	G	W	N	N	U	U	S	L	T	A	E
F	I	X	N	I	O	R	O	D	T	T	A	I	R	B
I	G	L	D	M	P	P	R	S	F	W	T	C	R	A
M	I	A	I	R	R	Y	H	C	P	A	S	O	I	L
R	T	C	N	O	A	Q	C	O	U	T	T	H	A	E
A	A	I	G	T	L	K	T	K	R	C	L	H	G	V
L	L	S	W	S	O	S	D	T	V	H	K	R	E	A
A	M	U	T	X	S	U	N	D	I	A	L	O	L	R
E	I	M	H	A	L	U	V	Q	U	Y	Y	S	O	T

ALARM
ASTRONOMICAL
ATOMIC
CARRIAGE
CHRONOMETER
CUCKOO
DIGITAL
FOB
GRANDFATHER
HOURGLASS
MUSICAL
POCKET
SELF-WINDING
SOLAR-POWERED
STOPWATCH
STORM
SUNDIAL
TALKING
TRAVEL
WATER
WRISTWATCH

243 Time Waits for no Man

Q	V	J	O	Y	R	U	H	S	T	D	F	B	B	S
F	P	A	E	K	A	C	E	P	A	H	S	A	P	T
T	G	U	L	I	R	P	A	Z	Z	U	T	O	R	C
H	A	J	H	A	T	O	R	C	Y	D	K	T	S	Z
G	R	O	M	E	R	J	E	A	R	P	T	R	M	Y
I	X	Y	M	T	A	N	B	J	A	N	U	A	R	Y
N	W	B	L	S	T	R	O	P	U	R	Y	D	T	N
T	E	K	P	U	L	M	T	O	R	U	E	D	F	L
R	E	T	R	G	J	I	C	B	B	C	X	V	R	L
O	K	Y	Z	U	Y	N	O	V	E	M	B	E	R	H
F	R	O	H	A	H	U	S	M	F	A	S	P	A	S
M	Z	Y	D	I	O	T	B	J	L	S	T	B	T	M
G	H	I	I	L	U	E	N	U	J	Z	S	O	B	Z
R	O	Y	E	A	R	P	U	O	K	E	A	J	D	U
Q	Q	H	M	T	U	S	R	T	M	I	X	R	J	K

APRIL
AUGUST
CENTURY
DAY
DECEMBER
FEBRUARY
FORTNIGHT
HEARTBEAT
HOUR
JANUARY
JULY
JUNE
MARCH
MAY
MINUTE
MONTH
NOVEMBER
OCTOBER
SEPTEMBER
WEEK
YEAR

244 Words Beginning With F

B	G	E	G	D	T	I	O	A	V	R	G	T	P	O
R	L	O	A	N	G	Y	R	E	N	I	F	E	R	N
M	O	D	F	E	I	F	L	A	S	H	E	F	C	D
X	O	T	L	C	I	T	S	A	T	N	A	F	B	S
O	W	Q	O	X	I	T	H	O	S	L	T	I	U	N
F	U	A	T	U	T	R	N	G	L	F	U	N	A	A
I	H	U	S	G	F	H	S	I	I	S	R	E	U	X
R	R	E	Y	J	A	R	B	D	F	F	E	S	A	T
E	L	O	C	L	S	L	G	F	P	E	L	S	R	V
I	T	Z	D	T	E	E	F	L	U	S	T	E	R	N
U	F	H	I	R	T	R	E	O	L	A	S	I	T	T
A	T	W	T	X	O	C	R	O	I	E	Q	R	D	A
U	V	T	W	G	T	E	R	D	U	E	F	T	A	G
I	U	L	E	T	W	A	E	Q	L	C	L	V	S	G
A	E	K	E	P	R	X	T	Q	U	T	X	R	P	L

FALLIBLE
FANTASTIC
FEATURE
FELL
FERN
FERRET
FETID
FEUD
FIDGET
FIEFDOM
FIGHTING
FINERY
FINESSE
FIRE
FIXTURE
FLAG
FLASH
FLOOD
FLUSTER
FOX
FROG

245 Popes Old and New

G	P	R	Y	X	B	P	X	S	K	I	I	G	Q	O
B	O	R	M	B	Z	F	E	R	T	T	Z	M	S	B
K	A	D	R	I	A	N	B	C	I	R	L	A	S	L
O	U	S	U	L	L	E	C	R	A	M	U	R	I	P
G	T	N	E	M	E	L	C	P	G	F	C	T	T	A
O	A	G	E	N	X	H	S	L	I	T	I	I	H	P
H	V	Q	W	E	A	O	J	A	L	U	U	N	H	Q
Y	C	J	O	H	N	P	A	U	L	H	S	J	O	S
G	B	E	N	E	D	I	C	T	L	O	A	R	N	B
I	N	N	O	C	E	N	T	H	O	I	H	A	O	V
N	O	A	E	F	R	T	T	S	D	V	U	C	R	X
U	R	B	W	E	U	G	E	N	E	R	N	S	I	K
S	T	R	W	A	Y	E	T	S	L	L	P	O	U	N
I	R	U	U	S	Y	L	V	E	S	T	E	R	S	P
R	W	O	I	S	U	T	X	I	L	L	A	C	W	U

ADRIAN
ALEXANDER
BENEDICT
BONIFACE
CALLIXTUS
CELESTINE
CLEMENT
EUGENE
HONORIUS
HYGINUS
INNOCENT
JOHN PAUL
JULIUS
LEO
LUCIUS
MARCELLUS
MARTIN
NICHOLAS
PIUS
SYLVESTER
URBAN

246 Trees and Hedges

Z	F	S	Y	J	T	L	E	D	S	U	R	O	L	V
I	P	V	E	O	B	B	T	S	U	M	I	L	T	S
I	Q	H	T	T	L	I	I	Y	M	F	N	X	M	S
K	X	S	Y	A	A	I	P	R	I	V	E	T	P	R
R	B	G	Q	V	E	R	V	R	C	A	C	L	L	Y
Z	O	I	O	Y	R	R	A	E	P	H	N	P	M	L
G	T	W	B	N	I	B	A	H	E	A	I	N	M	O
M	F	Z	A	O	C	O	C	C	S	R	U	D	H	O
E	F	A	A	N	H	X	C	P	E	B	Q	T	K	A
A	Y	G	B	D	A	D	E	G	H	V	E	I	T	G
K	S	E	B	E	Z	N	D	Q	Z	I	F	H	G	A
X	O	O	L	R	E	O	A	S	H	A	O	B	G	Z
F	A	P	S	P	L	M	R	B	O	D	R	G	H	F
R	A	R	A	V	P	L	U	Z	Y	A	K	S	I	E
M	C	O	R	K	O	A	K	L	S	F	L	F	S	J

ALMOND
APPLE
ASH
ASPEN
BANANA
BIRCH
BOX

CEDAR
CHERRY
COCOA
CORK OAK
ELM
FIR
HAZEL

KAPOK
MAPLE
OLIVE
PEAR
PRIVET
QUINCE
ROWAN

247 Best

A	P	E	R	F	E	C	T	I	O	N	R	F	Y	E
F	O	R	E	M	O	S	T	D	C	M	C	F	N	M
P	I	K	E	T	O	G	I	U	V	H	W	R	A	E
R	A	T	Q	E	G	V	L	W	A	L	D	T	P	R
G	T	R	C	P	M	T	R	M	A	Y	C	A	D	P
J	N	O	A	P	I	I	P	S	M	H	A	S	E	U
A	T	X	P	M	X	I	N	L	L	P	S	M	L	S
I	H	S	A	M	O	T	H	E	R	O	F	A	L	L
S	Y	T	E	N	O	U	S	I	N	S	U	M	A	Q
A	E	J	U	T	R	S	N	V	C	T	T	U	V	O
K	I	S	A	L	A	C	T	T	G	C	M	M	I	A
A	P	R	E	M	I	E	R	W	N	T	O	I	R	S
E	M	I	R	P	E	E	R	L	E	S	S	T	N	A
P	L	E	A	D	I	N	G	G	K	Y	T	P	U	S
H	A	L	I	M	A	X	I	M	U	M	T	O	E	Z

CHAMPION
FOREMOST
GREATEST
LEADING
MATCHLESS
MAXIMUM
MOTHER OF ALL
OPTIMUM
PARAMOUNT
PEAK
PEERLESS
PERFECTION
PRE-EMINENT
PREMIER
PRIME
PRINCIPAL
SUPREME
TOPMOST
ULTIMATE
UNRIVALLED
UTMOST

248 Out of Focus

G	U	Z	U	T	M	I	S	T	Y	K	R	U	M	S
I	V	A	O	O	H	O	N	X	L	V	N	S	O	P
N	U	R	W	B	V	M	L	E	E	C	T	T	H	L
D	E	R	U	C	S	B	O	A	L	Q	A	R	V	G
I	E	A	J	T	S	H	E	E	P	L	R	U	Z	R
S	D	S	E	M	Y	R	A	E	L	B	L	N	T	U
T	M	E	U	I	R	R	A	D	E	R	R	U	L	B
I	D	E	L	F	F	U	M	I	O	N	J	A	H	B
N	W	I	S	I	N	G	L	X	G	W	H	A	Z	Y
C	Q	S	B	M	E	O	F	U	Z	Z	Y	R	U	M
T	T	G	Z	R	I	V	C	F	O	G	G	Y	N	O
I	O	C	L	O	U	D	Y	R	K	B	N	A	L	O
V	A	X	U	Y	G	T	N	I	A	F	I	E	U	L
L	L	H	T	A	S	S	Q	O	V	J	D	X	K	G
A	W	F	J	C	A	P	P	O	Z	E	S	K	L	A

BLEARY
BLURRED
CLOUDY
CONFUSED
DIM
DINGY
FAINT

FOGGY
FUZZY
GLOOMY
GRUBBY
HAZY
INDISTINCT
MISTY

MUFFLED
MURKY
OBSCURED
SHADOWY
TURBID
UNCLEAR
VEILED

249 Words Beginning With G

C	A	D	N	I	I	B	U	A	D	I	U	B	P	U
P	P	I	S	S	O	G	A	M	B	L	E	T	O	X
S	E	N	G	R	E	E	N	G	R	O	C	E	R	X
A	G	R	O	A	N	N	G	L	A	A	U	N	O	A
F	U	Z	O	E	E	E	Y	O	M	U	R	L	E	S
V	A	U	D	M	R	R	O	W	M	Z	Q	A	K	S
T	G	C	W	A	G	O	X	G	A	T	X	P	G	P
G	H	E	I	G	N	U	H	R	R	C	A	U	I	G
W	O	U	L	A	A	S	F	A	G	U	G	O	G	D
U	S	A	L	A	G	P	A	B	N	O	N	R	G	A
P	T	D	G	X	T	R	E	L	R	P	L	G	L	X
I	E	T	R	L	W	Y	U	E	T	X	F	D	E	R
J	U	L	A	B	R	K	R	M	P	L	D	T	E	Q
A	A	L	I	C	W	T	O	U	P	O	L	K	B	N
G	R	A	W	U	L	L	L	I	F	Y	I	O	Q	B

GAMBLE
GAME
GANGRENE
GAPE
GAUGE
GENEROUS
GHOST

GIGGLE
GLOW
GOAT
GOLDEN
GOODWILL
GORE
GOSSIP

GRAB
GRAMMAR
GREENGROCER
GROAN
GROUP
GRUMPY
GRUNGE

250 Spill the Beans

U	R	L	J	Y	F	I	T	O	N	O	R	I	R	D
U	Z	G	D	S	T	R	E	L	A	T	E	E	V	J
O	B	F	T	N	U	O	C	E	R	D	V	O	H	Y
A	L	R	V	F	D	E	P	S	R	E	A	V	S	F
Q	N	O	I	T	N	E	M	O	A	P	B	A	I	A
T	A	F	R	E	E	G	S	L	T	I	O	T	L	O
P	T	I	I	Q	F	L	M	C	E	C	E	P	B	G
E	X	T	E	L	L	U	C	S	R	T	I	I	U	A
U	R	Y	K	W	L	V	T	I	A	I	Y	E	P	O
U	T	R	A	P	M	I	M	D	N	C	B	P	K	N
X	T	S	T	A	C	D	N	T	M	O	R	E	I	P
J	I	Z	W	M	A	K	E	A	W	A	R	E	P	K
C	S	U	H	M	R	O	F	N	I	R	Q	H	V	A
L	S	G	V	R	A	W	R	S	T	H	I	A	C	A
L	O	U	T	T	E	R	E	L	E	A	S	E	L	S

APPRAISE
BRIEF
CHRONICLE
DEPICT
DESCRIBE
DISCLOSE
DIVULGE

FILL IN
IMPART
INFORM
MAKE AWARE
MENTION
NARRATE
NOTIFY

PUBLISH
RECOUNT
RELATE
RELEASE
REVEAL
TELL
UTTER

251 Having a Picnic

P	X	B	U	S	U	D	I	S	C	U	A	E	O	H
F	A	P	P	L	E	S	O	O	A	N	A	N	A	B
E	S	P	A	S	T	B	B	U	I	X	Z	M	S	R
K	R	E	E	B	R	E	G	N	I	G	P	S	B	E
K	T	N	V	R	C	O	L	D	M	E	A	T	U	A
I	E	I	W	I	P	S	E	T	R	N	Q	T	R	D
E	U	W	N	O	L	L	B	F	D	J	C	A	K	E
S	A	L	A	D	O	O	A	W	A	N	O	M	V	F
V	D	S	P	U	C	C	I	T	S	A	L	P	Q	I
F	O	R	K	S	F	C	E	H	E	P	E	S	Z	H
A	X	P	I	B	H	S	D	E	Y	S	S	F	I	T
S	T	R	N	E	I	P	K	R	O	P	L	I	T	O
Z	J	E	S	Y	G	S	G	M	T	H	A	D	R	L
P	B	A	G	N	O	A	T	O	W	D	W	L	C	C
I	J	S	W	U	P	B	T	S	L	R	K	S	F	R

APPLES
BANANA
BREAD
CAKE
CLOTH
COLD MEAT
COLESLAW
CRISPS
FORKS
GINGER BEER
HAMPER
NAPKINS
OLIVES
PAPER PLATES
PLASTIC CUPS
PORK PIE
SALAD
SANDWICHES
TEA
THERMOS
WINE

252 Oxford Colleges

L	U	I	M	M	Y	I	U	W	S	L	E	P	V	I
N	S	S	C	R	T	M	A	P	P	Y	Z	M	K	R
O	B	N	H	R	I	T	X	O	I	M	A	L	F	S
S	T	C	R	O	S	S	T	N	A	G	A	I	J	U
F	L	S	I	O	R	I	E	L	D	B	E	E	L	T
L	O	Y	S	F	E	W	M	A	H	D	A	W	A	J
O	I	B	T	G	V	X	L	P	J	Z	A	E	I	T
W	L	R	C	I	I	E	X	E	T	E	R	L	Y	W
L	L	A	H	D	N	U	M	D	E	T	S	T	S	E
K	A	S	U	G	U	I	B	E	K	X	C	U	R	I
E	B	E	R	R	K	E	R	C	A	N	I	L	S	L
L	I	N	C	O	L	N	O	T	R	E	M	R	D	O
B	E	O	H	E	R	T	F	O	R	D	Y	I	U	O
E	A	S	L	U	O	S	L	L	A	R	W	U	W	S
K	K	E	L	L	O	G	G	J	I	R	E	S	S	W

ALL SOULS
BALLIOL
BRASENOSE
CHRIST CHURCH
EXETER
HERTFORD
JESUS
KEBLE
KELLOGG
LINACRE
LINCOLN
MAGDALEN
MERTON
NEW
ORIEL
ST CROSS
ST EDMUND HALL
TRINITY
UNIVERSITY
WADHAM
WOLFSON

253 Smash Hit!

E	G	N	I	V	I	R	H	T	A	W	G	E	T	O
M	O	N	E	Y	M	A	K	I	N	G	V	Y	N	L
I	G	N	I	M	O	O	B	O	H	I	S	H	S	S
N	N	V	S	H	N	G	W	T	T	K	J	T	Y	S
E	I	S	C	L	S	O	N	A	R	O	L	L	T	O
N	R	U	O	N	N	I	R	I	H	Q	R	A	I	O
T	A	O	M	E	N	C	R	O	D	A	R	E	R	Y
P	O	R	M	D	U	E	N	U	Z	R	P	W	B	P
U	R	E	E	L	B	A	R	U	O	V	A	F	E	D
A	E	P	R	O	F	I	T	A	B	L	E	W	L	B
I	N	S	C	G	N	I	Y	A	P	E	F	E	E	V
Y	N	O	I	S	S	E	T	S	W	A	L	U	C	R
W	I	R	A	E	O	N	U	S	A	N	T	T	L	C
W	W	P	L	U	F	S	S	E	C	C	U	S	E	G
U	L	H	Y	U	T	P	E	Y	A	T	P	Q	M	R

BELTER
BOOMING
CELEBRITY
COMMERCIAL
EMINENT
FAVOURABLE
FLOURISHING
GOLDEN
LUCRATIVE
MONEYMAKING
ON A ROLL
PAYING
PROFITABLE
PROSPEROUS
REWARDING
ROARING
STAR
SUCCESSFUL
THRIVING
WEALTHY
WINNER

254 Tarnished

K	E	E	A	E	S	L	R	C	S	S	L	K	T	P
B	H	M	D	S	G	Q	Q	J	G	N	F	M	H	R
D	R	D	E	H	S	A	R	T	H	G	I	L	B	I
F	Q	E	F	J	S	Z	M	W	T	L	W	A	A	I
A	D	I	E	E	S	I	T	A	I	N	T	S	T	W
U	C	D	C	D	I	E	M	D	D	W	V	U	T	S
L	R	D	T	O	B	U	N	E	K	C	A	L	B	R
T	P	U	R	R	O	C	L	F	L	M	E	L	P	E
M	Y	M	A	E	Y	T	R	I	D	B	S	Y	R	W
J	O	N	K	T	F	O	U	L	O	Q	S	T	C	L
R	D	I	T	U	O	L	F	E	O	P	O	W	Z	S
L	S	U	F	S	K	B	W	S	C	D	S	J	I	W
T	K	R	D	Y	R	N	L	U	T	I	C	Z	F	N
S	S	S	O	T	E	T	T	Q	Z	L	A	R	B	T
Z	L	C	B	A	Q	Q	T	S	M	G	C	D	S	T

BLACKEN
BLEMISH
BLIGHT
BLOT
BRAND
CORRUPT
DAMAGE
DEFECT
DEFILE
DIRTY
ERODE
FAULT
FLAW
FOUL
MUDDIED
RUIN
SPOIL
STAIN
SULLY
TAINT
TRASHED

255 Words Beginning With H

R	D	E	R	D	N	U	H	Y	P	E	E	A	A	Q
R	E	L	B	B	O	H	O	O	K	L	N	Z	G	R
A	K	K	T	I	R	H	U	D	J	D	E	E	E	S
I	H	C	A	V	E	A	Z	L	X	N	H	H	S	I
T	E	U	O	M	H	I	J	R	K	A	A	V	Y	O
E	R	S	M	M	Y	R	G	N	U	H	M	Y	D	W
Z	R	Y	U	D	M	A	D	B	U	Z	P	S	S	V
E	I	E	A	O	I	A	H	T	L	A	E	H	M	O
M	N	N	V	L	H	N	H	Y	P	B	R	H	R	P
T	G	O	H	O	K	W	G	E	U	H	Y	E	N	A
U	J	H	S	G	O	A	M	E	L	B	P	A	U	B
A	T	L	T	C	D	H	L	Y	R	M	J	P	P	G
L	T	H	W	E	Y	I	I	I	A	J	E	I	T	Z
S	R	K	R	H	D	Q	D	X	Z	R	P	T	A	L
I	B	R	H	A	A	T	H	I	P	O	H	N	T	S

HAIR
HAMMOCK
HAMPER
HANDLE
HAYMAKER
HEALTH
HELMET

HELP
HERON
HERRING
HOBBLE
HONEYSUCKLE
HOOK
HOOVER

HOUSE
HULK
HUMDINGER
HUNDRED
HUNGRY
HYBRID
HYENA

256 Simply Not On

A	U	R	E	P	R	E	H	E	N	S	I	B	L	E
G	W	O	T	R	S	U	O	I	X	O	N	B	O	L
U	T	E	L	B	I	S	S	I	M	D	A	N	I	E
E	U	E	S	G	N	I	S	A	E	L	P	S	I	D
L	N	A	D	L	B	U	G	P	P	C	P	U	E	I
B	W	R	A	U	Q	H	L	A	J	O	R	R	L	S
A	E	R	E	D	R	O	F	O	T	U	O	X	B	G
T	L	I	M	P	R	O	P	E	R	S	P	R	A	R
I	C	X	T	A	B	I	T	O	F	F	R	T	R	A
U	O	R	B	A	O	F	F	E	N	S	I	V	E	C
S	M	L	T	U	N	D	E	S	I	R	A	B	L	E
N	E	S	H	O	C	K	I	N	G	R	T	O	O	F
U	N	A	C	C	E	P	T	A	B	L	E	X	T	U
P	J	S	S	D	Y	L	M	E	E	S	N	U	N	L
M	N	S	H	A	M	E	F	U	L	A	U	C	I	R

A BIT OFF
DEPLORABLE
DISGRACEFUL
DISPLEASING
IMPROPER
INADMISSIBLE
INAPPROPRIATE
INTOLERABLE
OBNOXIOUS
OFFENSIVE
OUT OF ORDER
POOR
REPREHENSIBLE
RUDE
SHAMEFUL
SHOCKING
UNACCEPTABLE
UNDESIRABLE
UNSEEMLY
UNSUITABLE
UNWELCOME

257 Run Off With

V	I	U	I	T	P	P	O	E	R	P	I	G	O	X
N	T	F	Q	H	J	P	Q	V	I	U	L	A	U	H
O	L	S	S	K	F	I	F	T	M	R	S	E	O	C
N	U	C	S	L	N	F	G	I	R	L	B	P	A	T
B	A	R	G	E	T	H	O	L	D	O	F	I	R	E
C	S	F	T	A	S	E	S	Y	S	I	U	W	L	T
O	S	O	H	T	L	S	K	O	R	N	E	S	A	A
J	Z	R	D	C	F	B	O	C	L	R	J	Q	E	I
A	S	L	P	I	C	K	U	P	O	V	A	S	T	R
W	E	S	W	N	J	U	F	T	S	P	P	C	S	P
F	S	Z	P	C	P	P	I	Q	N	I	A	T	B	O
T	Y	H	B	D	N	A	L	A	N	E	D	F	E	R
O	E	R	T	A	E	H	C	C	O	K	S	Q	T	P
C	W	R	Q	J	G	P	H	C	T	A	C	M	D	P
Y	I	K	X	T	L	T	Z	Q	K	T	L	C	I	A

APPROPRIATE
BAG
BLAG
CARRY OFF
CATCH
CHEAT
DISPOSSESS
FILCH
GET HOLD OF
GRAB
LAND
NET
OBTAIN
PICK UP
PINCH
POCKET
PURLOIN
STEAL
SWIPE
TAKE
TROUSER

258 Something Wrong

A	I	L	T	C	K	I	F	F	T	C	P	X	T	O
W	B	O	D	S	T	R	A	N	G	E	M	L	C	I
E	I	N	D	A	E	O	A	U	N	C	A	N	N	Y
R	B	C	O	A	R	U	L	L	D	R	Q	J	O	K
F	T	B	K	R	T	T	N	A	U	U	A	S	R	C
E	I	I	M	E	M	L	X	T	V	G	B	U	U	A
P	S	E	K	A	D	A	A	Y	A	L	E	O	O	W
H	T	L	N	P	D	N	L	P	U	O	R	R	Z	R
O	S	L	H	D	R	D	E	I	N	I	R	T	R	B
N	R	X	V	E	I	I	P	C	U	T	A	S	R	I
E	U	C	P	U	E	S	A	A	S	E	N	N	Q	Z
Y	T	U	P	U	W	H	H	L	U	U	T	O	O	A
I	S	U	O	L	A	M	O	N	A	P	E	M	D	R
P	I	D	P	J	O	W	C	K	L	I	V	E	A	R
Q	O	I	W	A	U	B	R	A	T	F	A	L	S	E

ABERRANT
ABNORMAL
ANOMALOUS
ATYPICAL
BIZARRE
EVIL
FALSE
FIENDISH
FREAKISH
IRREGULAR
MONSTROUS
ODD
OUTLANDISH
PHONEY
STRANGE
SUPERNATURAL
UNCANNY
UNUSUAL
WACKY
WEIRD
WICKED

259 Only 'A' Vowel

E	H	A	L	A	Y	A	E	T	U	E	O	L	H	N
A	M	C	E	T	X	B	N	Y	G	T	J	R	A	S
N	D	A	T	A	T	N	A	C	A	R	A	V	A	N
A	U	P	G	N	C	B	Z	I	H	A	S	R	P	P
N	O	L	C	L	H	P	J	S	O	D	K	G	I	A
A	A	A	A	B	A	C	C	A	R	A	T	L	D	V
B	D	W	N	P	R	M	W	R	N	B	G	A	Z	A
O	A	A	A	G	L	V	A	S	A	M	M	A	S	S
R	N	Y	M	P	A	R	A	G	R	A	P	H	T	S
G	A	B	L	R	T	S	A	N	N	L	Z	U	T	A
N	C	N	A	R	A	M	A	T	A	C	A	A	E	C
L	X	U	C	A	N	A	S	T	A	G	F	I	B	J
Y	U	F	C	K	J	M	Y	S	L	V	R	I	E	N
L	W	Z	C	Q	A	A	T	D	G	Z	A	A	K	O
W	U	O	R	R	K	A	P	Y	W	R	O	P	M	T

ADAMANT
ALMANAC
ALPACA
AMALGAM
ANAGRAM
ARKANSAS
ARMADA
AVATAR
BACCARAT
BANANA
BAZAAR
CANADA
CANASTA
CANTATA
CARAVAN
CASSAVA
CATAMARAN
CHARLATAN
LAMBADA
PAPAYA
PARAGRAPH

260 Craters on the Moon

E	K	O	M	P	I	C	A	R	D	F	Z	L	P	E
D	O	H	L	S	O	E	U	T	S	U	W	S	N	P
G	P	C	T	P	L	I	N	I	U	S	J	M	I	T
J	K	Y	L	A	N	G	R	E	N	U	S	X	T	H
W	A	T	H	E	B	I	T	G	I	I	A	T	N	S
S	U	N	A	T	N	O	M	O	G	N	O	L	E	C
U	U	W	S	T	H	R	O	R	A	G	G	L	G	H
I	D	C	L	S	B	U	V	R	M	E	E	Y	R	I
D	C	G	I	L	E	M	M	Y	U	T	W	L	A	C
A	R	L	Z	N	E	N	Y	B	O	A	I	L	W	K
T	X	S	A	T	R	S	R	T	O	B	M	I	W	A
S	T	A	I	V	P	E	S	T	O	L	L	A	L	R
N	J	U	I	B	I	I	P	U	U	A	D	B	R	D
T	S	L	T	I	R	U	Q	O	R	C	P	T	M	F
S	P	I	T	A	T	U	S	S	C	T	F	Q	S	E

ALBATEGNIUS
ARISTOTELES
BAILLY
CLAVIUS
COPERNICUS
FRA MAURO
HUMBOLDT
JANSSEN
LANGRENUS
LONGOMONTANUS
MAGINUS
METIUS
PICARD
PITATUS
PLINIUS
RUSSELL
SCHICKARD
STADIUS
THEBIT
TYCHO
WARGENTIN

261 Nobel Peace Prize

I	H	L	S	A	K	H	A	R	O	V	G	N	S	O
S	C	A	S	S	I	N	B	I	V	A	N	T	K	M
A	S	T	A	N	O	R	C	O	R	R	I	G	A	N
R	S	T	U	P	F	R	T	B	O	Y	D	O	R	R
L	S	A	N	T	O	S	C	A	O	A	H	J	L	H
L	P	D	G	K	U	R	R	D	S	N	I	G	E	B
T	E	A	S	E	R	E	T	R	E	H	T	O	M	T
X	R	S	A	L	E	Y	E	Z	V	R	A	R	A	Q
P	U	L	N	L	G	D	M	L	E	G	K	B	N	V
A	A	A	S	O	N	D	S	T	L	L	N	A	D	A
L	D	E	U	G	I	X	U	X	T	F	M	C	E	G
S	G	I	U	G	S	R	G	N	L	R	S	H	L	Z
J	P	E	K	S	S	A	D	D	A	M	S	E	A	T
Q	C	L	Y	J	I	R	T	K	Y	N	H	V	E	P
P	Y	L	I	Z	K	A	R	A	F	A	T	H	O	S

ADDAMS
AL-SADAT
ARAFAT
AUNG SAN SUU KYI
BEGIN
BOYD-ORR
CASSIN
CORRIGAN
DUNANT
GORBACHEV
KARMAN
KELLOGG
KISSINGER
MANDELA
MOTHER TERESA
RED CROSS
ROOSEVELT
SAKHAROV
SANTOS
THO
TUTU

262 Sports Stadiums

A	S	O	S	F	U	S	M	A	R	A	C	A	N	A
N	S	B	D	C	G	C	A	M	P	N	O	U	S	Y
E	I	M	E	R	O	S	E	B	O	W	L	S	F	A
T	E	U	P	E	O	L	T	E	R	A	O	E	S	N
I	K	R	K	R	D	F	R	L	M	P	S	A	E	K
H	A	R	R	A	I	E	F	G	E	T	S	D	T	E
A	F	A	A	I	S	N	N	A	O	Q	E	S	A	E
D	D	Y	P	P	O	A	C	G	R	E	U	D	R	K
W	L	F	E	U	N	C	T	I	A	T	M	R	I	A
E	E	I	K	W	P	E	G	V	P	R	D	O	M	L
M	I	E	O	T	A	T	D	O	J	A	D	L	E	T
B	F	L	R	E	R	Z	Y	P	X	A	L	E	O	L
L	N	D	C	A	K	A	K	J	M	Q	R	I	N	A
E	A	A	D	V	I	L	L	A	P	A	R	K	T	S
Y	S	T	A	T	W	I	C	K	E	N	H	A	M	Y

ANFIELD
AZTECA
CAMP NOU
COLOSSEUM
CROKE PARK
EDEN GARDENS
EMIRATES
ETIHAD
GOODISON PARK
HAMPDEN PARK
LORD'S
MARACANA
MURRAYFIELD
OLD TRAFFORD
PRINCIPALITY
ROSE BOWL
SALT LAKE
TWICKENHAM
VILLA PARK
WEMBLEY
YANKEE

263 Words Beginning With I

K	J	T	S	D	U	R	B	A	T	L	G	R	H	A
G	R	E	A	E	D	O	L	P	M	I	H	R	O	C
R	I	G	L	O	O	N	U	N	I	N	S	O	P	T
O	T	A	X	W	T	P	O	A	N	H	R	Q	P	E
S	S	M	I	U	P	A	E	R	D	I	D	I	O	T
I	E	I	D	O	L	G	S	T	I	B	V	O	I	S
C	L	T	E	X	M	F	U	E	A	I	I	O	T	I
N	F	L	A	F	B	C	N	N	O	T	M	Z	R	X
I	N	T	E	R	N	S	H	I	P	T	I	C	E	Y
K	Y	S	S	Y	E	S	K	C	S	A	T	R	U	W
Z	V	I	N	F	A	N	T	I	L	E	A	U	R	P
T	N	E	D	I	C	N	I	P	G	B	T	A	R	I
W	Z	O	I	G	K	T	K	C	T	O	I	B	U	E
E	I	N	S	T	A	N	T	A	N	E	O	U	S	N
S	R	Z	Z	E	O	R	S	T	P	I	N	O	R	C

ICE
IDEA
IDIOT
IDOL
IGLOO
IMAGE
IMITATION
IMPLODE
INCIDENT
INCINERATE
INCISOR
INDIA
INFANTILE
INFLUX
INHIBIT
INSTANTANEOUS
INTERNSHIP
IRON
IRRITATE
ITSELF
IVORY

264 Thoughtful or Thoughtless

T	N	R	S	I	T	S	S	E	L	D	E	E	H	S
Z	X	L	U	U	E	T	N	E	G	I	L	G	E	N
U	L	G	N	I	R	A	C	N	U	T	Y	D	Q	L
R	U	E	N	M	U	N	M	I	N	D	F	U	L	A
P	F	E	V	I	T	A	L	P	M	E	T	N	O	C
A	T	K	I	I	K	A	Q	T	T	D	O	M	E	I
T	C	I	B	P	T	N	A	Z	A	N	C	E	S	H
T	E	N	D	E	R	C	I	N	B	I	R	D	S	P
E	L	D	A	A	T	P	E	H	M	M	L	I	E	O
N	G	S	S	L	H	U	D	L	T	T	L	T	L	S
T	E	H	E	L	P	F	U	L	F	N	E	A	E	O
I	N	S	E	N	S	I	T	I	V	E	U	T	R	L
V	S	U	O	T	I	C	I	L	O	S	R	I	A	I
E	U	S	T	E	T	B	B	J	W	B	E	V	C	H
I	N	C	O	N	S	I	D	E	R	A	T	E	W	P

ABSENT-MINDED
ATTENTIVE
CARELESS
CONTEMPLATIVE
HEEDLESS
HELPFUL
INCONSIDERATE
INSENSITIVE
KIND
MEDITATIVE
NEGLECTFUL
NEGLIGENT
PHILOSOPHICAL
RASH
REFLECTIVE
SOLICITOUS
TACTLESS
TENDER
UNCARING
UNMINDFUL
UNTHINKING

265 Racing Around the World

D	O	E	G	E	R	S	S	W	V	P	R	Y	A	L
G	P	X	P	R	O	C	I	L	M	I	P	S	W	R
T	Y	E	D	I	S	H	A	T	I	N	C	A	K	A
A	L	T	O	M	F	S	X	T	I	O	C	I	I	N
C	L	E	O	P	A	R	D	S	T	O	W	N	P	E
O	I	R	W	M	K	H	A	M	J	E	T	R	E	W
A	T	E	D	A	E	G	N	B	R	R	R	R	W	M
O	N	N	O	H	N	V	I	E	E	E	Z	I	E	A
K	A	I	O	C	H	F	N	E	T	L	R	U	C	R
A	H	B	G	G	A	P	B	T	S	L	M	L	E	K
C	C	D	T	N	M	V	C	K	A	S	E	O	R	E
Z	U	O	M	O	S	P	E	U	C	X	I	H	N	T
X	P	O	L	L	N	W	O	D	N	A	S	I	C	T
B	A	W	I	N	C	A	N	T	O	N	I	E	P	I
A	L	V	P	E	V	K	C	O	D	Y	A	H	P	U

AINTREE
ASCOT
AYR
BELMONT
CATTERICK
CHANTILLY
CHELTENHAM

DONCASTER
EPSOM
EXETER
FAKENHAM
GOODWOOD
HAYDOCK
LEOPARDSTOWN

LONGCHAMP
NEWMARKET
PIMLICO
SANDOWN
SHA TIN
WINCANTON
WOODBINE

266 British Universities

```
A A U D U R H A M C T K W L U
H G R U B N I D E R S X O S R
S T A N D R E W S V S U G N Y
U C Y B R I S T O L P L S M L
P T Y W E X E T E R J A A J E
S S O U T H A M P T O N L S E
R A Q N S S T X N J C C G H D
D F G I E D Y L C H T A R T S
R L R N C W I R E E U S V U W
A E R K I L C S E Y M T B O X
T B S U E L T A U B O E I M O
R H U L L E R P S I A R S Y A
F F I D R A C I L T O E K L L
D F U D B U B A T H L N S P I
P O X A O I P M T S R E J G P
```

ABERYSTWYTH
BATH
BELFAST
BRISTOL
CARDIFF
DURHAM
EDINBURGH
EXETER
GLASGOW
HULL
LANCASTER
LEEDS
LEICESTER
MANCHESTER
NEWCASTLE
PLYMOUTH
SOUTHAMPTON
ST ANDREWS
STIRLING
STRATHCLYDE
YORK

267 No Smoking!

H	L	S	R	L	S	O	P	E	A	C	S	G	T	Y
T	U	P	Y	A	P	N	O	D	U	I	M	A	S	Q
T	A	B	Y	V	V	B	U	T	T	G	O	J	I	P
H	S	A	B	A	L	A	C	F	H	A	K	O	O	H
P	P	C	P	L	R	T	H	R	F	R	I	C	I	Y
U	P	I	T	R	E	T	L	I	F	E	N	R	A	Y
A	N	A	P	U	R	B	H	C	S	T	G	R	E	L
G	U	L	P	E	B	O	U	S	E	H	J	K	E	D
R	T	R	E	E	R	C	M	B	A	G	A	W	Z	A
H	O	L	D	E	R	A	G	O	B	I	C	N	Z	V
N	P	A	W	O	T	S	C	T	A	L	K	D	E	T
U	S	O	E	C	E	E	S	K	S	T	E	M	N	X
N	L	P	H	W	P	R	N	I	C	O	T	I	N	E
T	L	E	L	I	A	S	J	W	V	O	L	V	P	J
R	S	E	A	N	K	U	T	F	R	F	A	P	A	D

ASHTRAY
BUTT
CALABASH
CASE
CIGAR
FILTER TIP
FLINT
HOLDER
HOOKAH
HUBBLE-BUBBLE
LIGHTER
MATCHES
NICOTINE
PAPERS
PIPE RACK
PLUG
POUCH
SMOKING JACKET
SNUFF
STEM
VAPING

268 Tough Stuff

J	E	G	A	T	M	Z	G	L	E	T	O	L	R	R
O	D	E	N	E	D	R	A	H	Z	X	K	J	Q	R
Y	M	E	E	T	B	I	O	H	J	S	H	S	A	I
E	U	Y	N	W	A	R	B	U	S	D	F	O	S	P
L	I	R	N	O	N	L	T	O	G	I	F	M	F	L
G	T	N	A	T	S	I	S	E	R	H	I	L	T	B
G	N	O	R	T	S	A	S	T	O	U	T	C	P	A
O	A	I	P	S	A	U	E	H	A	R	S	H	E	R
B	M	L	D	A	E	U	H	S	R	L	Z	A	L	O
R	A	R	Y	L	T	S	I	R	G	R	W	Q	B	B
T	D	S	J	L	E	A	T	H	E	R	Y	A	A	U
R	A	E	C	M	R	I	F	E	S	T	E	I	R	S
P	A	M	H	E	A	V	Y	D	R	U	T	S	U	T
U	R	E	S	I	L	I	E	N	T	N	E	V	D	S
O	F	I	Q	R	S	O	N	A	U	Y	U	R	F	A

ADAMANTIUM
BRAWNY
DURABLE
FIRM
GRISTLY
HARDENED
HARSH

HEAVY
LEATHERY
RESILIENT
RESISTANT
ROBUST
ROUGH
SEASONED

STALWART
STERN
STIFF
STOUT
STRONG
STURDY
UNYIELDING

269 Playtime

W	P	U	P	P	E	T	T	W	A	S	G	I	J	A
O	C	O	N	K	E	R	S	H	U	U	R	E	S	A
L	S	W	O	R	D	T	W	I	W	D	A	S	T	R
G	G	Y	X	H	T	J	E	S	P	L	T	U	E	J
P	Z	F	T	E	A	S	E	T	S	C	T	O	Y	S
L	E	N	D	C	C	L	H	L	E	A	L	H	A	S
E	C	D	K	R	V	B	U	E	L	T	E	S	S	U
A	Y	S	I	B	E	A	C	H	B	A	L	L	T	R
Z	O	W	T	P	L	L	D	V	R	P	Z	L	M	L
U	Y	W	E	I	T	L	P	U	A	U	Z	O	G	S
S	O	Z	P	N	R	O	O	N	M	L	U	D	N	L
U	C	T	B	O	P	O	E	R	A	T	P	T	L	N
T	Y	A	X	G	R	N	G	L	M	C	S	N	R	B
E	P	A	U	T	S	T	Z	E	L	I	X	E	E	Q
C	Z	N	O	S	S	S	W	H	L	H	W	D	T	E

BALLOON
BEACH BALL
CATAPULT
CONKERS
DOLL'S HOUSE
HULA-HOOP
JACKS
JIGSAW
KITE
LEGO
MARBLES
POPGUN
PUPPET
PUZZLE
RATTLE
SWORD
TEA SET
TEDDY
TOYS
WHISTLE
YO-YO

270 In Two Minds

H	I	M	O	A	J	R	P	R	E	S	G	U	Q	I
R	U	S	K	U	M	R	Y	E	C	U	J	N	F	O
U	N	S	U	R	E	B	L	Z	N	Y	E	F	E	A
D	C	P	A	U	Y	T	I	C	A	O	Y	I	Z	M
U	O	V	K	S	P	H	P	V	L	H	P	X	G	B
U	N	P	R	E	D	I	C	T	A	B	L	E	U	I
N	F	R	D	T	U	O	N	T	B	L	Q	D	N	G
R	I	J	E	U	Z	G	U	T	E	A	E	S	P	U
E	R	O	D	L	B	D	A	B	H	K	P	N	L	O
S	M	M	I	O	I	I	F	V	T	E	S	B	T	U
O	E	O	C	S	P	A	O	U	N	F	A	T	L	S
L	D	J	E	E	A	I	B	U	I	S	U	I	R	O
V	X	L	D	R	L	I	V	L	S	F	O	L	R	D
E	Q	P	N	R	E	L	B	A	E	G	N	A	H	C
D	E	Q	U	I	V	O	C	A	L	P	Y	K	N	A

AMBIGUOUS
AMBIVALENT
CHANGEABLE
DOUBTFUL
DUBIOUS
EQUIVOCAL
HAZY
IFFY
IN THE BALANCE
IRRESOLUTE
OPEN
SKETCHY
UNCONFIRMED
UNDECIDED
UNFIXED
UNPREDICTABLE
UNRELIABLE
UNRESOLVED
UNSURE
UP IN THE AIR
VAGUE

271 Words Beginning With J

W	S	N	L	R	U	S	O	Z	R	A	T	O	I	U
N	U	R	K	T	Y	H	J	P	A	M	T	J	S	S
J	E	L	L	Y	A	A	A	J	C	A	W	U	J	W
U	C	R	L	R	C	R	N	O	I	T	C	N	U	J
M	A	L	S	K	O	S	I	C	A	M	J	K	V	J
P	E	Y	E	T	Y	X	T	K	M	C	T	P	E	I
E	A	T	A	Z	O	G	O	E	A	L	R	Z	N	J
R	E	J	U	N	I	O	R	Y	J	J	J	A	I	A
C	E	L	G	N	A	J	O	Q	E	E	O	T	L	U
L	M	O	I	A	W	M	O	L	A	T	T	L	E	N
E	T	O	U	B	K	L	G	N	P	E	T	O	L	T
W	O	U	X	J	U	G	G	E	R	N	A	U	T	Y
E	C	I	T	S	U	J	E	B	L	P	W	T	A	A
J	M	G	I	J	J	A	U	N	D	I	C	E	T	T
E	R	O	R	V	E	G	D	U	J	O	D	E	B	A

JACKET
JAMAICA
JANGLE
JANITOR
JAUNDICE
JAUNTY
JELLY
JEWEL
JITTERBUG
JOCKEY
JOLLY
JUBILEE
JUDGE
JUGGERNAUT
JUGGLE
JUMPER
JUNCTION
JUNIOR
JUNK
JUSTICE
JUVENILE

272 Bras, Knickers and Pants

S	T	E	P	I	N	S	R	E	M	O	O	L	B	U
E	T	T	E	S	I	M	E	H	C	P	L	I	O	Y
I	C	R	T	V	R	R	R	Y	C	J	Y	N	X	E
T	T	A	I	G	K	E	S	H	O	E	F	G	E	E
N	E	R	M	N	T	G	D	R	R	C	R	E	R	M
A	D	O	I	I	G	D	G	N	S	E	O	R	S	I
P	D	Z	I	K	K	V	V	G	E	I	N	I	M	E
R	Y	P	C	C	S	N	E	W	L	P	T	E	P	A
J	Y	O	A	O	G	R	I	S	E	D	S	Q	I	X
J	R	M	M	T	A	S	E	C	T	O	B	U	L	G
U	L	O	I	S	H	G	T	D	K	C	P	E	S	A
U	T	A	S	Y	B	P	N	R	N	E	J	O	F	R
R	B	M	O	D	C	E	E	O	I	U	R	R	L	R
L	Q	M	L	O	N	G	J	O	H	N	S	S	A	X
X	A	L	E	B	R	I	E	F	S	T	G	L	H	A

BLOOMERS
BODY STOCKING
BOXERS
BRIEFS
CAMIKNICKERS
CAMISOLE
CHEMISETTE
CODPIECE
CORSELET
G-STRING
HALF-SLIP
LINGERIE
LONG JOHNS
PANTIES
STEP-INS
STRING VEST
SUSPENDERS
TEDDY
THONG
UNDERSKIRT
Y-FRONTS

273 It's a Trap!

C	S	C	S	L	L	R	E	P	U	D	B	H	K	Y
A	H	L	I	R	O	O	S	P	P	Q	O	B	R	G
T	S	E	R	R	A	H	O	P	E	R	C	I	V	J
C	U	R	O	A	K	E	O	F	I	L	V	F	L	L
H	B	U	E	V	E	V	N	O	C	J	G	K	L	T
U	M	T	S	N	Y	R	T	S	D	U	A	K	T	W
D	A	P	G	E	O	Q	I	R	N	W	T	H	O	O
I	B	A	S	A	L	S	L	W	F	A	I	O	W	S
C	B	C	K	H	P	R	I	U	P	J	R	N	F	M
R	L	N	C	O	L	L	A	R	R	I	R	E	K	F
D	B	A	I	T	F	S	A	C	P	E	R	Y	R	F
Y	R	S	R	T	P	S	E	I	Z	E	N	T	O	G
Z	N	L	T	O	T	R	Q	Q	Z	R	K	R	Y	E
V	C	S	S	L	G	A	S	E	B	O	A	A	O	I
S	T	U	E	P	J	H	H	U	S	R	M	P	T	C

AMBUSH
ARREST
BAG
BAIT
CAPTURE
CATCH
COLLAR

CORNER
CUT OFF
DUPE
ENSNARE
FOOL
HONEYTRAP
HOODWINK

LURE
NOOSE
PLOY
SEIZE
TAKE PRISONER
TRICK
TRIPWIRE

274 Garden Centre Shopping

S	A	Q	N	L	L	E	S	O	B	P	U	I	H	K
K	A	R	R	T	X	D	S	Q	A	T	F	P	C	I
Y	P	V	S	D	P	L	S	P	E	H	C	O	L	C
G	A	U	T	O	L	D	L	N	O	A	M	N	A	J
R	R	O	N	O	A	A	E	U	F	P	Z	D	T	S
E	D	I	A	F	N	Q	R	E	O	S	A	W	I	W
B	S	V	L	T	T	U	U	S	F	S	N	E	H	Y
T	G	H	P	E	E	B	T	L	R	D	U	L	O	X
O	O	O	E	P	R	U	I	S	T	G	R	L	D	S
P	T	E	S	D	S	L	N	D	Z	K	S	I	E	S
S	S	E	U	C	E	B	R	A	B	B	E	E	B	S
O	E	H	O	T	S	S	U	M	U	I	R	S	U	C
I	G	E	H	R	O	A	F	R	N	T	Y	B	S	P
L	D	P	D	F	R	H	H	S	I	F	I	G	Y	D
R	O	X	X	S	S	S	T	P	M	P	P	I	L	V

BARBECUES
BIRD FEED
BULBS
CAFE
CLOCHE
COMPOST
FISH
FURNITURE
HOUSEPLANTS
NURSERY
PET FOOD
PLANT POTS
PLANTERS
POND
ROSES
SEEDS
SHED
SHRUBS
TOPSOIL
TREES
WELLIES

275 Words Beginning With K

O	B	L	T	K	V	U	U	P	N	L	A	P	R	L
N	A	C	T	J	Z	T	E	N	E	D	S	T	K	R
O	B	A	E	R	Z	Y	U	R	J	L	G	V	A	U
M	E	O	A	R	A	E	P	R	J	E	I	S	Y	J
I	K	N	E	E	L	W	L	M	K	W	P	W	A	S
K	K	E	E	V	J	A	A	R	P	N	K	O	K	U
I	E	T	Y	S	M	K	M	E	P	N	E	N	A	I
N	E	E	N	H	O	B	R	P	I	S	Y	K	R	I
G	P	V	L	A	O	R	T	P	K	E	P	R	A	U
F	S	S	L	H	R	L	E	I	C	D	A	I	T	T
I	A	A	X	R	A	K	E	K	I	N	D	L	E	R
S	K	A	L	E	G	U	S	N	N	T	Y	L	J	Z
H	E	U	L	X	N	I	L	I	R	E	J	U	U	O
E	H	J	R	S	A	Q	S	S	O	E	A	Y	E	A
R	R	S	V	E	K	I	L	O	C	O	K	D	B	S

KALE
KANGAROO
KARATE
KAYAK
KEBAB
KEELHAUL
KEEPSAKE
KERNEL
KEROSENE
KEYHOLE
KEYPAD
KILO
KIMONO
KINDLE
KINGFISHER
KIPPER
KNEAD
KNEEL
KNOW
KOALA
KRILL

276 Trim it Down

E	H	A	S	S	T	R	C	L	I	P	K	P	T	J
S	R	R	H	E	M	U	N	E	B	X	C	E	U	G
T	H	A	C	E	T	R	E	D	U	C	E	D	I	T
R	V	E	P	B	S	E	T	R	I	M	H	G	S	A
E	F	L	A	H	U	S	H	O	R	T	E	N	H	S
A	V	C	F	R	J	N	G	I	R	S	I	A	T	V
M	K	O	H	R	D	E	I	P	A	P	C	L	P	W
L	Y	W	M	O	A	D	L	A	Q	K	B	X	D	I
I	A	A	E	E	P	N	S	X	O	C	X	A	T	E
N	R	I	L	C	R	O	P	F	K	G	L	D	J	E
E	A	V	A	H	U	C	F	S	W	F	L	Z	Q	S
P	J	G	P	R	N	B	M	F	L	E	C	T	D	V
J	F	S	T	L	E	E	D	E	F	W	X	S	T	W
R	T	E	O	T	O	S	U	N	B	O	S	Y	H	S
P	U	S	F	D	L	T	R	U	H	W	Y	S	P	I

ADJUST
CHOP OFF
CLIP
CONDENSE
CROP
CUT BACK
EDIT
HACK OFF
HALF
HEM
LIGHTEN
PARE
PRUNE
REDUCE
REMOVE
SHAVE
SHEAR
SHORTEN
SNIP
STREAMLINE
TRIM

277 Pick and Mix

S	R	E	C	U	A	S	G	N	I	Y	L	F	C	K
T	P	F	P	H	T	A	M	W	A	X	X	P	X	T
R	E	O	M	J	E	E	G	U	M	D	R	O	P	R
A	W	L	R	T	E	W	B	U	L	L	S	E	Y	E
W	Z	I	B	D	V	L	I	R	J	P	X	R	E	P
B	P	L	N	A	R	Q	L	N	E	G	R	L	V	P
E	W	A	Q	E	T	A	Q	Y	G	H	O	U	E	O
R	O	C	K	S	G	S	E	E	B	G	S	P	O	T
R	T	S	T	R	S	U	K	P	X	E	U	O	D	S
Y	I	W	O	L	L	A	M	H	S	R	A	M	E	B
L	C	A	R	A	M	E	L	S	P	T	E	N	E	O
A	O	U	I	A	F	R	I	E	D	E	G	G	S	G
C	O	L	A	B	O	T	T	L	E	S	D	T	I	E
E	C	I	R	O	U	Q	I	L	O	G	U	G	N	F
S	T	N	I	M	R	E	P	P	E	P	F	L	A	T

ANISEED
BULL'S-EYE
CARAMELS
CHEWING GUM
COLA BOTTLES
FLYING SAUCERS
FRIED EGGS
FUDGE
GOBSTOPPER
GUMDROP
JELLYBEANS
LIQUORICE
MARSHMALLOW
PEAR DROPS
PEPPERMINTS
ROCK
SHERBET
SOUR PLUMS
STRAWBERRY LACES
TABLET
WINE GUMS

278 Four E's, Please

V	A	T	U	H	S	E	V	E	N	T	E	E	N	W
E	R	E	H	W	E	S	L	E	D	S	N	P	D	W
E	D	E	D	E	E	C	X	E	Y	E	R	L	E	W
S	E	L	B	E	E	F	N	E	V	E	D	D	E	E
T	N	E	C	S	E	V	R	E	F	F	E	A	P	C
E	R	E	I	E	P	S	R	E	L	F	T	T	E	N
E	T	E	T	Y	T	T	R	U	E	L	N	A	N	E
M	V	R	F	R	H	E	S	R	O	V	E	R	E	R
E	D	E	F	E	N	C	E	L	E	S	S	C	D	E
D	M	V	L	C	R	N	A	M	S	I	E	K	X	V
F	V	E	E	S	C	E	C	N	E	G	R	E	M	E
D	S	S	K	E	D	G	E	R	E	E	P	I	R	R
S	H	R	D	E	R	E	B	M	E	M	E	R	R	E
L	R	E	N	E	T	E	E	W	S	D	R	R	V	P
V	Y	P	E	G	A	E	C	N	E	M	E	H	E	V

DEEPENED
DEFENCELESS
DEFERENCE
EFFERVESCENT
ELSEWHERE
EMERGENCE
ENFEEBLE

ESTEEMED
EXCEEDED
EXCELLENCE
KEDGEREE
NEVERTHELESS
PERSEVERE
PREFERENCE

REFEREE
REMEMBERED
REPRESENTED
REVERENCE
SEVENTEEN
SWEETENER
VEHEMENCE

279 Words Beginning With L

X	G	P	T	A	D	E	F	I	L	H	L	U	E	T
L	N	H	P	T	S	S	P	A	A	A	L	W	R	O
A	I	V	X	E	W	Q	B	M	M	N	K	C	S	O
W	D	B	M	L	G	O	E	I	A	V	W	H	C	X
L	N	W	E	A	U	A	N	E	L	L	R	V	S	B
E	A	A	H	R	H	A	U	Z	L	O	P	A	L	Q
S	L	B	X	K	T	I	L	G	I	Q	S	A	E	M
S	E	R	E	E	N	Y	E	R	N	U	M	J	M	L
R	I	V	P	L	I	T	L	O	C	A	T	I	O	N
L	Y	T	A	T	R	F	S	E	N	C	L	A	N	F
J	B	D	O	B	Y	H	L	Y	R	I	C	I	S	T
P	E	T	O	N	B	P	C	G	T	O	T	D	J	L
N	R	E	T	N	A	L	W	N	M	U	T	A	L	V
R	E	G	N	I	L	I	M	O	U	S	I	N	E	I
S	C	C	E	U	N	E	O	Q	L	L	J	R	P	U

LABEL
LABOUR
LABYRINTH
LADEN
LAMINATE
LAMP
LANDING
LANGUAGE
LANTERN
LARK
LAWLESS
LEMON
LIBERTY
LIFE
LIMOUSINE
LINGER
LLAMA
LOCATION
LOQUACIOUS
LUNCH
LYRICIST

280 Three I's

G	L	A	T	Q	C	I	V	I	L	I	T	Y	T	K
G	T	C	P	N	I	G	N	I	T	I	N	G	E	N
E	N	R	B	I	K	I	N	I	R	E	J	I	Z	X
Y	T	I	M	R	I	F	N	I	N	S	I	P	I	D
Z	I	T	H	K	Q	T	P	I	T	A	L	S	Y	S
E	C	I	Y	S	L	S	W	U	W	I	F	T	T	G
E	I	C	T	F	I	N	T	R	I	N	S	I	C	O
I	L	I	I	D	M	N	O	R	T	V	H	I	Q	R
P	P	S	N	T	I	J	I	U	T	I	S	L	V	T
O	M	M	I	C	T	G	N	F	I	T	I	L	W	A
S	I	E	F	R	I	J	O	D	C	I	N	I	S	A
R	J	B	N	D	N	T	Y	T	I	N	I	C	I	V
O	E	E	I	T	G	A	I	O	S	G	M	I	T	R
D	U	T	J	T	K	D	D	N	M	R	I	T	S	N
O	Y	T	I	N	I	V	I	D	G	S	D	V	G	W

BIKINI
CIVILITY
CRITICISM
DIMINISH
DISPIRIT
DIVINITY
FINISHING
IGNITING
ILLICIT
IMPLICIT
INCITING
INFINITY
INFIRMITY
INSIPID
INTRINSIC
INVITING
LIMITING
RIGIDITY
VICINITY
VISITING
WITTICISM

281 Two U's

R	S	R	S	A	J	F	G	R	J	P	Q	E	R	J
Q	X	O	C	E	T	Z	U	T	H	O	T	K	U	T
M	S	U	A	L	E	E	B	W	N	S	A	R	T	F
X	I	S	P	K	Y	R	M	A	P	A	G	B	J	O
A	R	A	M	U	K	N	U	B	K	U	D	U	Y	A
S	H	M	F	O	C	I	H	F	R	D	H	B	L	Y
O	O	U	I	R	U	N	F	U	R	L	R	B	U	R
Y	R	R	D	N	L	E	C	Y	L	Z	O	U	R	U
O	R	M	U	M	N	T	B	S	N	A	P	H	N	S
R	F	U	N	G	U	S	P	M	R	T	O	D	U	U
E	R	R	X	T	P	R	U	S	U	E	Z	L	Q	B
D	S	O	U	U	N	S	D	R	B	C	P	A	W	U
S	J	S	B	P	L	U	N	M	N	R	C	S	E	R
R	I	F	S	Z	A	Y	D	N	U	G	R	U	B	B
P	Q	A	E	S	M	I	F	S	S	H	P	R	S	R

BUNKUM
BURGUNDY
FUNGUS
GURU
HUBBUB
HUMBUG
HUMDRUM
KUDU
LUXURY
MURMUR
SUBURB
SUCCUMB
SUNBURN
SURPLUS
TUTU
UNFURL
UNLUCKY
UNRULY
UPTURN
USURP
USURY

282 Trophy Cabinet

M	A	S	T	E	R	S	I	F	V	M	O	W	N	C
T	W	A	L	K	E	R	R	F	V	D	E	R	R	O
R	W	C	R	U	W	E	V	Y	O	B	U	G	O	V
P	G	I	P	J	E	E	N	O	B	I	I	Q	D	P
L	U	R	H	D	A	T	W	E	V	K	P	N	O	I
O	M	E	O	Y	S	D	L	E	R	V	R	W	P	Y
E	D	M	A	G	O	L	D	E	N	G	L	O	V	E
R	L	A	N	O	I	T	A	N	D	N	A	R	G	L
D	U	U	G	S	C	O	T	T	I	S	H	C	W	N
T	A	S	H	E	S	U	I	J	U	O	I	E	M	A
A	S	V	I	U	G	U	J	T	E	R	A	L	C	T
W	W	N	I	T	P	U	F	E	D	C	U	P	F	S
L	C	O	E	S	R	Y	D	E	R	L	E	I	B	R
V	I	L	F	A	C	U	P	U	C	D	L	R	O	W
T	G	M	Y	Y	E	C	C	A	L	C	U	T	T	A

AMERICA'S
ASHES
AULD MUG
CALCUTTA
CLARET JUG
CURTIS
DAVIS
FA CUP
FED CUP
FREEDOM
GOLDEN GLOVE
GOODWOOD
GRAND NATIONAL
MASTERS
RYDER
SCOTTISH
STANLEY
TRIPLE CROWN
WALKER
WEBB ELLIS
WORLD CUP

283 Underground or Secret

I	D	T	T	D	E	L	A	E	C	N	O	C	A	H
S	L	E	N	I	T	S	E	D	N	A	L	C	E	U
A	B	V	E	S	L	B	J	E	S	D	O	O	B	S
S	M	I	M	S	U	S	I	T	R	N	U	E	U	H
Y	N	S	E	I	A	C	R	P	F	T	L	B	N	H
T	L	R	S	D	V	M	S	I	O	O	T	D	D	U
G	A	E	A	E	E	G	D	F	W	E	J	G	E	S
T	B	V	B	N	E	E	S	G	R	F	U	S	R	H
O	F	B	B	T	N	I	R	R	C	E	S	U	C	I
I	T	U	Z	T	G	O	A	L	R	O	O	N	O	C
O	I	S	I	H	U	N	T	R	L	J	V	K	V	R
F	L	A	T	N	E	M	I	R	E	P	X	E	E	Y
N	L	V	D	A	G	L	Z	X	N	A	G	N	R	P
T	T	Y	N	N	L	G	F	U	R	T	I	V	E	T
C	E	L	L	A	R	R	H	B	U	R	I	E	D	S

BASEMENT
BELOW GROUND
BURIED
CELLAR
CLANDESTINE
CONCEALED
CONFIDENTIAL
COVERED
COVERT
CRYPT
DISSIDENT
EXPERIMENTAL
FURTIVE
GUERRILLA
HUSH-HUSH
OUT OF SIGHT
SUBTERRANEAN
SUBVERSIVE
SUNKEN
UNDERCOVER
VAULT

284 Words Beginning With M

L	A	C	I	S	U	M	K	L	O	H	T	N	E	M
A	L	J	Y	S	U	O	L	L	E	V	R	A	M	E
R	H	M	A	J	O	R	E	B	L	B	G	P	A	T
O	A	A	N	M	K	T	T	L	D	W	E	I	R	E
M	P	C	O	M	L	G	M	C	D	V	X	Z	I	O
J	U	E	C	I	E	A	O	X	U	D	P	R	G	R
B	E	E	P	S	N	G	W	M	M	G	I	A	O	A
F	S	J	A	S	I	E	A	O	L	A	M	M	L	W
A	P	Y	I	I	T	G	I	B	D	Z	N	S	D	R
U	I	O	A	S	N	M	E	I	Y	A	I	U	R	C
U	N	I	V	E	O	M	O	L	E	T	E	S	A	A
R	E	G	T	M	A	P	L	E	C	E	E	M	O	L
R	I	A	R	Q	X	K	H	C	Q	S	D	R	W	Q
R	R	U	K	A	S	P	T	P	J	X	U	E	O	X
R	H	P	R	N	X	I	G	X	I	P	P	M	X	O

MACE
MAGNET
MAJOR
MANSION
MANUAL
MAPLE
MARIGOLD
MARVELLOUS
MARZIPAN
MEADOW
MEGABYTE
MENTHOL
METEOR
MIDDLE
MOBILE
MOLE
MORAL
MORTGAGE
MUDDLE
MUSCLE
MUSICAL

285 All Together Now

Y E S U O E N A T L U M I S E
L W O J Y B K E E H C R N U K
E S S A M N E M D E O U A O T
V I N A R O W I I G N C B E P
I H N Y O O L T S B C S O N S
T Z A S M R T E Y T U T D A Y
C L L N U E R M B P R N Y R N
E E L O D C E A E O R E L O C
L N A S U I C S D U E D L P H
L O T I S P N E I I N I A M R
O S O N P R O H S B T C U E O
C A N U H O C T A S H N T T N
U Y C N U C N T B N I I U N O
J G E I S A I A K N D O M O U
J O I N T L Y G O P U C N C S

ALL AT ONCE
AS ONE
AT THE SAME TIME
CHEEK BY JOWL
COINCIDENT
COLLECTIVELY
CONCURRENT
CONTEMPORANEOUS
EN MASSE
HAND IN HAND
IN A BODY
IN A ROW
IN CONCERT
IN SUCCESSION
IN UNISON
JOINTLY
MUTUALLY
RECIPROCAL
SIDE BY SIDE
SIMULTANEOUS
SYNCHRONOUS

286 Words Beginning With N

M	G	S	U	B	E	G	P	S	I	Q	W	F	I	K
N	J	T	Y	K	A	R	A	U	F	Q	E	O	K	I
U	U	O	G	L	T	W	Y	O	Q	U	E	S	R	U
E	A	T	O	E	L	B	M	I	N	V	O	T	G	N
C	T	E	L	Z	Z	O	N	X	L	L	R	C	N	E
I	S	U	O	I	R	O	T	O	N	K	U	C	I	X
N	U	T	R	I	T	I	O	N	I	L	P	E	H	F
A	S	A	U	A	R	I	A	R	G	S	S	C	T	A
R	E	I	E	R	U	T	A	N	H	O	E	O	O	R
C	U	N	N	L	I	N	O	R	T	H	E	R	N	M
O	S	C	U	O	T	N	Z	D	C	G	U	D	L	I
T	E	P	N	T	E	V	I	T	A	G	E	N	F	G
I	Q	A	T	W	P	I	I	M	P	E	F	D	D	Y
C	L	A	R	T	U	E	N	V	N	R	E	V	T	K
M	S	U	E	S	R	U	N	I	B	O	A	E	H	R

NARCOTIC
NATIONAL
NATURE
NEED
NEGATIVE
NEPTUNE
NEUROLOGY
NEUTRAL
NEW
NIB
NICE
NIGHTCAP
NIMBLE
NOISE
NORTHERN
NOTHING
NOTORIOUS
NOXIOUS
NOZZLE
NURSE
NUTRITION

287 Left High and Dry

R	N	I	K	C	A	P	K	H	W	S	R	M	U	T
T	O	X	R	C	U	J	P	S	P	U	T	X	W	L
H	T	I	W	H	S	I	N	I	F	M	I	C	L	Q
R	U	E	D	A	M	S	T	U	O	T	U	C	B	R
O	O	L	E	A	V	E	P	Q	K	R	Q	D	Z	I
W	K	A	S	U	R	R	E	N	D	E	R	Q	H	J
O	L	V	E	A	R	E	S	I	G	N	B	S	N	A
V	A	T	R	D	T	J	I	L	T	O	A	O	D	Q
E	W	D	T	I	E	A	E	E	J	U	D	R	I	U
R	K	T	Z	S	K	C	O	R	M	N	V	T	T	E
L	T	A	G	C	L	K	I	Z	A	C	M	O	C	S
I	M	T	S	A	R	R	D	B	R	E	R	T	H	W
K	M	B	C	R	Q	E	A	T	O	A	K	T	W	T
S	Z	K	L	D	O	S	V	S	O	U	A	S	T	S
B	C	L	H	W	S	F	I	E	N	S	W	A	Y	K

ABANDON
CEDE
CUT OUT
DESERT
DISCARD
DITCH
DUMP
FINISH WITH
FORSAKE
JILT
LEAVE
MAROON
PACK IN
QUIT
RELINQUISH
RENOUNCE
RESIGN
STRAND
SURRENDER
THROW OVER
WALK OUT ON

288 Nasty Piece of Work

S	N	L	E	R	P	H	E	L	L	I	S	H	J	V
U	U	U	W	S	A	I	L	U	F	E	T	A	H	X
S	U	O	I	X	O	N	B	O	Q	T	I	A	O	A
U	L	F	I	O	T	N	A	N	G	U	P	E	R	L
O	V	I	U	D	E	H	C	T	E	R	W	R	R	L
I	I	S	A	B	O	M	I	N	A	B	L	E	I	W
C	T	W	F	F	Q	A	P	Z	B	X	A	R	D	C
O	N	N	D	U	O	B	S	C	E	N	E	S	O	E
R	T	N	E	L	O	V	E	L	A	M	D	X	E	J
T	J	J	S	L	G	O	D	A	W	F	U	L	Q	Y
A	S	T	R	S	L	O	A	T	H	S	O	M	E	I
P	U	H	U	U	R	E	V	O	L	T	I	N	G	V
O	P	R	C	T	S	T	P	A	A	O	D	I	I	M
A	T	K	C	S	U	L	Q	E	P	L	O	L	V	U
A	X	V	A	N	A	B	H	O	R	R	E	N	T	L

ABHORRENT
ABOMINABLE
ACCURSED
ATROCIOUS
BASE
DESPICABLE
FOUL
GODAWFUL
HATEFUL
HELLISH
HORRID
LOATHSOME
MALEVOLENT
OBNOXIOUS
OBSCENE
ODIOUS
REPELLENT
REPUGNANT
REVOLTING
VILE
WRETCHED

289 Seven-letter Words

Q	A	N	L	A	L	O	D	N	O	G	B	F	C	Y
H	A	M	M	O	N	I	A	A	P	R	I	C	O	T
Y	D	N	G	T	S	E	D	U	O	L	H	E	N	O
V	L	C	O	C	S	Z	J	C	A	R	M	I	N	E
F	Z	O	E	S	V	R	T	S	U	A	H	X	E	V
S	B	R	I	S	T	L	E	S	M	O	R	M	C	S
L	N	R	V	P	E	R	F	O	R	M	A	I	T	W
D	L	E	I	R	S	P	I	B	R	G	J	U	N	D
E	T	C	N	O	S	R	O	L	I	A	B	E	A	I
A	H	T	T	V	S	O	N	C	U	B	L	P	I	A
C	V	I	A	I	H	B	A	P	L	K	R	R	R	R
G	A	P	G	S	O	L	V	E	N	T	R	U	A	X
L	T	H	E	O	R	E	M	I	E	S	Y	P	V	E
O	R	W	T	R	I	M	R	M	E	I	J	O	G	T
O	A	I	R	U	E	W	H	S	P	E	S	B	O	R

AMMONIA	EXHAUST	PROVISO
APRICOT	GONDOLA	SOLVENT
BRISTLE	LOUDEST	STUBBLE
CARMINE	MAGICAL	THEOREM
CONNECT	NOSTRIL	VARIANT
CORRECT	PERFORM	VINTAGE
DISCERN	PROBLEM	WRINKLE

290 Words Beginning With O

B	U	P	Q	C	R	L	N	R	E	H	T	O	K	C
H	V	H	S	E	S	A	P	A	U	R	U	O	D	O
U	H	R	L	A	E	M	T	A	O	T	B	Z	L	A
A	L	I	R	C	R	C	Z	F	L	S	A	T	V	S
Y	Q	P	O	Z	N	R	F	O	C	C	U	P	Y	I
Z	X	V	A	O	L	I	O	U	T	D	O	O	R	S
V	N	S	D	V	C	K	R	C	S	P	U	F	A	U
Y	Z	S	O	E	T	E	I	O	T	R	L	S	I	I
C	R	T	R	R	T	A	L	I	P	O	A	Q	A	D
E	U	E	N	C	N	A	C	E	S	E	P	T	A	S
T	C	S	T	A	H	A	D	A	P	V	R	U	D	M
U	C	P	Q	S	L	U	M	T	Y	I	O	A	S	K
R	O	C	Q	T	Y	C	X	E	U	L	I	E	M	Q
S	Y	R	E	C	N	O	I	Z	N	O	N	E	U	J
Y	U	O	I	A	S	M	T	S	O	T	S	O	Z	U

OASIS
OATMEAL
OBSCURE
OCCUPY
OCCUR
OCEAN
OCTOPUS
ODOUR
OFFICER
OLIVE
ONCE
ONLY
OPERA
OPTICAL
ORNAMENT
OTHER
OUTDATED
OUTDOOR
OUTLOOK
OVERCAST
OYSTER

291 Fair and Square

B	H	B	E	K	T	H	V	S	E	F	W	D	Y	N
A	E	O	F	R	A	X	O	T	N	O	R	F	P	U
H	A	I	N	H	E	C	A	N	D	I	D	A	J	E
L	R	G	B	O	F	C	E	J	E	S	E	I	N	M
U	T	T	J	R	U	M	N	I	Q	S	M	R	S	K
C	F	F	E	S	T	R	A	I	G	H	T	A	S	M
I	E	U	T	R	U	E	A	V	S	L	I	N	Z	C
T	L	E	A	B	O	V	E	B	O	A	R	D	C	Z
N	T	H	M	A	N	R	S	R	L	G	E	S	L	K
E	E	D	I	F	A	N	O	B	Q	E	H	Q	E	O
H	S	R	T	C	R	S	U	R	A	L	S	U	J	R
T	H	G	I	R	H	T	R	O	F	E	O	A	O	H
U	I	O	G	V	Z	T	I	F	T	F	K	R	F	W
A	U	N	E	P	O	G	E	N	U	I	N	E	U	Q
S	S	T	L	A	C	I	H	T	E	P	S	J	V	R

ABOVE BOARD
AUTHENTIC
BONA FIDE
CANDID
ETHICAL
FAIR AND SQUARE
FORTHRIGHT
FRANK
GENUINE
HEARTFELT
HONEST
HONOURABLE
KOSHER
LEGAL
LEGITIMATE
OPEN
SINCERE
STRAIGHT
TRUE
UPFRONT
VERACIOUS

292 Cut it Down to Size

H	H	N	H	C	L	E	S	S	E	N	D	N	G	E
L	R	P	R	U	N	E	Z	J	H	O	E	B	A	A
E	G	D	I	R	B	A	V	R	W	O	C	L	I	P
A	B	J	R	T	U	Q	S	N	O	A	R	E	P	N
E	A	F	A	A	I	A	S	T	D	B	E	T	T	S
R	T	E	S	I	M	I	N	I	M	B	A	S	E	A
T	F	A	R	L	Z	Q	A	U	R	R	S	Y	L	N
C	O	N	C	E	N	T	R	A	T	E	E	D	O	V
A	H	S	I	N	I	M	I	D	R	V	D	H	O	S
R	V	G	E	X	U	K	T	P	P	I	W	U	E	I
T	Y	C	O	M	P	R	E	S	S	A	C	R	C	C
N	D	N	A	U	I	B	T	L	T	T	F	R	S	E
O	I	S	U	M	M	A	R	I	S	E	S	Y	O	R
C	O	N	D	E	N	S	E	J	S	S	A	R	S	P
D	R	A	R	O	K	M	S	N	T	P	U	C	J	M

ABBREVIATE
ABRIDGE
CLIP
COMPRESS
CONCENTRATE
CONDENSE
CONTRACT
CROP
CURTAIL
DECREASE
DIMINISH
DOWNSIZE
LESSEN
MINIMISE
PRECIS
PRUNE
REDUCE
SHORTEN
SUMMARISE
TRIM
TRUNCATE

293 Antisocial Behaviour

I	T	L	O	I	U	L	I	S	C	I	L	S	R	L
P	R	C	Y	V	O	R	B	N	N	T	C	S	S	U
N	N	A	S	T	Y	A	T	S	E	A	L	U	T	F
N	O	E	T	B	R	H	U	G	T	A	Z	O	D	M
S	F	I	E	Q	O	L	A	H	N	V	V	I	E	R
A	F	M	A	A	T	V	I	D	N	P	I	C	V	A
O	E	M	U	I	A	N	E	E	Q	O	O	I	I	H
P	N	R	N	S	G	R	O	U	G	H	L	V	O	L
W	S	G	Y	R	O	T	A	M	A	F	E	D	U	R
I	I	N	J	U	R	I	O	U	S	I	N	F	S	I
L	V	S	S	D	E	S	T	R	U	C	T	I	V	E
D	E	G	R	A	D	I	N	G	C	R	U	E	L	Y
U	R	T	I	J	A	P	B	R	U	T	A	L	A	W
S	M	Z	A	B	B	E	R	H	L	N	I	U	R	P
U	R	O	O	L	T	C	R	P	H	T	R	P	R	U

BRUTAL
CRUEL
DEFAMATORY
DEGRADING
DEROGATORY
DESTRUCTIVE
DEVIOUS
HARMFUL
HURTFUL
INJURIOUS
INSULTING
NASTY
OFFENSIVE
ROUGH
RUDE
SAVAGE
SCATHING
SLANDEROUS
VICIOUS
VIOLENT
WILD

294 Academic

R	M	R	O	W	K	O	O	B	E	U	P	R	J	U
Y	R	M	O	T	L	J	W	F	E	N	R	R	K	A
U	R	E	A	S	M	E	M	L	D	S	B	L	S	A
R	B	A	H	N	S	Z	C	F	U	U	R	P	T	M
H	J	L	R	C	O	E	S	T	N	E	D	U	T	S
C	C	D	C	E	A	F	F	C	U	Q	R	E	S	M
E	R	O	T	U	T	E	L	O	H	R	C	G	A	L
U	H	N	L	A	C	I	T	E	R	O	E	H	T	N
A	W	O	L	L	E	F	L	Q	T	P	L	R	W	R
I	X	I	N	T	E	L	L	E	C	T	U	A	L	B
Z	L	U	F	T	H	G	U	O	H	T	E	V	R	A
W	W	O	R	B	H	G	I	H	P	P	R	R	C	S
X	T	Z	R	R	E	T	S	A	M	C	X	P	S	A
R	B	V	P	U	P	I	L	E	T	T	E	R	E	D
L	I	R	E	H	C	R	A	E	S	E	R	Y	A	O

BOOKWORM
COLLEGIATE
DEAN
DON
FELLOW
HIGHBROW
INTELLECTUAL
LECTURER
LETTERED
LITERARY
MAN OF LETTERS
MASTER
PROFESSOR
PUPIL
RESEARCHER
SCHOLAR
STUDENT
TEACHER
THEORETICAL
THOUGHTFUL
TUTOR

295 Full Throttle

```
G A U N Z H T N P Q A Z B T O
A E R Q I U S M I C I U D L A
V C H A P R Y P C R W R F A X
W T S S P R P E K P A O A S U
T Y W T Y I L T U U A R D N O
Q E E R O E D F P S A W V E U
E L L T R D J I S U L Z A T S
R X L A U D L W P D D P N I A
N E T A L A C S E D O E C D I
A E E E B J S P E E D Y E E T
O W T T N W S U D N B Q D P A
N F A S T D O R T I U S G X S
C Y T S A H T N Q U I C K E N
E Y R R U H T K S Y A U B E E
T T R O I V E E F S S R W R V
```

ACCELERATE
ADVANCE
ESCALATE
EXPEDITE
EXTEND
FAST
HASTEN
HASTY
HURRIED
HURRY
PICK UP SPEED
QUICKEN
RAPID
SNOWBALL
SPEED UP
SPEEDY
SPUR
SUDDEN
SWELL
SWIFT
ZIPPY

296 Just the Way I Talk

R	L	P	E	C	N	E	N	I	M	O	R	P	I	R
Z	W	N	I	M	B	R	O	G	U	E	A	H	J	U
A	M	O	E	R	B	M	I	T	D	N	C	I	R	W
K	E	I	M	N	B	A	T	S	S	O	C	G	U	R
N	V	T	P	E	U	P	A	G	Q	I	E	H	E	E
T	B	A	H	H	E	N	I	U	D	T	N	L	L	C
F	A	L	A	R	T	I	C	U	L	A	T	I	O	N
N	O	U	S	C	U	A	N	I	U	N	A	G	C	E
B	R	D	I	S	D	R	U	L	A	O	E	H	U	T
V	R	O	S	E	H	P	N	S	R	T	B	T	T	S
T	V	M	N	Y	S	N	O	S	R	N	I	N	I	I
D	I	C	T	I	O	N	R	E	R	I	S	O	O	S
R	E	H	U	O	C	R	P	R	R	I	T	F	N	N
Q	M	Q	R	P	N	O	I	T	C	E	L	F	N	I
B	L	L	H	C	E	E	P	S	S	M	D	E	V	Q

ACCENT
ARTICULATION
BEAT
BROGUE
CADENCE
DICTION
ELOCUTION
EMPHASIS
ENUNCIATION
HIGHLIGHT
INFLECTION
INSISTENCE
INTONATION
MODULATION
PROMINENCE
PRONUNCIATION
RHYTHM
SPEECH
STRESS
TIMBRE
TONE

297 Up to Scratch

O	A	V	F	E	E	N	D	U	R	A	B	L	E	B
H	C	W	E	T	A	U	Q	E	D	A	D	T	S	E
G	C	I	S	G	G	P	A	M	S	R	E	U	R	A
U	E	I	K	U	V	O	I	E	A	E	F	D	E	R
O	P	J	U	O	F	S	S	D	T	F	S	R	L	A
N	T	T	Q	N	S	F	N	O	I	A	A	L	B	B
E	A	I	O	I	R	A	E	C	S	I	N	A	A	L
D	B	A	B	T	T	S	I	R	F	R	P	J	W	E
O	L	L	R	S	H	E	L	B	A	R	E	L	O	T
O	E	C	P	R	N	E	O	I	C	B	Z	I	L	A
G	L	M	H	T	R	O	M	M	T	O	L	U	L	R
P	T	H	G	I	R	L	L	A	O	R	K	E	A	E
F	S	E	T	A	I	R	P	O	R	P	P	A	K	D
A	P	A	S	S	A	B	L	E	Y	K	R	K	Y	O
I	Q	U	S	A	G	R	E	E	A	B	L	E	S	M

ACCEPTABLE
ADEQUATE
ADMISSIBLE
AGREEABLE
ALL RIGHT
ALLOWABLE
APPROPRIATE
BEARABLE
ENDURABLE
FAIR
GOOD ENOUGH
MODERATE
OKAY
PASSABLE
SATISFACTORY
SO-SO
STANDARD
SUFFERABLE
SUFFICIENT
TOLERABLE
UP TO THE MARK

298 Words Beginning With P

U	O	B	R	P	T	P	L	P	V	O	T	O	H	P
U	T	T	E	N	A	L	P	A	P	Y	R	U	S	H
N	F	T	J	M	A	O	P	P	N	U	E	Z	M	I
A	P	V	R	P	U	T	U	E	I	O	Z	Z	X	L
R	L	L	D	P	R	S	N	T	P	U	S	R	T	O
C	A	P	A	D	D	L	E	C	A	P	S	R	H	S
A	I	P	P	R	O	P	E	R	P	U	E	N	E	O
P	O	A	I	R	A	E	N	I	P	U	C	R	O	P
A	I	N	S	C	I	F	I	C	A	P	A	A	Y	H
R	I	D	K	P	A	N	Y	A	S	I	Y	K	O	Y
K	N	A	P	T	O	L	O	R	T	E	P	E	A	T
Z	G	X	H	I	R	U	R	E	I	M	E	R	P	A
E	A	P	Q	V	L	E	N	N	L	K	P	Z	T	S
I	Z	B	R	P	B	S	N	C	L	M	L	L	J	B
H	M	A	R	P	A	I	N	T	E	R	R	S	P	R

PACE
PACIFIC
PACKAGE
PADDLE
PAINTER
PANDA
PAPYRUS

PASTILLE
PEAT
PEPPERY
PERSONAL
PETROL
PHILOSOPHY
PHOTO

PLANET
PORCUPINE
POUNCE
PRAM
PREMIER
PRESUME
PROPER

299 Photography

```
F G G Q O U A Z Z F M Y E A P
K E S L E N S S R O M G O S C
R O T S A R T N O C G N I A C
Z S V E V A U Z L X E A R M Y
U D T M L I F S W A L U M S S
R G N I S S E C O R P H S U P
T S I U D L H W N P T N I T U
R B R L O R N O F M X D I R E
P W P D P R E K O I E E M I S
S D W D I E G R F T N T O G O
L Y E P R T A K O R R D D G L
S Y A P T T T H C H Z U E E C
P A O K T U I V U A P I L R J
A F L A S H V R S A B Q U B R
R U Y P W S E Z U U H L I M N
```

BACKGROUND
BLUR
CLOSE UP
CONTRAST
DEPTH
EXPOSURE
FILM
FLASH
FOCUS
LENS
MODEL
NEGATIVE
PRINT
PUSH PROCESSING
SHOOT
SHUTTER
TINT
TRIGGER
TRIPOD
VIEWFINDER
ZOOM

300 All the Bells and Whistles

A	U	X	I	L	I	A	R	Y	S	N	S	W	P	T
C	L	D	H	E	H	E	N	C	H	M	A	N	A	N
C	N	L	L	X	A	M	T	T	I	H	V	K	O	E
E	T	H	Y	T	T	B	P	D	C	O	D	R	D	M
S	Q	E	Y	R	T	E	X	T	E	N	S	I	O	N
S	U	L	A	A	A	L	M	A	A	T	U	B	A	R
O	Q	P	P	W	C	L	S	D	T	N	R	J	F	O
R	U	E	P	T	H	I	L	D	U	E	E	N	D	D
Y	P	R	E	L	M	S	Z	I	O	M	N	O	H	A
T	I	E	N	D	E	H	B	T	C	A	T	V	T	D
E	E	S	D	P	N	M	I	I	T	N	R	H	Y	D
T	N	W	A	U	T	E	E	O	W	R	A	U	W	O
P	I	I	G	C	S	N	H	N	K	O	P	Y	R	N
P	P	S	E	R	M	T	N	A	T	S	I	S	S	A
L	X	I	L	F	F	R	I	L	L	P	S	U	B	I

ACCESSORY
ADD-ON
ADDITIONAL
ADJUNCT
ADORNMENT
AID
ALLY
ANCILLARY
APPENDAGE
ASSISTANT
ATTACHMENT
AUXILIARY
EMBELLISHMENT
EXTENSION
EXTRA
FRILL
HELPER
HENCHMAN
ORNAMENT
PARTNER
SUPPLEMENT

SOLUTIONS

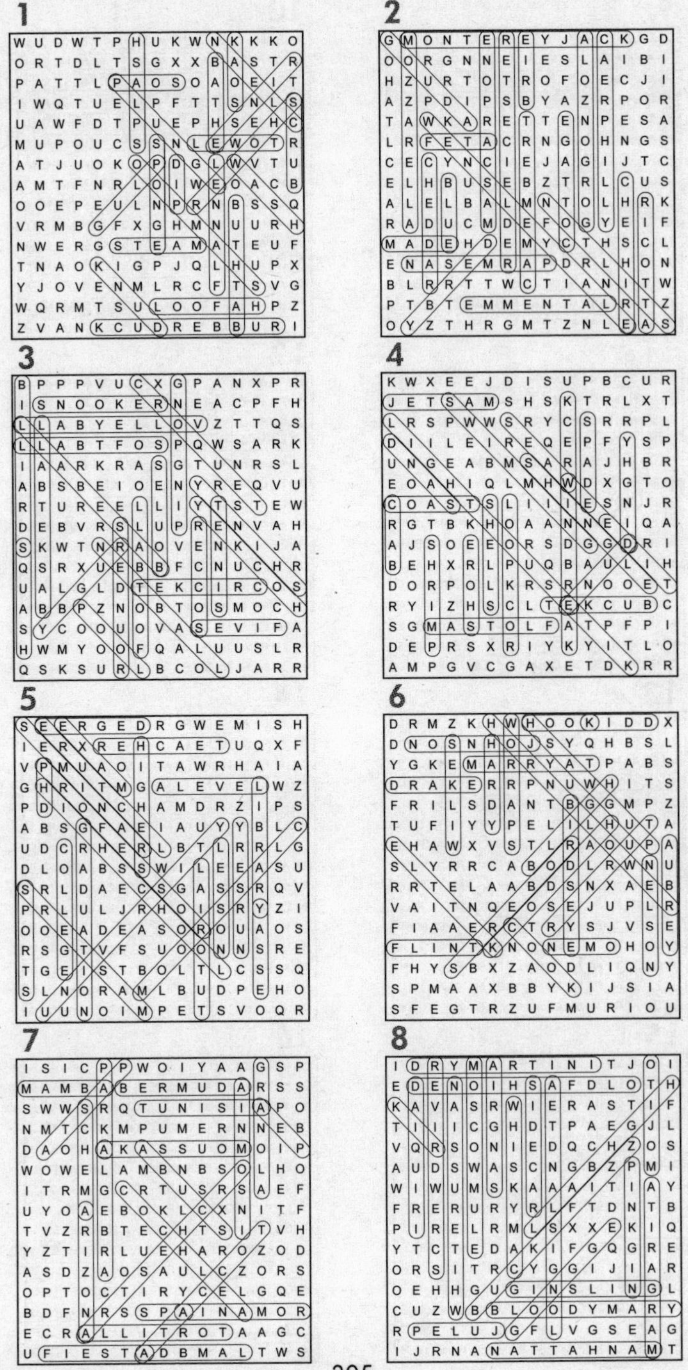

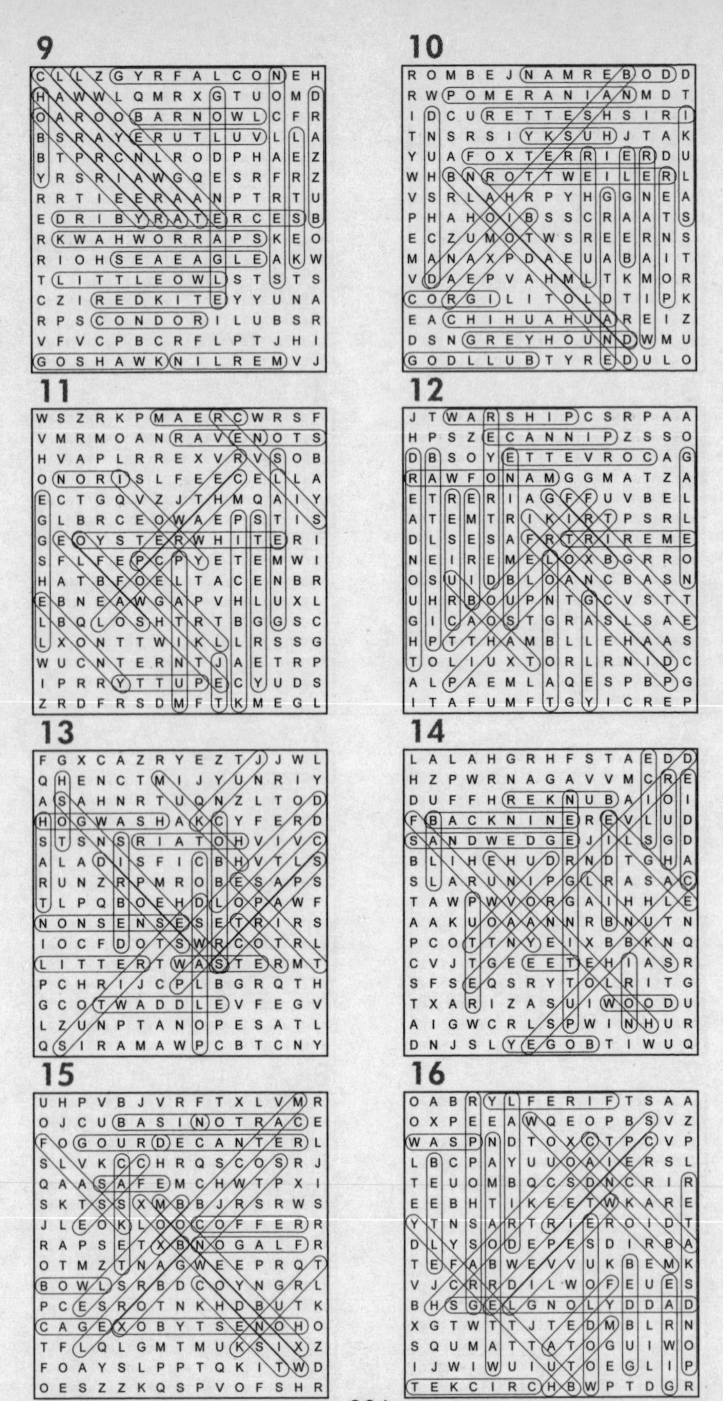

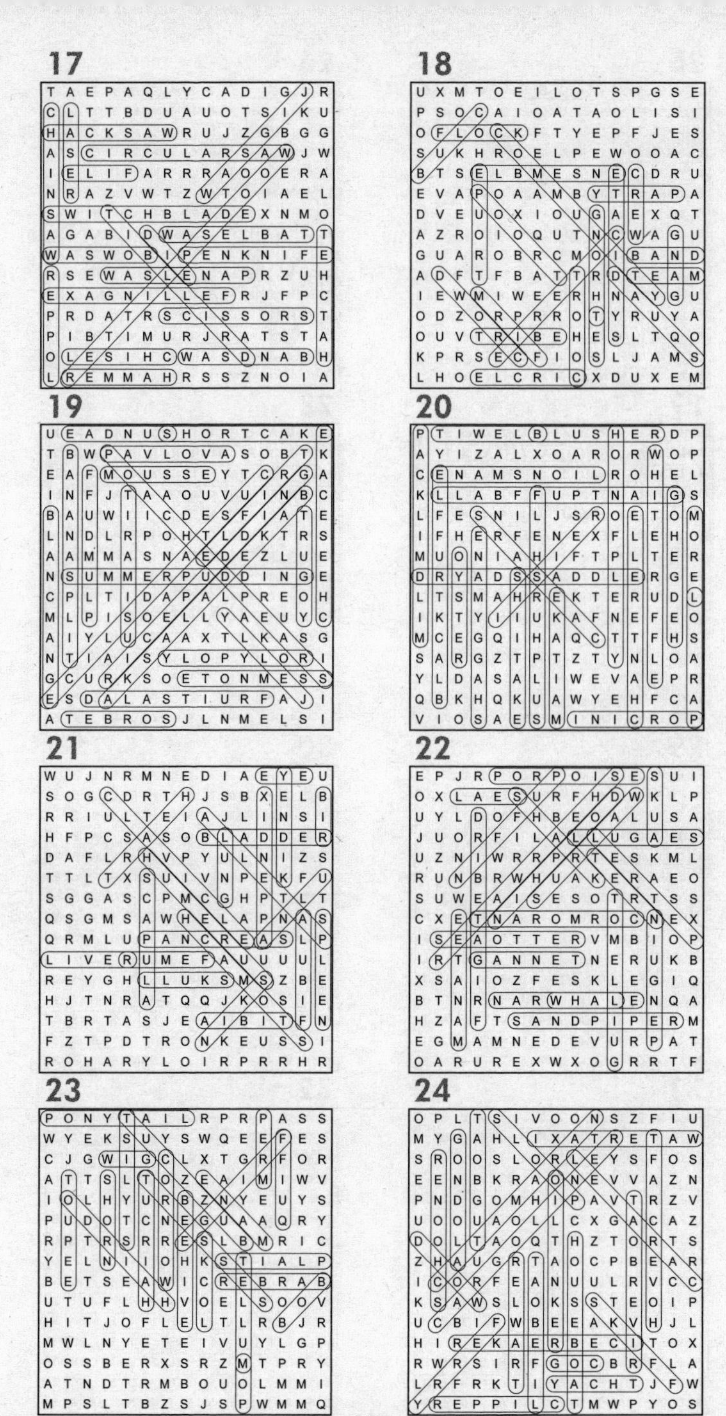
17
T A E P A Q L Y C A D I G J R
C L T T B D U A U O T S I K U
H A C K S A W R U J Z G B G G
A S C I R C U L A R S A W J W
I E L I F A R R R A O O E R A
N R A Z V W T Z W T O I A E L
S W I T C H B L A D E X N M O
A G A B I D W A S E L B A T T
W A S W O B I P E N K N I F E
R S E W A S L E N A P R Z U H
E X A G N I L L E F R J F P C
P R D A T R S C I S S O R S T
P I B T I M U R J R A T S T A
O L E S I H C W A S D N A B H
L R E M M A H R S S Z N O I A
18
U X M T O E I L O T S P G S E
P S O C A I O A T A O L I S I
O F L O C K F T Y E P F J E S
S U K H R O E L P E W O O A C
B T S E L B M E S N E C D R U
E V A P O A A M B Y T R A P A
D V E U O X I O U G A E X Q T
A Z R O I O Q U T N C W A G U
G U A R O B R C M O I B A N D
A D F T F B A T T R D T E A M
I E W M I W E E R H N A Y G U
O D Z O R P R R O T Y R U Y A
O U V T R I B E H E S L T Q O
K P R S E C F I O S L J A M S
L H O E L C R I C X D U X E M
19
U E A D N U S H O R T C A K E
T B W P A V L O V A S O B T K
E A F M O U S S E Y T C R G A
I N F J T A A O U V U I N B C
B A U W I I C D E S F I A T E
L N D L R P O H T L D K T R S
A A M M A S N A E D E Z L U E
N S U M M E R P U D D I N G E
C P L T I D A P A L P R E O H
M L P I S O E L L Y A E U Y C
A I Y L U C A A X T L K A S G
N T I A I S Y L O P Y L O R I
G C U R K S O E T O N M E S S
E S D A L A S T I U R F A J I
A T E B R O S J L N M E L S I
20
P T I W E L B L U S H E R D P
A Y I Z A L X O A R O R W O P
C E N A M S N O I L R O H E L
K L L A B F F U P T N A I G S
L F E S N I L J S R O E T O M
I F H E R F E N E X F L E H O
M U O N I A H I F T P L T E R
D R Y A D S S A D D L E R G E
L T S M A H R E K T E R U D L
I K T Y I I U K A F N E F E O
M C E G Q I H A Q C T T F H S
S A R G Z T P T Z T Y N L O A
Y L D A S A L I W E V A E P R
Q B K H Q K U A W Y E H F C A
V I O S A E S M I N I C R O P
21
W U J N R M N E D I A E Y E U
S O G C D R T H J S B X E L B
R R I U L T E I A J L I N S I
H F P C S A S O B L A D D E R
D A F L R H V P Y U L N I Z S
T T L T X S U I V N P E K F U
S G G A S C P M C G H P T L T
Q S G M S A W H E L A P N A S
Q R M L U P A N C R E A S L P
L I V E R U M E F A U U U U L
R E Y G H L L U K S M S Z B E
H J T N R A T Q Q J K O S I E
T B R T A S J E A I B I T F N
F Z T P D T R O N K E U S S I
R O H A R Y L O I R P R R H R
22
E P J R P O R P O I S E S U I
O X L A E S U R F H D W K L P
U Y L D O F H B E O A L U S A
J U O R F I L A L L U G A E S
U Z N I W R R P R T E S K M L
R U N B R W H U A K E R A E O
S U W E A I S E S O T R T S S
C X E T N A R O M R O C N E X
I S E A O T T E R V M B I O P
I R T G A N N E T N E R U K B
X S A I O Z F E S K L E G I Q
B T N R N A R W H A L E N Q A
H Z A F T S A N D P I P E R M
E G M A M N E D E V U R P A T
O A R U R E X W X O G R R T F
23
P O N Y T A I L R P R P A S S
W Y E K S U Y S W Q E E F E S
C J G W I G C L X T G R F O R
A T T S L T O Z E A I M I W V
I O L H Y U R B Z N Y E U Y S
P U D O T C N E G U A A Q R Y
R P T R S R R E S L B M R I C
Y E L N I I O H K S T I A L P
B E T S E A W I C R E B R A B
U T U F L H H V O E L S O O V
H I T J O F L E L T L R B J R
M W L N Y E T E I V U Y L G P
O S S B E R X S R Z M T P R Y
A T N D T R M B O U O L M M I
M P S L T B Z S J S P W M M Q
24
O P L T S I V O O N S Z F I U
M Y G A H L I X A T R E T A W
S R O O S L O R L E Y S F O S
E E N B K R A O N E V V A Z N
P N D G O M H I P A V T R Z V
U O O U A O L L C X G A C A Z
D O L T A O Q T H Z T O R T S
Z H A U G R T A O C P B E A R
I C O R F E A N U U L R V C C
K S A W S L O K S S T E O I P
U C B I F W B E E A K V H J L
H I R E K A E R B E C I T O X
R W R S I R F G O C B R F L A
L R F R K T I Y A C H T J F W
Y R E P P I L C T M W P Y O S

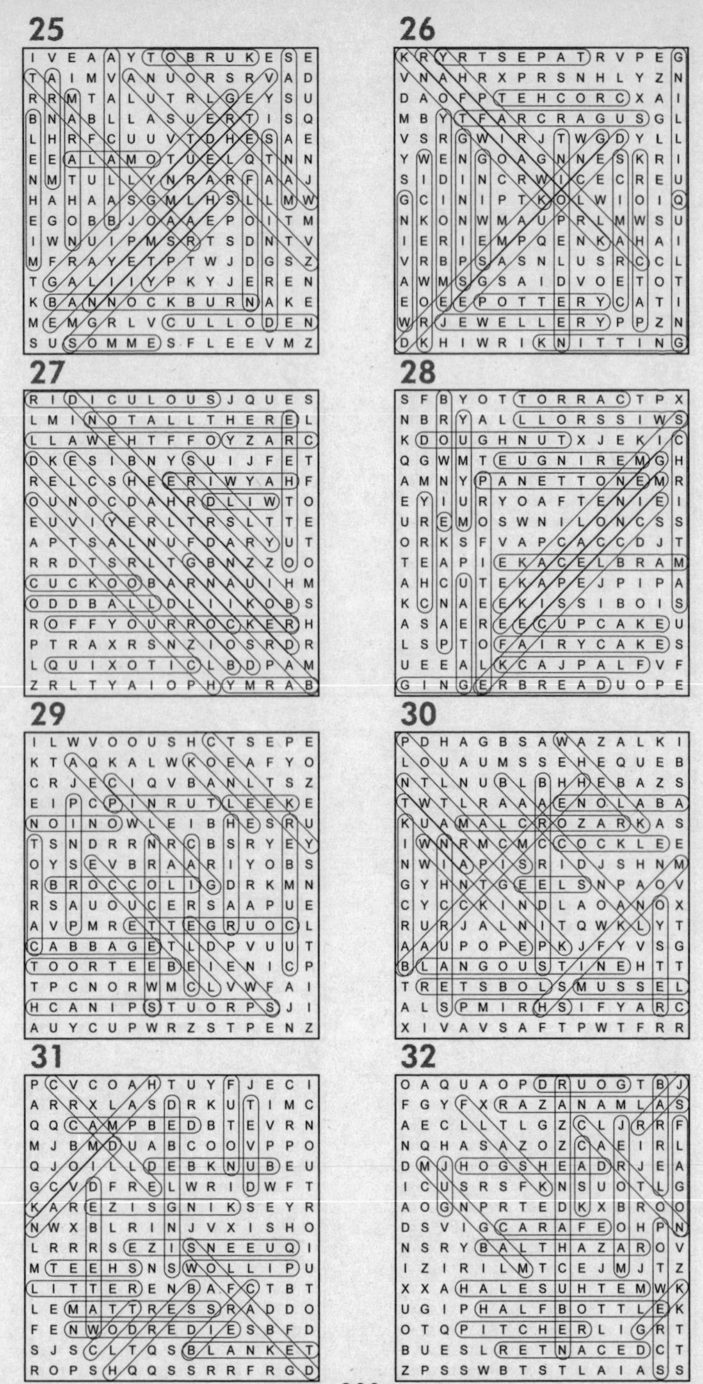
25
26
27
28
29
30
31
32

33

S S R W Z M X E A Z K B G A A
N O A S O L S J S S A T E W L
E O I R O Y X Y B U E R D C C
H N D H S B M V Q D U H I Q S
T D X N L B I B S W G R N G U
A I I H O E S E L T A N B B A
A E K R N L R L E S R S U V S
R E M N D F T G S E P C R T U
T V A O I A A R S P H X G A O
R R L B R S M A U A M S H T W
I M B S P T L D R D U B L I N
L O J I I L H E B U D M W K A
A G E L K R S U H B E R L I N
M P I X O T A D A X S T A E T
T Q T J D T U P T T I V R V P

34

S N D R E T T A B M B K N J N
U E W J T O A S T R A P T S T
P I K I S B W U A W B S B C T
W S P X A O R I P O A P H H S
A E I D B G S O A M R I S C A
Z G T R S E P O I M B T A A T
O A S S C R A M B L E R O O T
J R Z U S P R T T A C O T P V
S K R Y G M B I M U U A S A P
Y R F A Y R O U R R E S S A T
Y D X A G S I K I D Z T U H H
P G F P E R L L E K A B F Y R
A U Q U E T X R L P L L E Y E
T P T U X U O T A R G T O P Z
U E X F C F S G F G E D J T O

35

T P P I L S A J S I H I J S W
P O S T S L E G R I A H P V R
A A N N E H E F T E I E N E E
B Q S F Y R Y S A G Z U I G H
V A W O D C E S H K U N S U S
S O O U R P L L S C E K O O U
Q N D N I C I I I O O T Y R L
S A A D A G N P N N L A A A B
N T H A H F E S R C P G R N D
F Y S T Z K R T A E E F P X F
A A E I O L I I V A R G S I E
G R Y O S N T C L L F V R A L
O P E N R B E K I E U A I P X
G S M A S C A R A R M J A U D
U L B C O L O G N E E P H Z L

36

K F P P Q J W T T S A H D A I
S Y T R A I T O R O U S W U V
Y K N A V E R Y P R R T A A E
S A E I T A Y R E N A C I H C
U K L R I I N D T R S T A U R
O D U P L I C I T O U S I N O
I L D L L Y Y L I W O E Y D O
D R U T D U I K F O I N R E K
I E A S V U O N O U V O E R E
F A R B N T G F G E E H H H D
R E F F O E N G G S D S C A E
E M A C H I A V E L L I A N C
P E X E I D M K R R P D E D E
M E N D A C I T Y F Y S R E I
O L H M F Y R E K C I R T D T

37

U Z O V Z V X X S E N S S G P
L P S T T Y A T I C K E T O O
L L A W H T R U O F R N U C I
K S R A G G R O D P E I D O D
V L T M I F I A T I E L P S E
N N S A N S I L G C E R M T R
S O E R G S C C T E E N A U E
T X H D N E H H S O D R C M M
S Q C O I R C R N X P Y I E H
Z R R L N T T R I Q A S R D S
U W O E E C E O A R Q P J T A
A R R M P A K T T F K O S K A
Y D E M O C S C R Q T R U P I
N T E G M A A A U A S P F A L
J O U P O R D K C A B E R T S

38

I O C U V L U U S V Z R P S Q
I S Y C O N C E R T P J W S I
K I G P R I H T H E A T R E S
R O E F Z V S S P T R D N O E
A R B T A G K S O R K Y I U B
A M S S U C R I C I R R G U R
Q U E G U A O M S B N E H R M
V E S N G B W O I N A L T Z R
L S O D I L X O D R C L C Z F
E U Y N G C A R N I V A L L S
Z M G T U O W L H A V G U E T
U O R A P A N L S F J U B U T
C E O A R E N A E N B Z O K B
Z D T A Q E P B T U B K M Y B
B S U V J S M P C F P O A R R

39

P H A Y Z I J U Q S N N E Y E
U N B O I I T E N O Y A B T R
A A O U W G L A I V E S O X B
E H T A D N D H B X S V X D A
T G R L P N C I C U T L A S S
R A S K Q L A A R S N U D O S
Z T P W A F L I C K K N I F E
I A Z F O I R L G T F I W V R
D Y A R B R O A D S W O R D O
A P L U E S D H T K F I I P M
G A R I K L R S U I C A Z L Y
G R P M A C H E T E M U D N A
E A T R M K U K R I P I C W L
R N H R U U L U Y F C L C P C
Q G J J V T A N A T A K G S H

40

E S H U F F L E V I J Q H R O
C C E O U E L V B X A E J S Y
N A N E R A C A M O S H O Q K
A P O A J N K C M R A N U A F
D H T S D G P L T E T I L X N
K P S T T E E I O G N A T M M
A E E H W H N Y P P I C C F E
E T L T I U Q I S E L J O O C
R S R D S M I Z L O I X N R A
B O A E T K M Q O M T Z G U F
E W H B I Z C Y U R L S A X J
B T C Y M A M I O N S I S J P
T B Z T L A W T U A X Q L U Y
E P E A T Q S N R Q L U A T O
T A T J P G P U E O T O S M Z

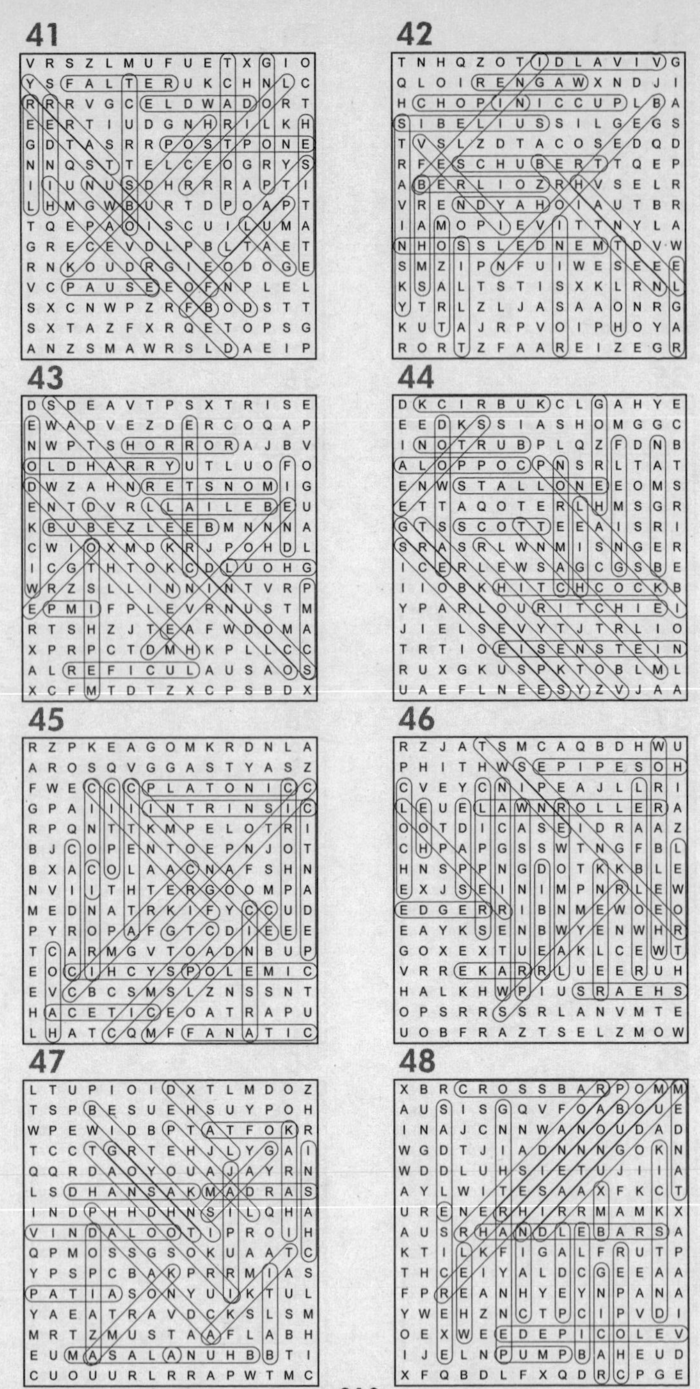
41
42
43
44
45
46
47
48

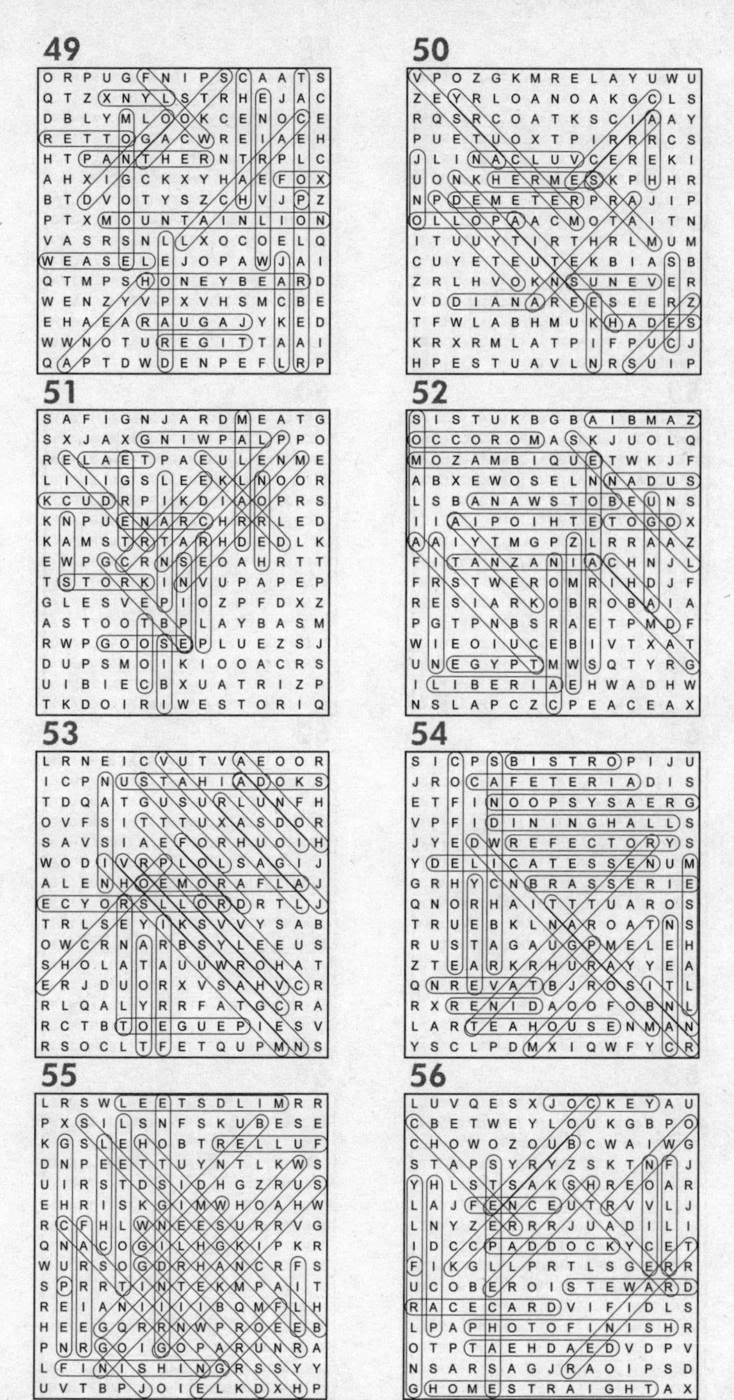
49
O R P U G F N I P S C A A T S
Q T Z X N Y L S T R H E J A C
D B L Y M L O O K C E N O C E
R E T T O G A C W R E I A E H
H T P A N T H E R N T R P L C
A H X I G C K X Y H A E F O X
B T D V O T Y S Z C H V J P Z
P T X M O U N T A I N L I O N
V A S R S N L L X O C O E L Q
W E A S E L E J O P A W J A I
Q T M P S H O N E Y B E A R D
W E N Z Y V P X V H S M C B E
E H A E A R A U G A J Y K E D
W W N O T U R E G I T T A A I
Q A P T D W D E N P E F L R P
50
V P O Z G K M R E L A Y U W U
Z E Y R L O A N O A K G C L S
R Q S R C O A T K S C I A A Y
P U E T U O X T P I R R R C S
J L I N A C L U V C E R E K I
U O N K H E R M E S K P H H R
N P D E M E T E R P R A J I P
O L L O P A A C M O T A I T N
I T U U Y T I R T H R L M U M
C U Y E T E U T E K B I A S B
Z R L H V O K N S U N E V E R
V D D I A N A R E E S E E R Z
T F W L A B H M U K H A D E S
K R X R M L A T P I F P U C J
H P E S T U A V L N R S U I P
51
S A F I G N J A R D M E A T G
S X J A X G N I W P A L P P O
R E L A E T P A E U L E N M E
L I I I G S L E E K L N O O R
K C U D R P I K D I A O P R S
K N P U E N A R C H R R L E D
K A M S T R T A R H D E D L K
E W P G C R N S E O A H R T T
T S T O R K I N V U P A P E P
G L E S V E P I O Z P F D X Z
A S T O O T B P L A Y B A S M
R W P G O O S E P L U E Z S J
D U P S M O I K I O O A C R S
U I B I E C B X U A T R I Z P
T K D O I R I W E S T O R I Q
52
S I S T U K B G B A I B M A Z
O C C O R O M A S K J U O L Q
M O Z A M B I Q U E T W K J F
A B X E W O S E L N N A D U S
L S B A N A W S T O B E U N S
I I A I P O I H T E T O G O X
A A I Y T M G P Z L R R A A Z
F I T A N Z A N I A C H N J L
F R S T W E R O M R I H D J F
R E S I A R K O B R O B A I A
P G T P N B S R A E T P M D F
W I E O I U C E B I V T X A T
U N E G Y P T M W S Q T Y R G
I L I B E R I A E H W A D H W
N S L A P C Z C P E A C E A X
53
L R N E I C V U T V A E O O R
I C P N U S T A H I A D O K S
T D Q A T G U S U R L U N F H
O V F S I T T T U X A S D O R
S A V S I A E F O R H U O I H
W O D I V R P L O L S A G I J
A L E N H O E M O R A F L A J
E C Y O R S L L O R D R T L J
T R L S E Y I K S V V Y S A B
O W C R N A R B S Y L E E U S
S H O L A T A U U W R O H A T
E R J D U O R X V S A H V C R
R L Q A L Y R R F A T G C R A
R C T B T O E G U E P I E S V
R S O C L T F E T Q U P M N S
54
S I C P S B I S T R O P I J U
J R O C A F E T E R I A D I S
E T F I N O O P S Y S A E R G
V P F I D I N I N G H A L L S
J Y E D W R E F E C T O R Y S
Y D E L I C A T E S S E N U M
G R H Y C N B R A S S E R I E
Q N O R H A I T T T U A R O S
T R U E B K L N A R O A T N S
R U S T A G A U G P M E L E H
Z T E A R K R H U R A Y Y E A
Q N R E V A T B J R O S I T L
R X R E N I D A O O F O B N L
L A R T E A H O U S E N M A N
Y S C L P D M X I Q W F Y C R
55
L R S W L E E T S D L I M R R
P X S I L S N F S K U B E S E
K G S L E H O B T R E L L U F
D N P E E T T U Y N T L K W S
U I R S T D S I D H G Z R U S
E H R I S K G I M W H O A H W
R C F H L W N E E S U R R V G
Q N A C O G I L H G K I P K R
W U R S O G D R H A N C R F S
S P R R T I N T E K M P A I T
R E I A N I I I I B Q M F L H
H E E G Q R R N W P R O E E B
P N R G O I G O P A R U N R A
L F I N I S H I N G R S S Y Y
U V T B P J O I E L K D X H P
56
L U V Q E S X J O C K E Y A U
C B E T W E Y L O U K G B P O
C H O W O Z O U B C W A I W G
S T A P S Y R Y Z S K T N F J
Y H L S T S A K S H R E O A R
L A J F E N C E U T R V V L J
L N Y Z E R R R J U A D I L I
I D C C P A D D O C K Y C E T
F I K G L L P R T L S G E R R
U C O B E R O I S T E W A R D
R A C E C A R D V I F I D L S
L P A P H O T O F I N I S H R
O T P T A E H D A E D V D P V
N S A R S A G J R A O I P S D
G H O M E S T R A I G H T A X

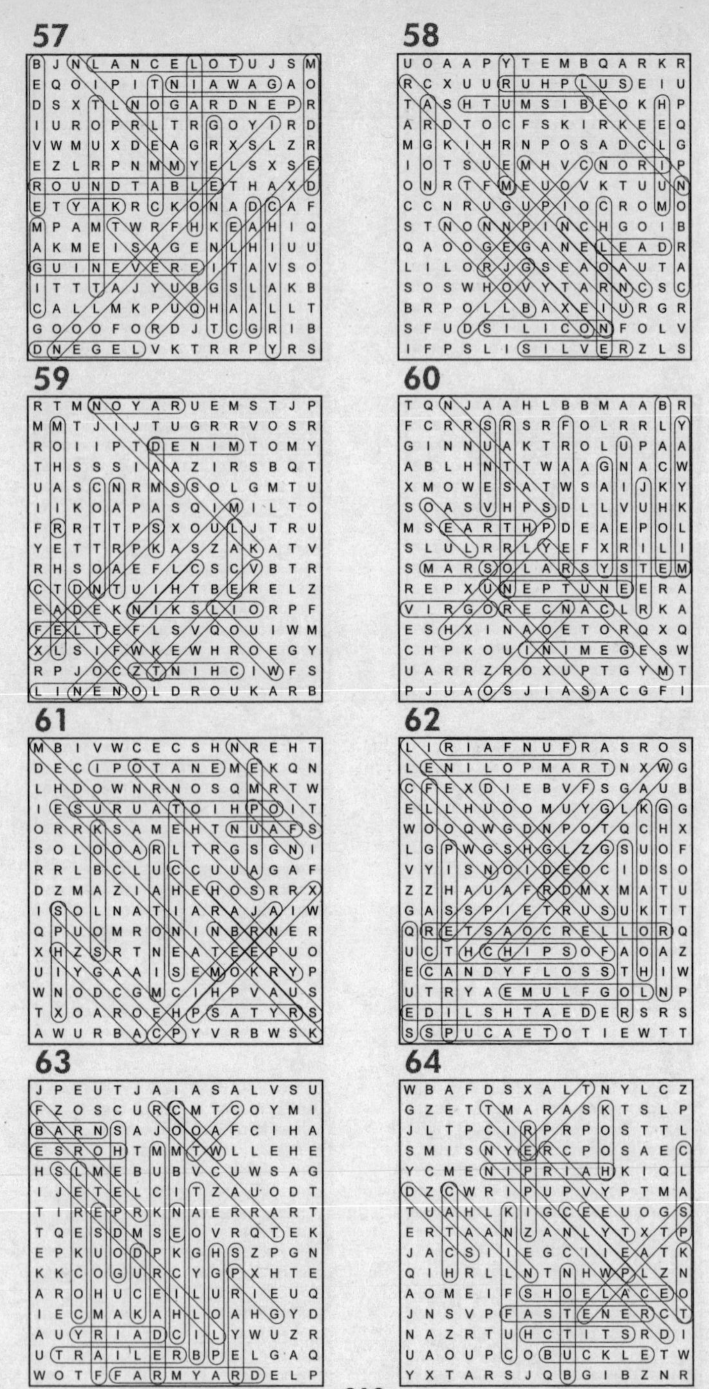
57
58
59
60
61
62
63
64

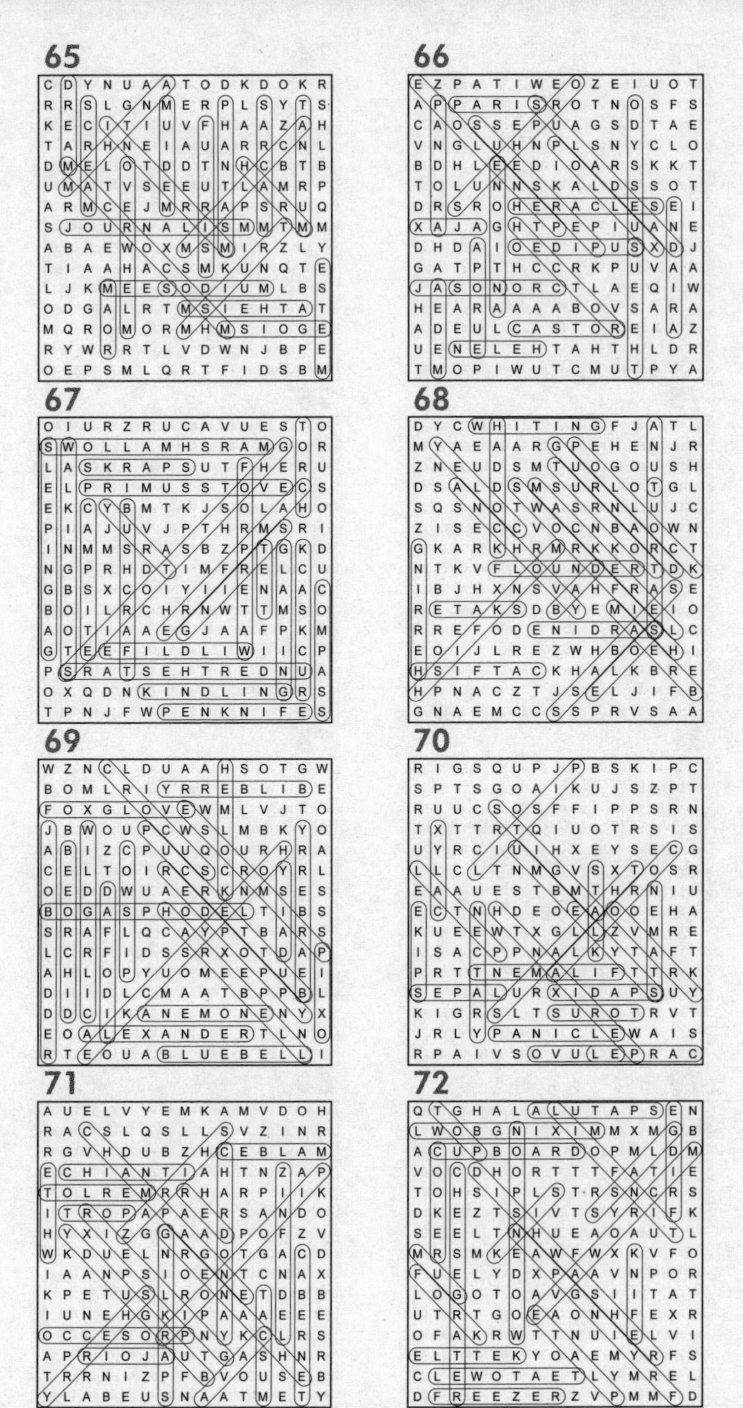
65
66
67
68
69
70
71
72

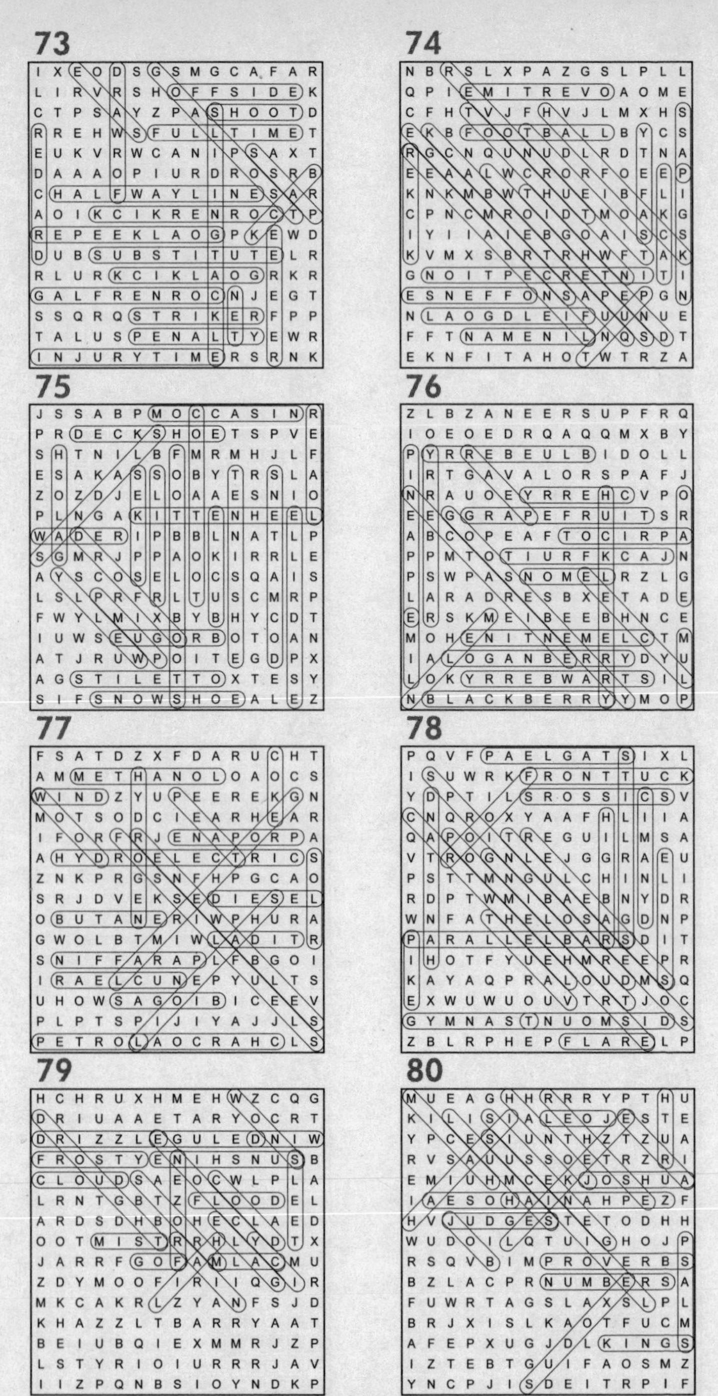
73
74
75
76
77
78
79
80

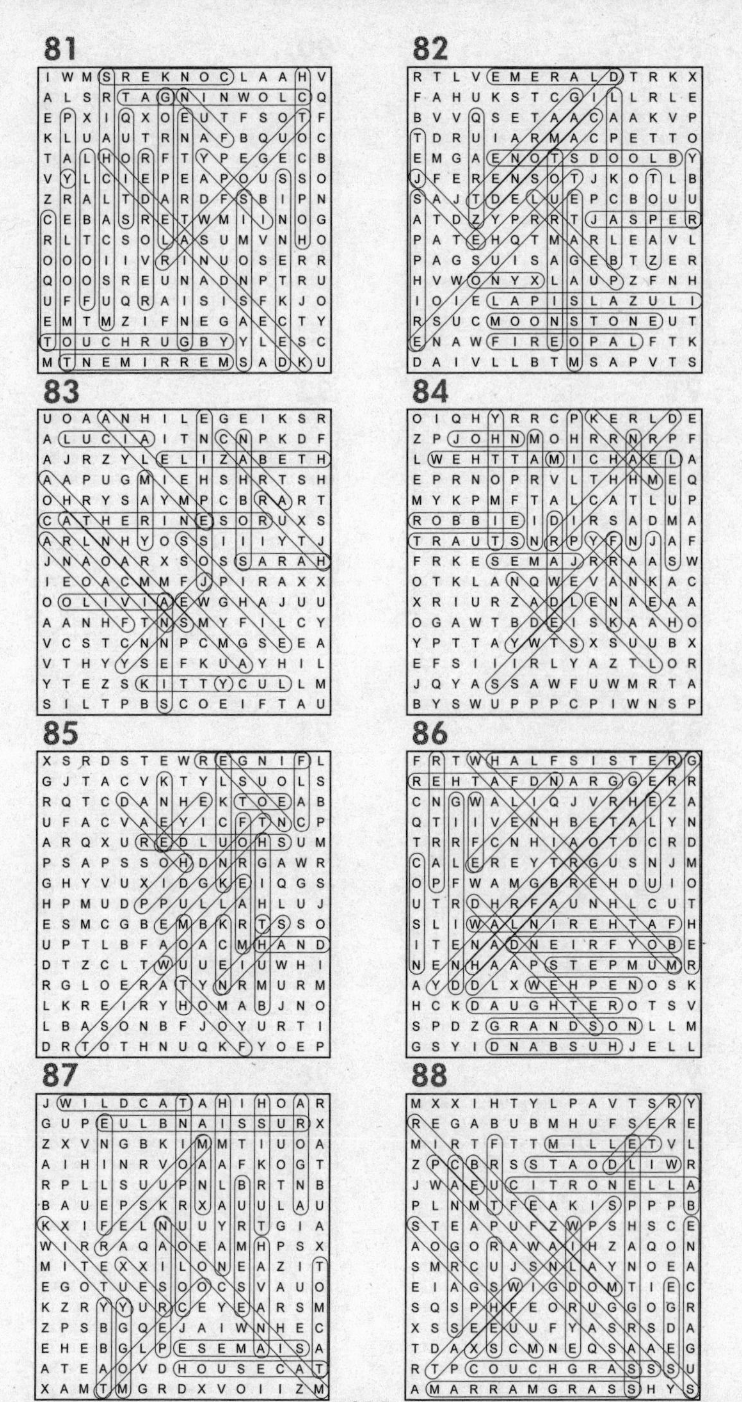
81
82
83
84
85
86
87
88

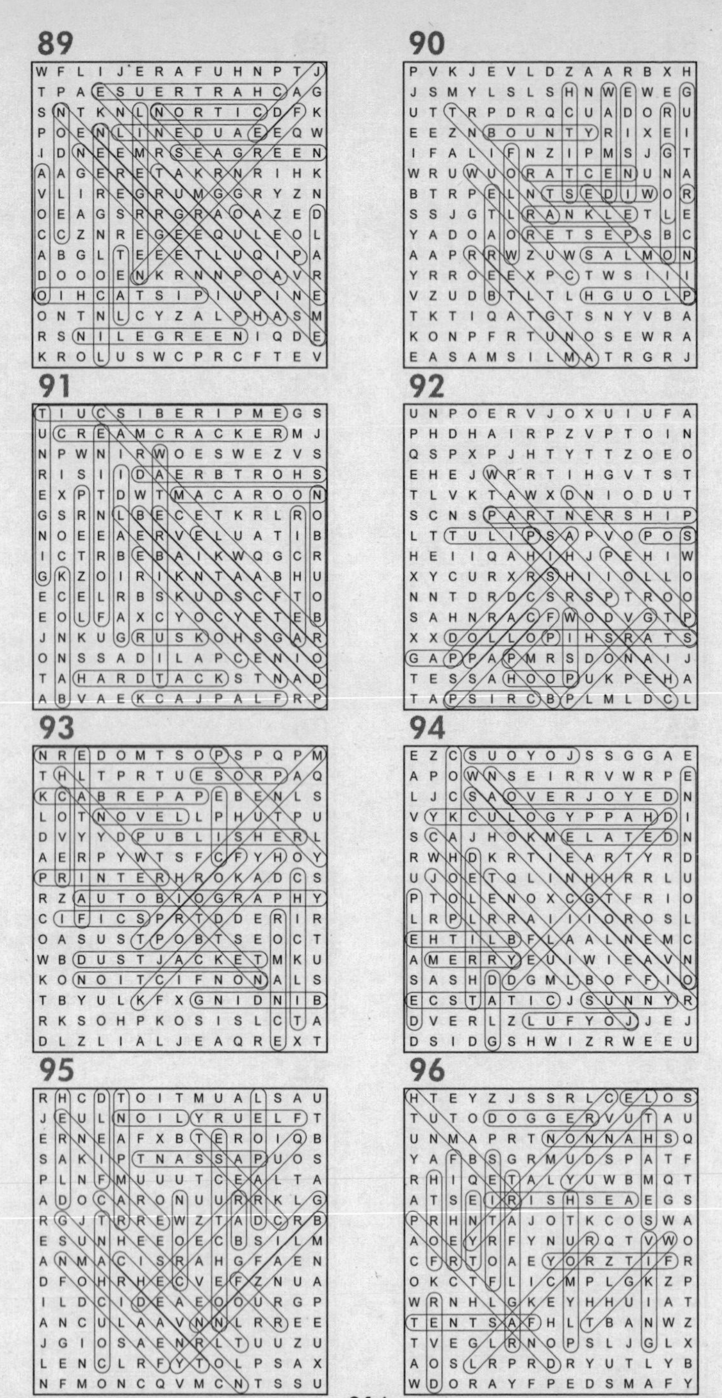

97

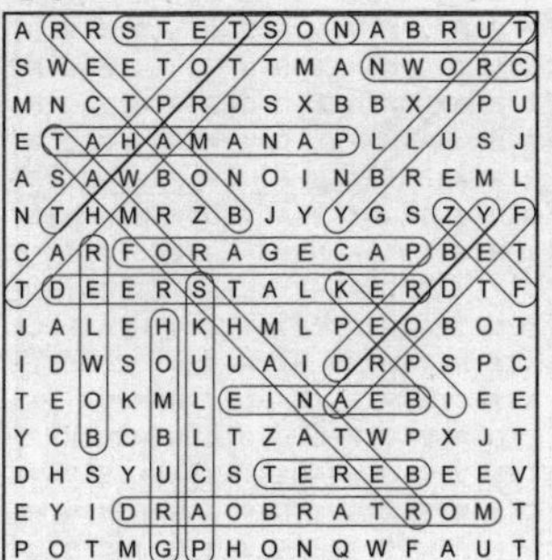

98

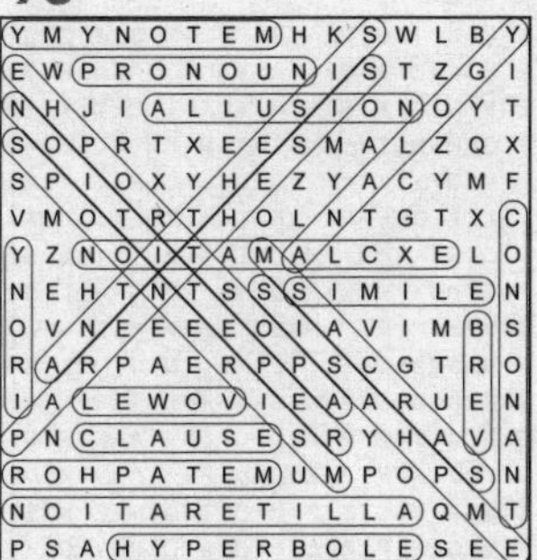

99

X Z S Q E K A U Y O L P M E U
G A I L L X B F M E P J T L B
S K L V P N Q F G T G U B D V
T M R K H U A M E R C B I D T
O X U R E T T A M Y E R G O U
S C A L P E S K Q B R A I N S
S D O L L X H E A D E I P I O
F A P U A E C U E K B N X G U
F B I K T R B S T A R P L G W
E L O S A C A E A A U O A O J
B L R N P I A O R U M W W N L
Q S I W C S O F E E S E T L A
R U S O A E A J P E C R A R N
M A I R N S V N O L E M R J C
F R T C L U Y B Q S W V Q L L

100

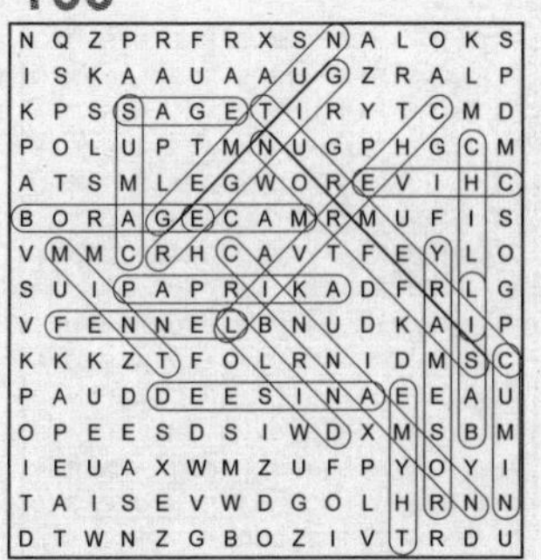

101

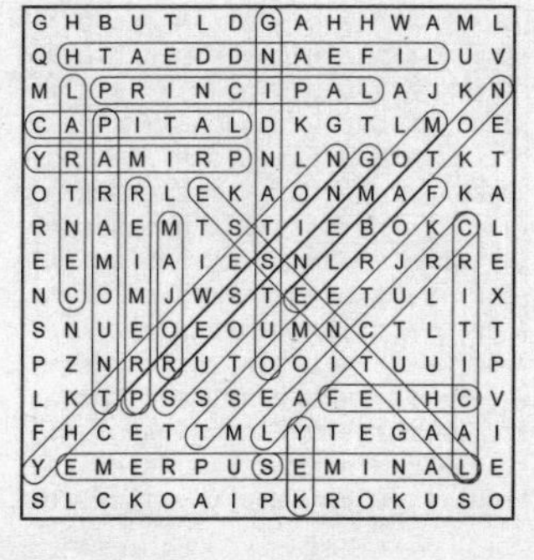

102

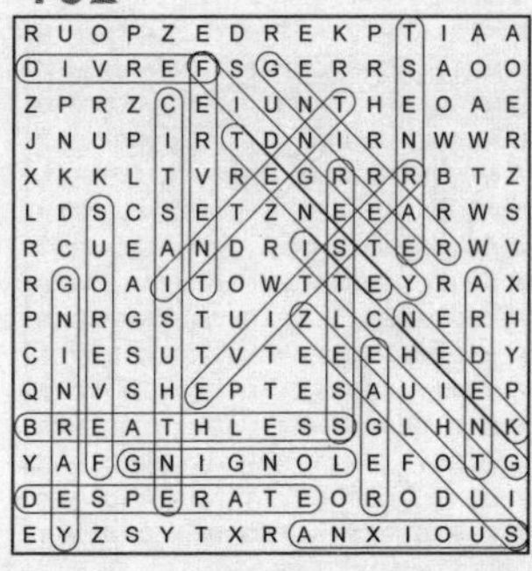

103

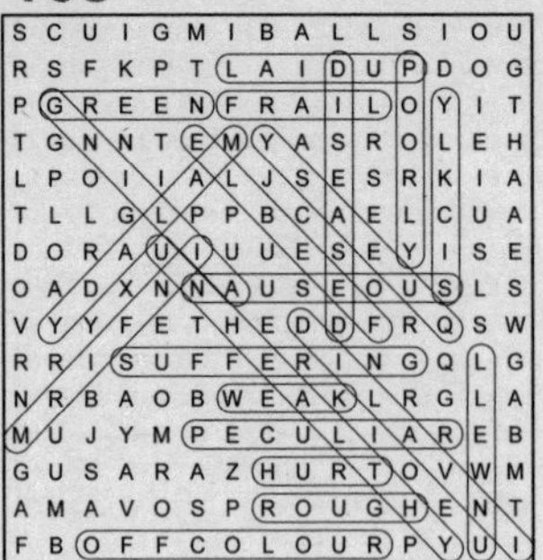

104

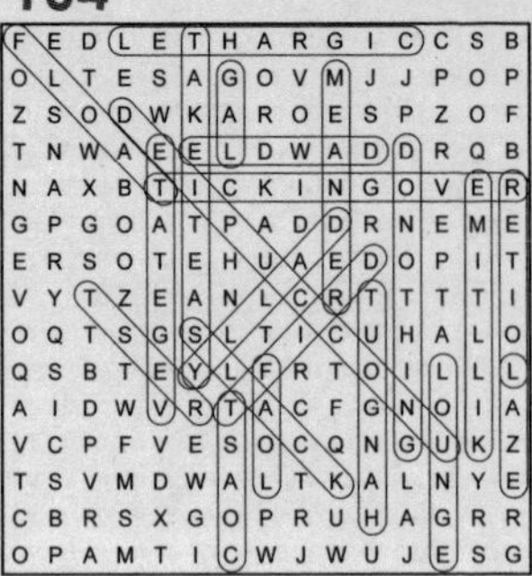

105

106

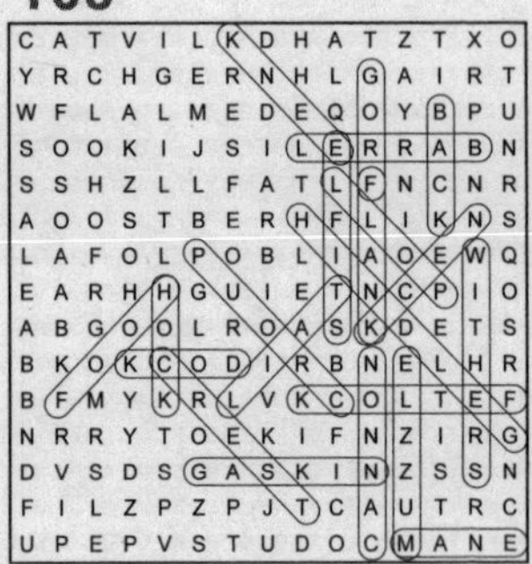

107

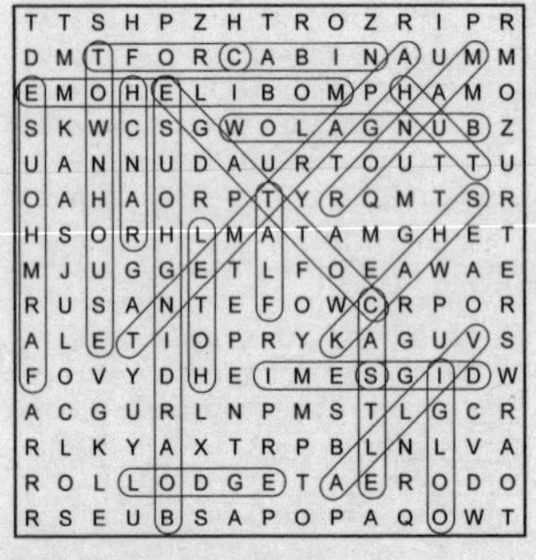

108

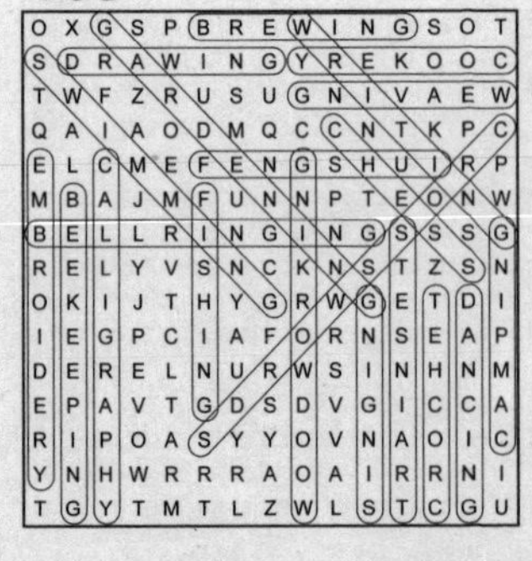

109

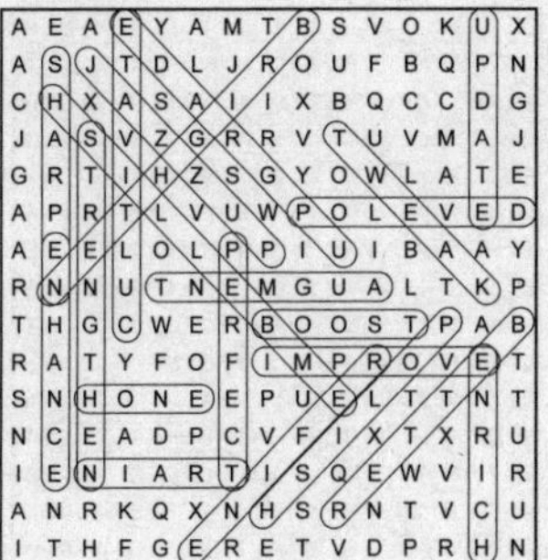

110

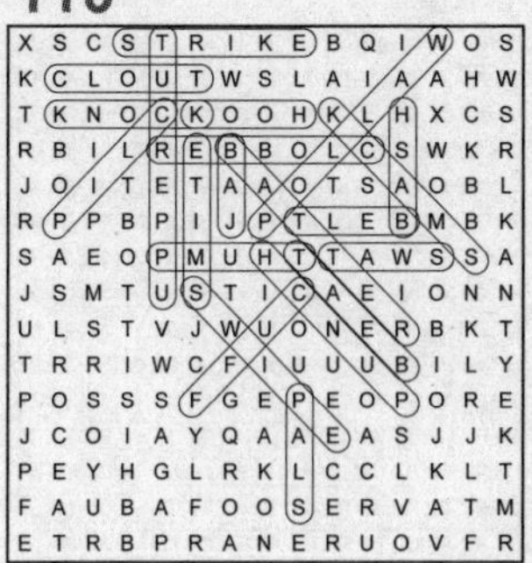

111

J S S T T O A I S U I G U P D
K L A T S N A E B C I G A M R
S N O W W H I T E S J H D A A
H T H C T I W D E K C I W G E
A S T N A F L O W D A B G I B
N A R L I T N D I M T R R C E
S E V E N D W A R V E S A M U
E B U T T S D E L M L V P I L
L E S E E S M A B W C G U R B
E T P R Z E I E L R U O N R J
D V A G L R A S J A C K Z O G
T O M T H U M B Y D O P E R T
R E T U T S K C O L I D L O G
I I J Y E C N I R P G O R F A
L C I N D E R E L L A U P D D

112

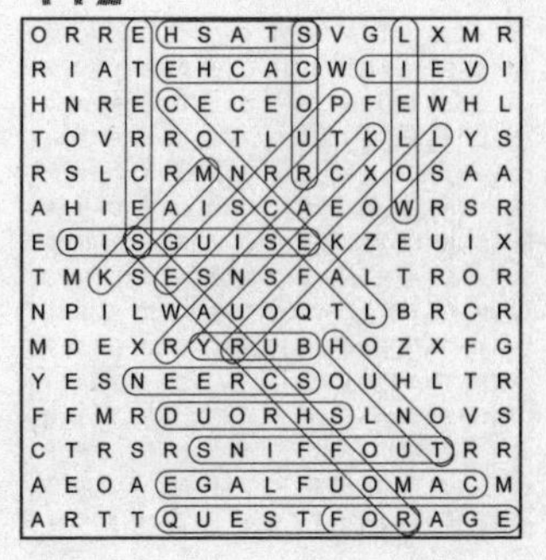

113

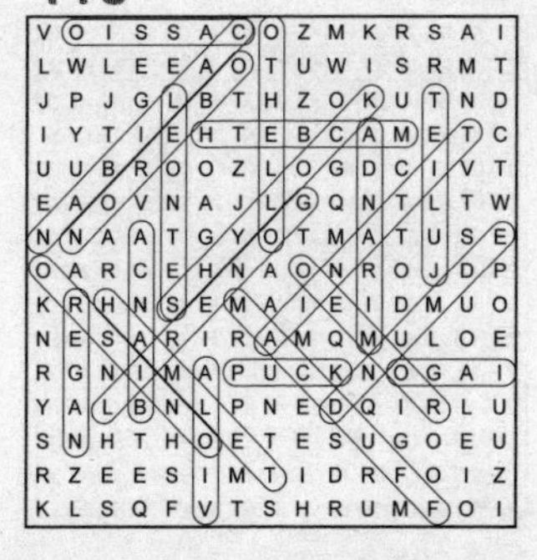

114

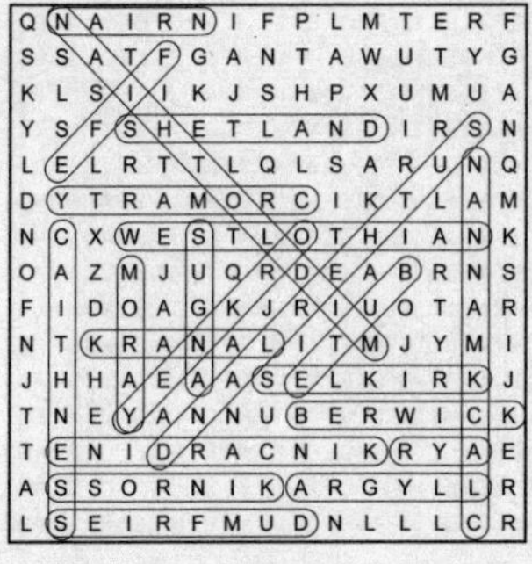

115

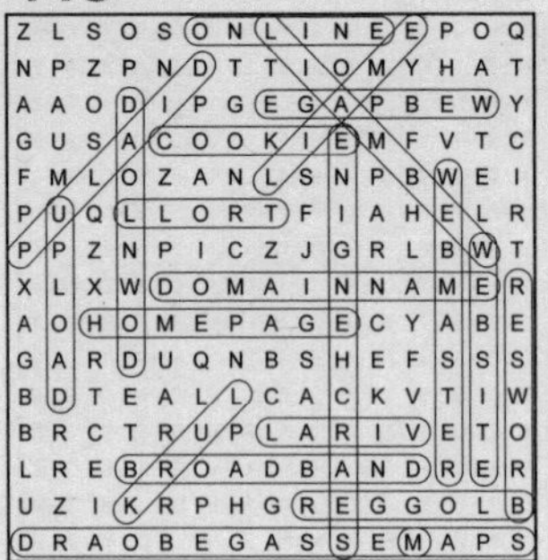

116

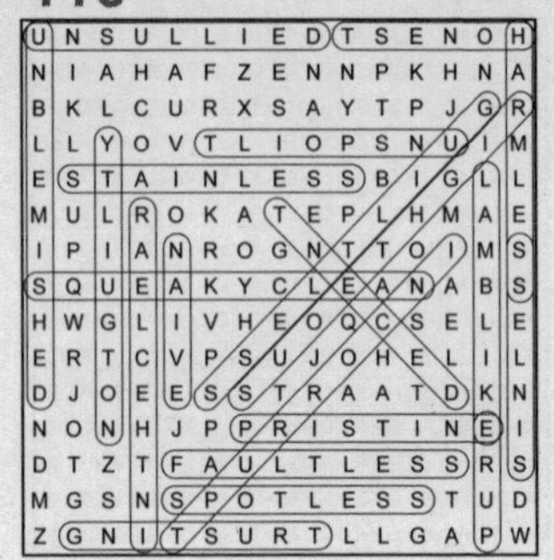

117

X Y T U L P U P I C C O L O E
U J P R A P T H Q U A R L N A
R O S A I A U K U L E L E A E
S E I G U I T A R U R F B I I
I N T S D R A O B H S A W P A
R R A E A O M A M O G N O B K
R S R R P X B Z O O N P C S S
V E S A E M O C A J I A L H S
Z P C T C D U P P T L N F S L
N I O O O S R R H E O P U S P
P P T J R M I U T O D I X A I
K G S H N D N Z M R N P T I R
A A U W E A E F T S A E B P H
O B O E T R B R E F M S J G R
G B E T U L F R J S Z M W O L

118

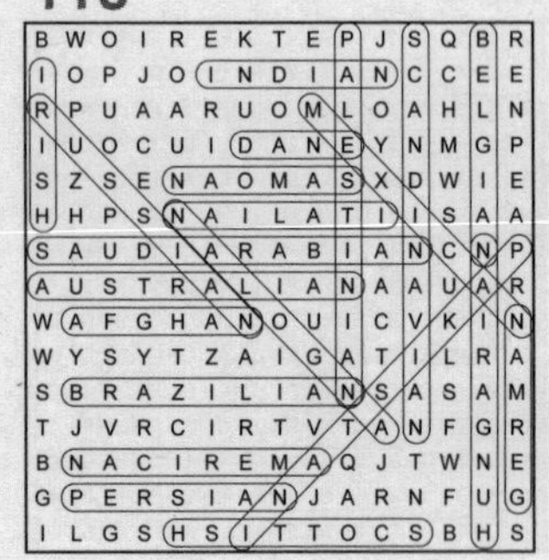

119

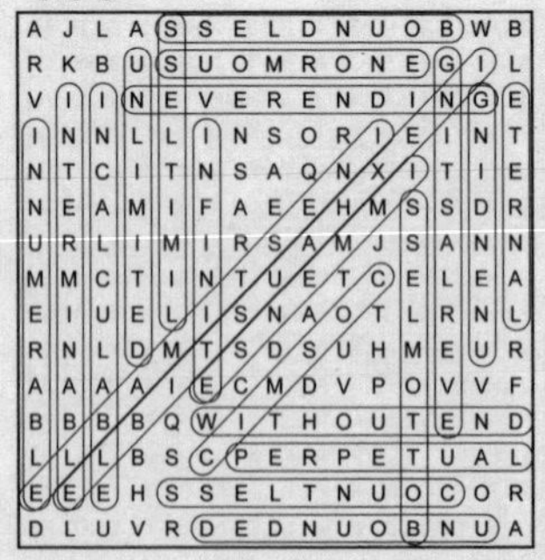

120

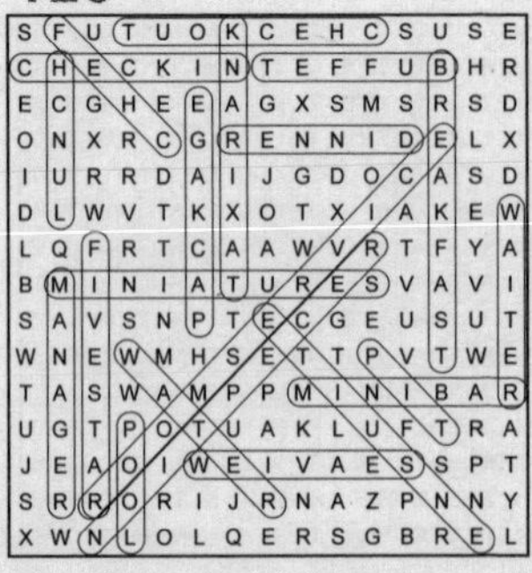

121

122

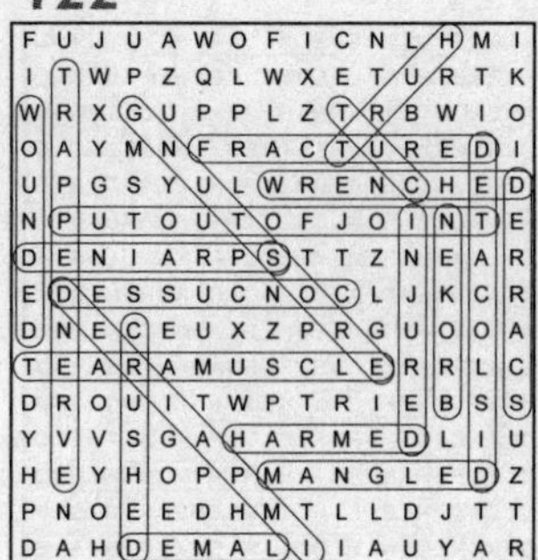

123

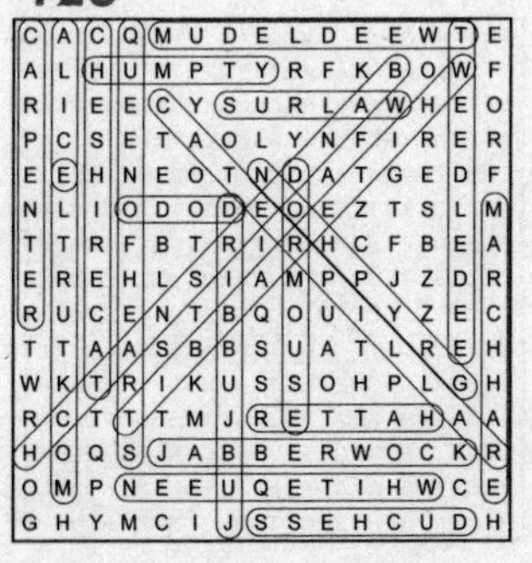

124

125

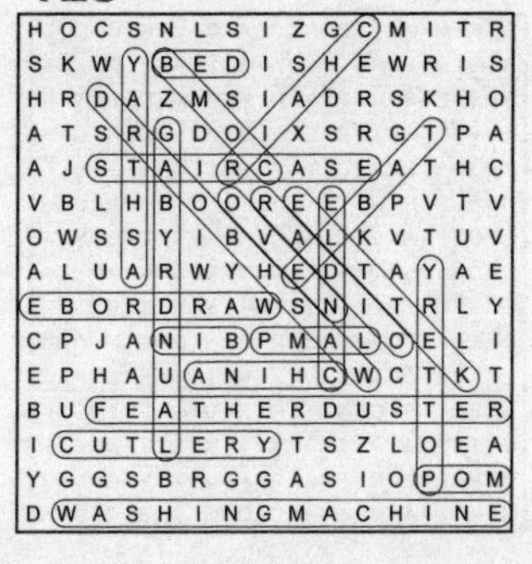

126

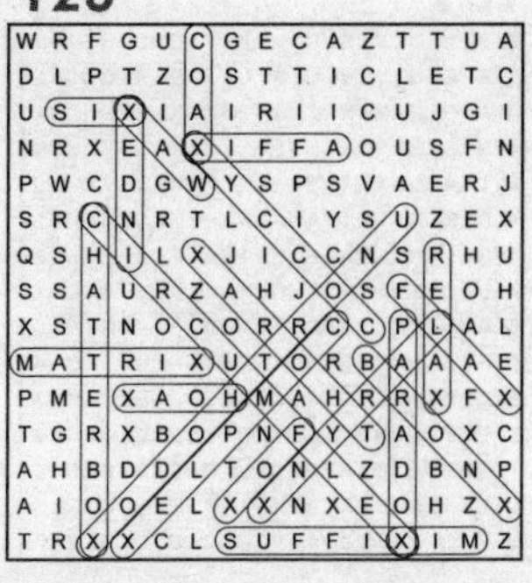

127

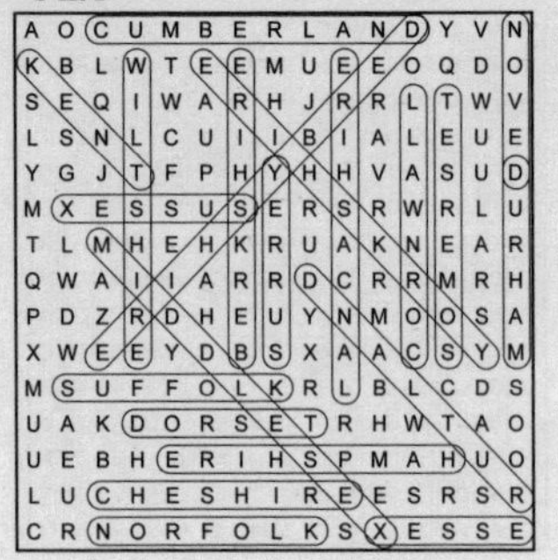

128

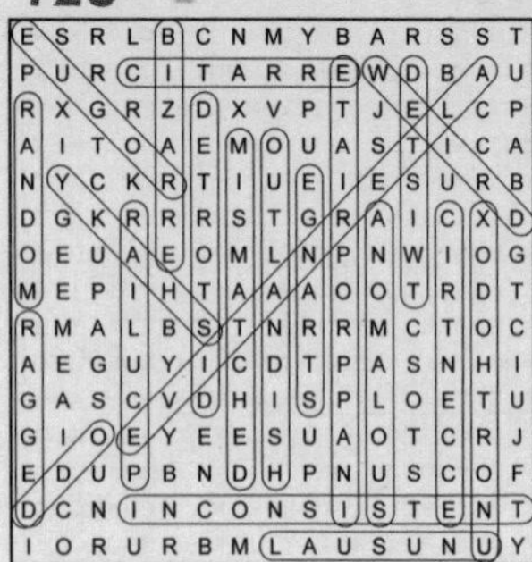

129

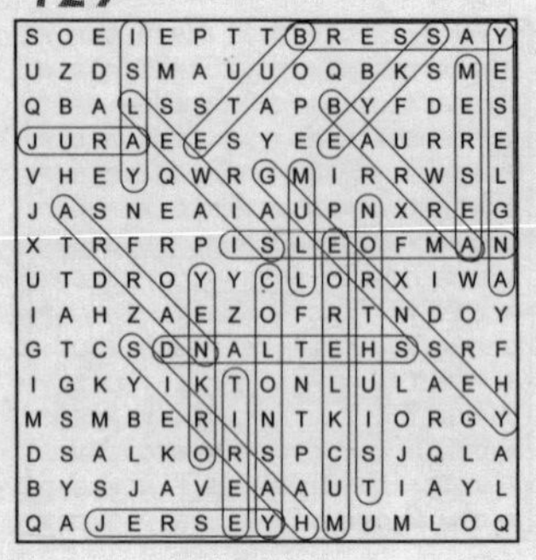

130

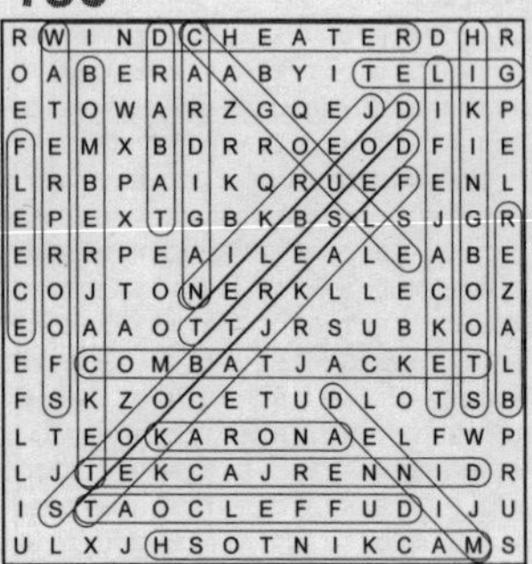

131

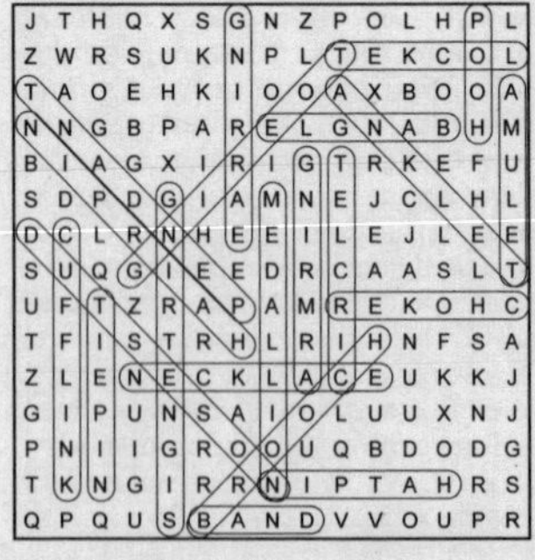

132

133

```
Y F S I H T J S L I P K N O T
L U H J H H I D N A H R E V O
U S E C C C O W U A H T G A W
T F E T T T B I S S M H R K Z
T T T J I I C N P M W G A K A
L L B A H H H D E O H I N N I
E Y E R G E T S B N B E N A R
W U N D N V M O S K R F Y H H
V T D U I O H R H E U O R S B
I H Z O L L C E H Y N E E P A
D J E R L C N E A F N R T E U
B V S H O F I F Z I I U A E A
S Y A S R O L I A S N G W H E
E O U A U E C A U T G I P S L
I O S F O P H C T I H F L A H
```

134

```
Y S W P I P U R L K T O M H T
A T E H C O R C T W T N U N B
W A L E S F C A S T I N G O N
O H B D D I M S W Y E V X I E
H C T I T S E L B A C S W L E
C T I A A H T S I E T E P I D
T I N G U E E I R I C O G V L
I T K O N R A Y T U S S G A E
T S T N W M Y C Y C O O L P S
S S A A A A H T O O H C R E M
P S L L U N D W E F T A I W K
I O F R H S P I G R T L Q T H
L M I I R R A N B S U L E S J
S G M B B I R E K A T S I M J
T Y T Q Q B I N D I N G O F F
```

135

```
A N B R E K A B C C U F D R L
M S E U E R P R A N L P A B A
K X N S T P E R E I R R A F Y
V R G P S C P H I Y I O O A D
D D I O A E H I S R W S J R T
L S N S N R G E K I E A L M Y
N S E T Z U O E R S L Z L E P
N E E M P I L O T O Z B B R T
N R R A Z P N C C R R D U C X
C T U N W M L K U I E O A P I
E S S J O M S U F E H C Y A O
M M M N O M R A M V C T O V A
A A G R I S W R J B A O C R G
C E B T T B U I L D E R V T G
R S H I P W R I G H T R T J S
```

136

```
U G A L T C E R B H P S O O S
S U T T X I B R I Z A Q V S L
N O R W E G I A N A I P S A C
A N A P A J F O A E S M Z D B
D A N R C L G A M N A E G E A
T K Q A I A H N O R T N R A A
J Y U K T B U I F R A I A D A
T T I M A R S H O T N P Q D K
E I L R I A T C F G S P D V A
Y N L T R D F H L U B I G H R
E E I Y D O B T U L C L A R A
L R T D A R I U G N R I A L R
L E Y E E B C O R A L H T C B
O S S A G R A S P X U P S L K
W X S L T C T T W X H I D G A
```

137

```
K N O Q K T V P S P P T J S C
O H C T U D L E U Q S A B O G
R Y O S R D P U S F T L R E Y
N R F K A V O L S E B M R J F
P O L I S H D C U P O M Z J R
L M C R O A T I A N A R X A E
C A T A L A N D Y N S N A F N
I N A I R A G N U H O I I F C
L I B L Y Z A A S W E D I S H
E A X I B T Z L I B A N S M H
A N L A S A R E I G N S R R E
G L F A S C N C O I E N L Z E
S S L F L E M I S H S I N A D
K T U R K I S H A A E S W D A
F A G E O R G I A N R L N E L
```

138

```
F U S K I T B T D R L L G E Y
U O I I Z S Y S A A P E S S S
O M M L T A E E O P W R T U T
S I M A H V S K R U S A S T Q
T A E S I Z E A B L E O M D E
E K N S C M G J O L L A T D U
J M S O K W L I U C Q U O T S
C A E L S J G G N M H S F I A
M M N O E R N N T O B U U W M
U M K C T X I I I W R O N C Y
M O B G W E K K F P G M J K P
Y T H G I M L C U D P R O R Y
R H Y W G S U A L U E O E U K
R S E G S T H H E W O N H R S
O H U G E D I W V D A E O W O
```

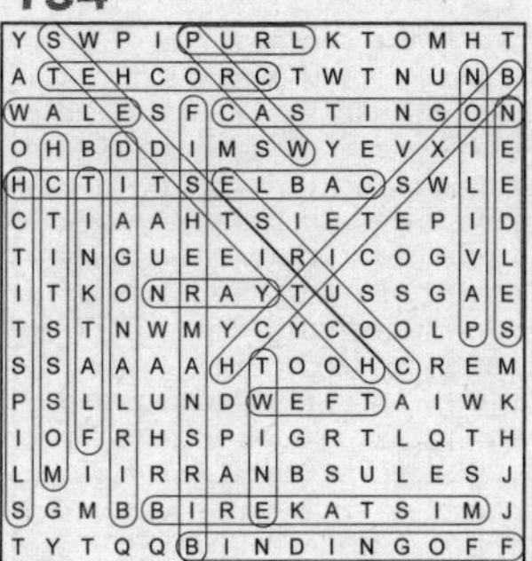

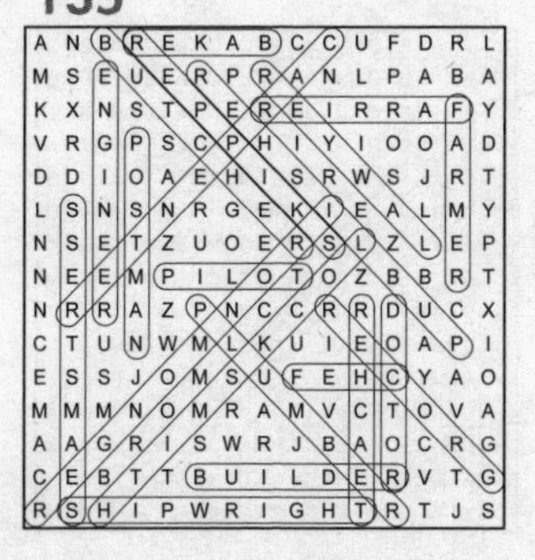

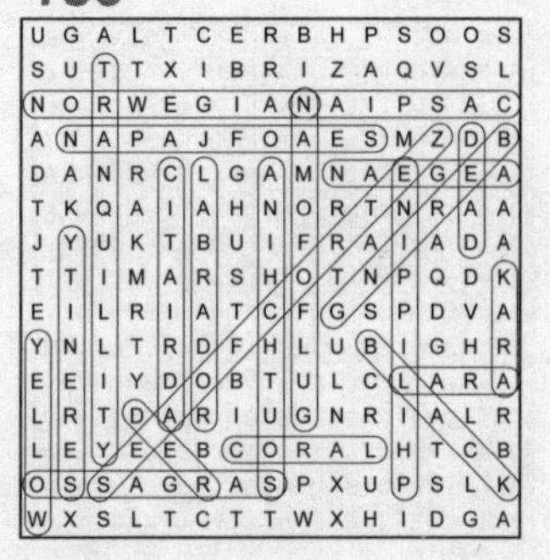

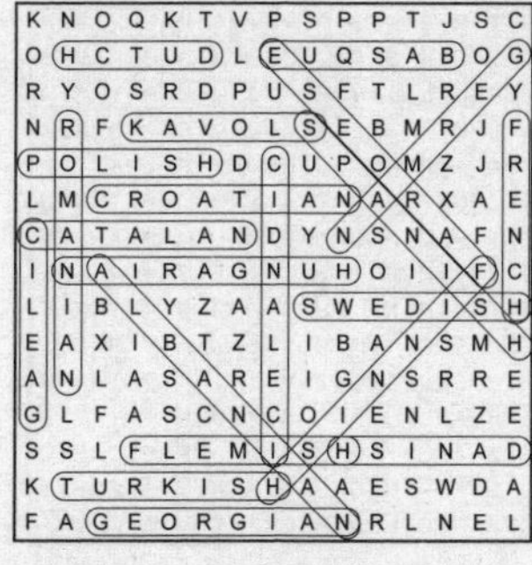

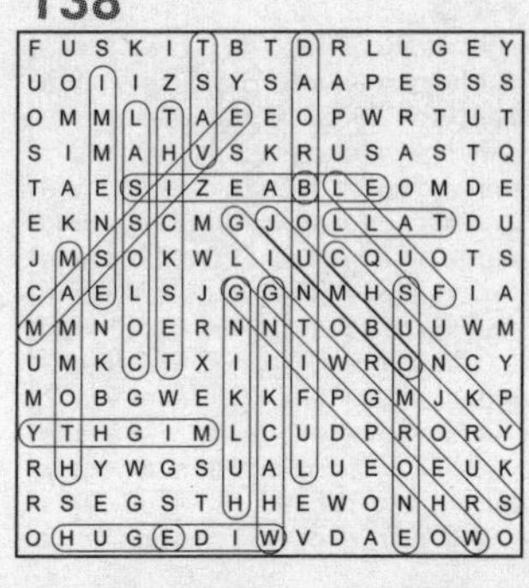

139

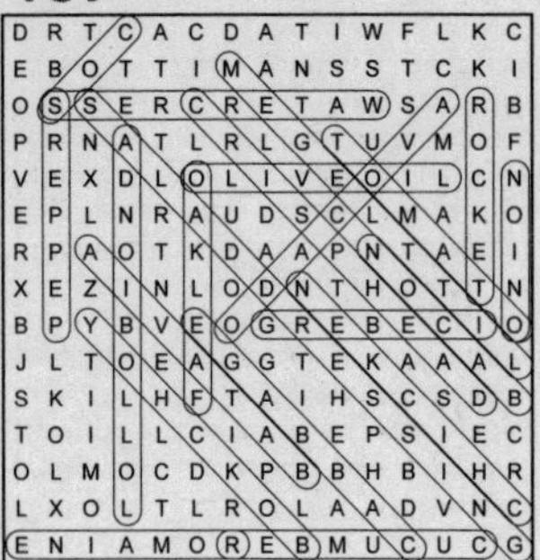

140

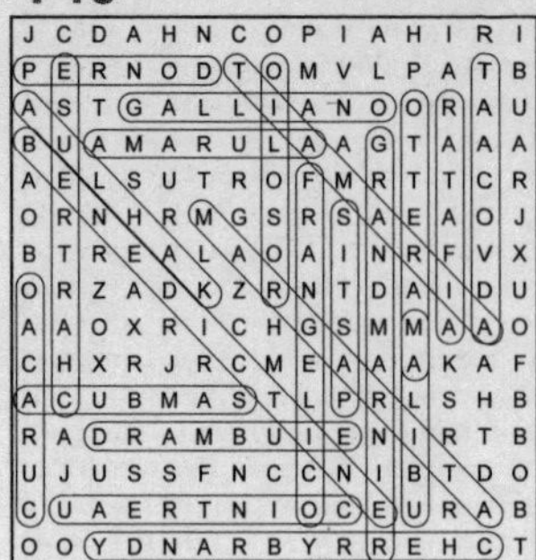

141

L	R	R	E	R	I	A	L	C	E	I	R	A	M	E
R	S	R	O	S	G	U	A	R	D	I	A	N	B	L
L	I	A	M	Y	L	I	A	D	P	B	P	G	A	R
R	A	D	O	T	M	I	R	R	O	R	W	L	T	I
D	A	I	L	Y	S	T	A	R	I	O	V	I	E	A
S	C	O	T	S	M	A	N	V	M	O	F	N	L	F
P	N	T	C	L	T	I	A	A	G	R	A	G	E	Y
E	F	I	L	Y	R	T	N	U	O	C	M	T	G	T
C	P	M	H	U	E	S	E	Z	R	H	V	I	R	I
T	T	E	N	E	W	S	T	A	T	E	S	M	A	N
A	A	S	Y	E	D	F	H	Y	E	R	B	E	P	A
T	F	E	E	T	R	V	E	O	M	A	R	S	H	V
O	W	K	L	Y	S	T	S	F	Z	L	Q	R	A	W
R	L	I	L	D	S	O	U	S	I	D	F	O	G	R
Y	A	Z	E	Z	S	D	N	S	H	L	K	Q	E	S

142

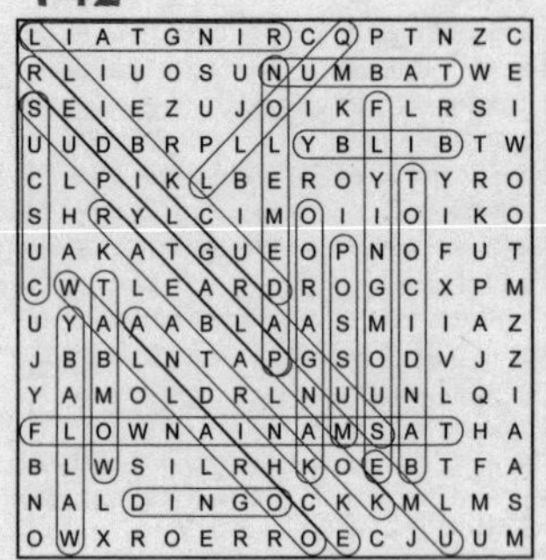

143

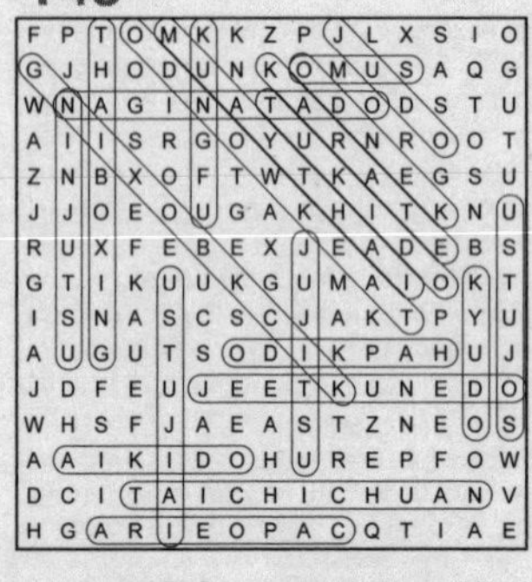

144

145

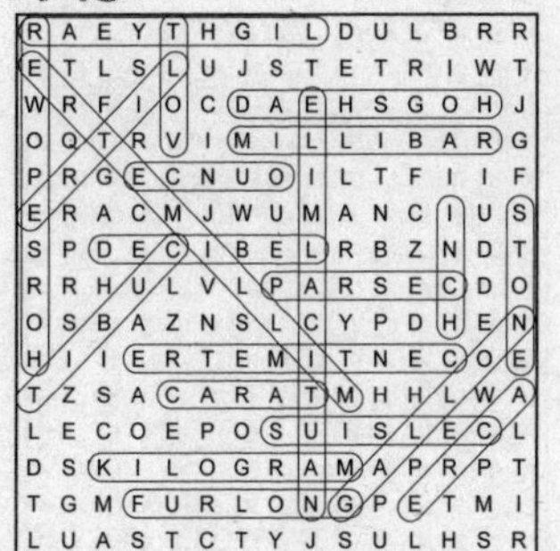

146

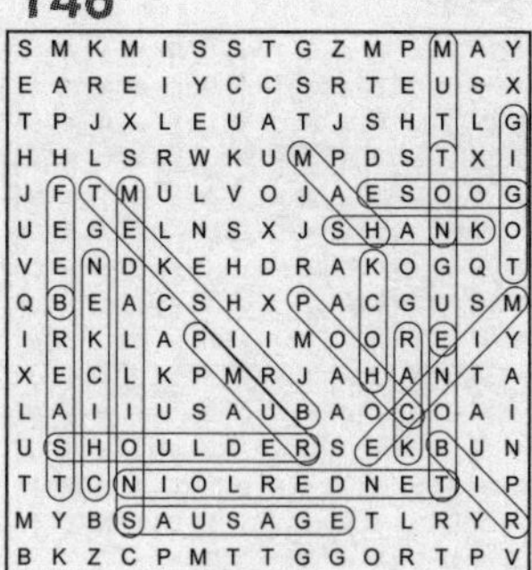

147

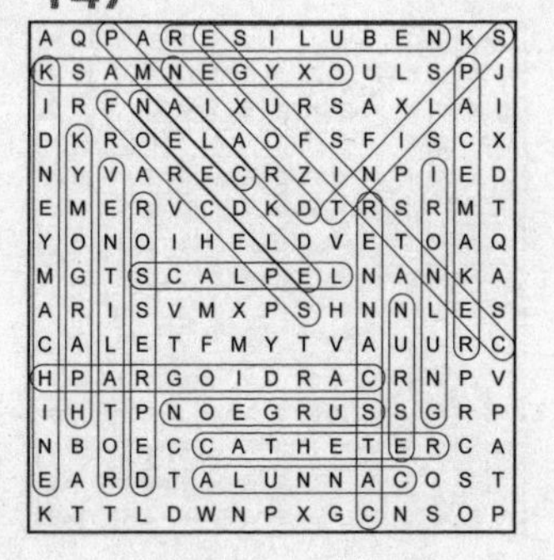

148

149

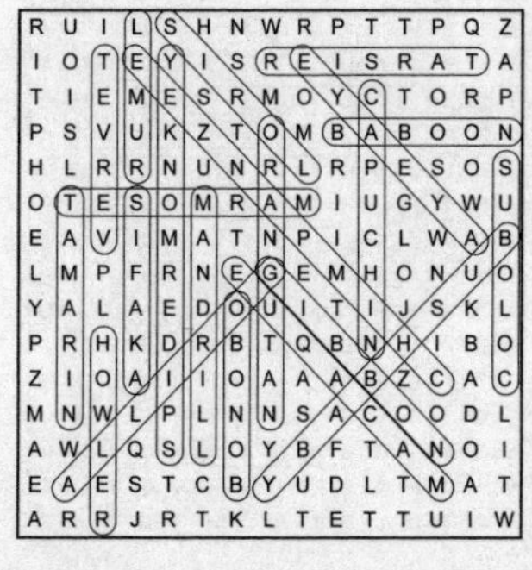

150

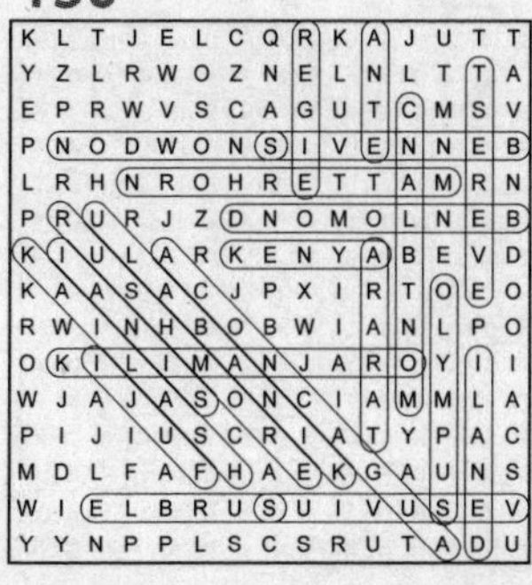

151

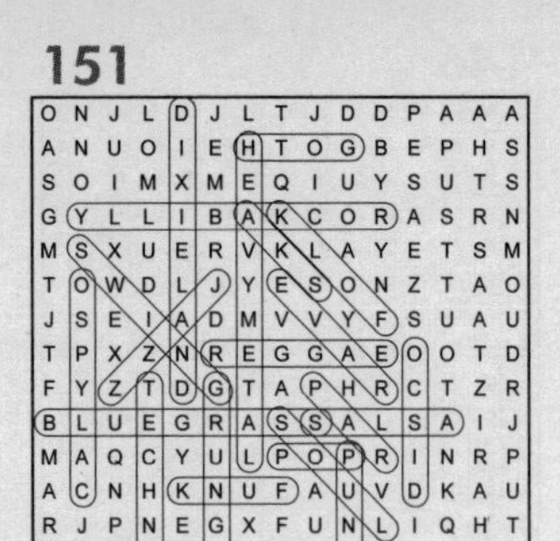

152

153

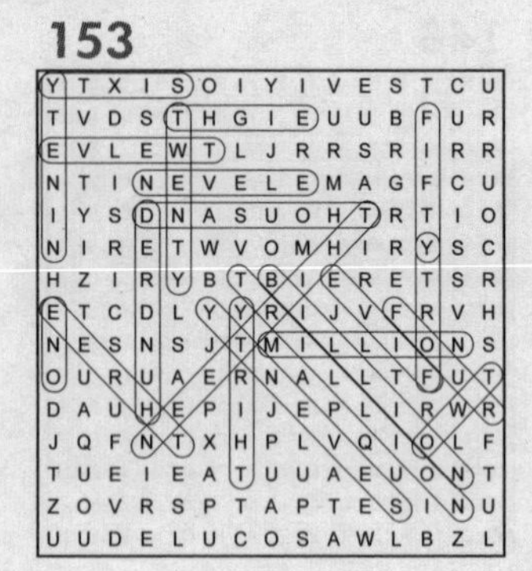

154

155

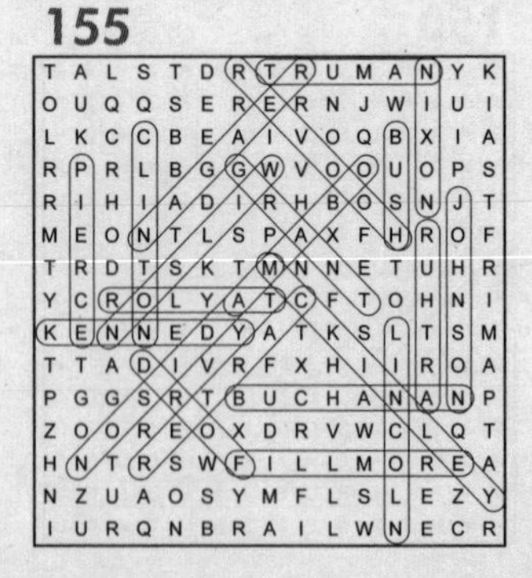

156

157

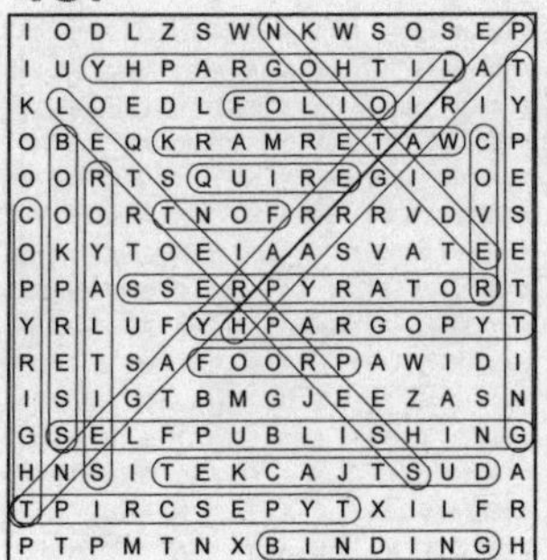

158

159

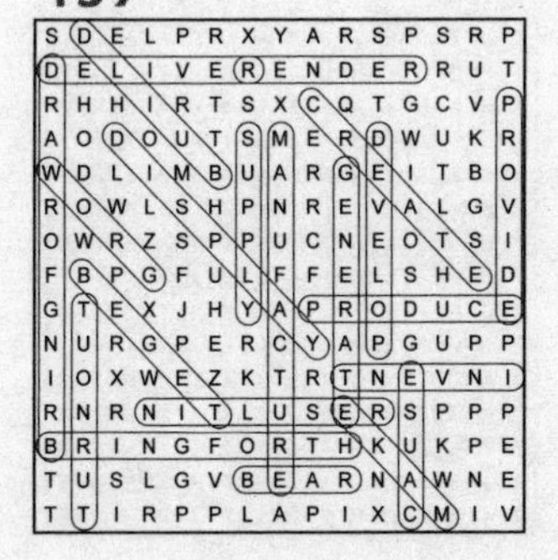

160

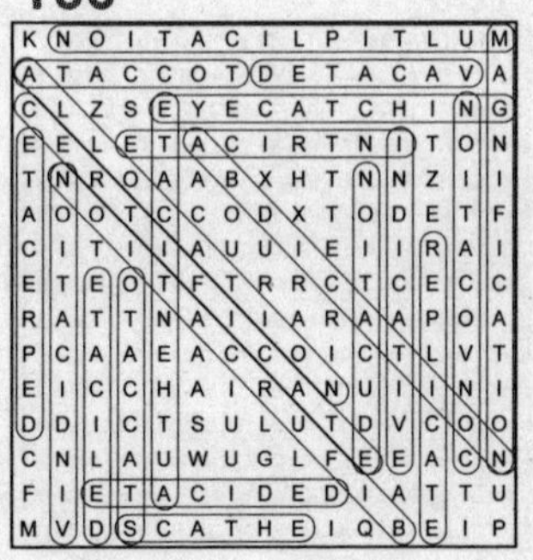

161

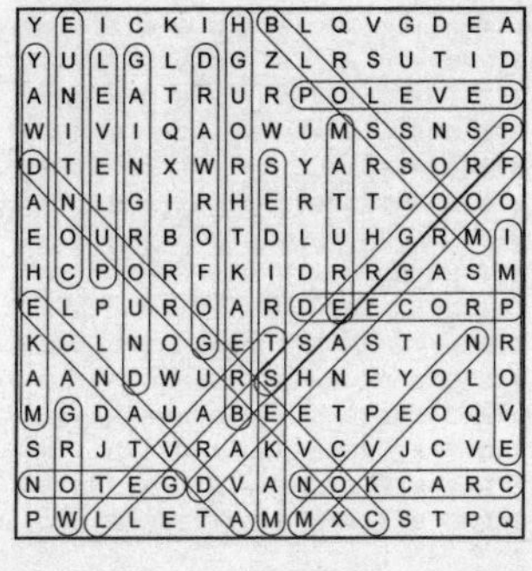

162

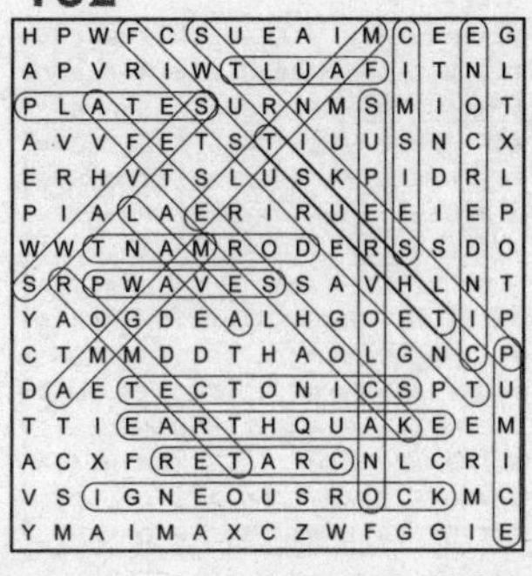

163

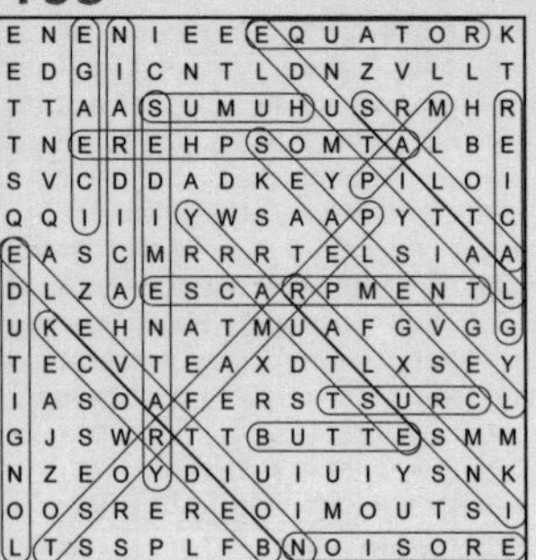

E	N	E	N	I	E	E	E	Q	U	A	T	O	R	K
E	D	G	I	C	N	T	L	D	N	Z	V	L	L	T
T	T	A	A	S	U	M	U	H	U	S	R	M	H	R
T	N	E	R	E	H	P	S	O	M	T	A	L	B	E
S	V	C	D	D	A	D	K	E	Y	P	I	L	O	I
Q	Q	I	I	I	Y	W	S	A	A	P	Y	T	T	C
E	A	S	C	M	R	R	R	T	E	L	S	I	A	A
D	L	Z	A	E	S	C	A	R	P	M	E	N	T	L
U	K	E	H	N	A	T	M	U	A	F	G	V	G	G
T	E	C	V	T	E	A	X	D	T	L	X	S	E	Y
I	A	S	O	A	F	E	R	S	T	S	U	R	C	L
G	J	S	W	R	T	T	B	U	T	T	E	S	M	M
N	Z	E	O	Y	D	I	U	I	U	I	Y	S	N	K
O	O	S	R	E	R	E	O	I	M	O	U	T	S	I
L	T	S	S	P	L	F	B	N	O	I	S	O	R	E

164

G	B	R	C	B	A	R	W	F	V	U	U	J	V	S
V	D	Y	G	N	I	T	N	A	P	O	L	G	T	I
M	I	U	Z	R	A	Z	V	T	P	L	L	I	R	G
Y	E	Y	N	A	O	A	O	R	E	O	N	F	O	N
B	W	N	E	W	N	U	E	N	I	T	U	O	R	I
P	D	I	I	X	I	T	I	N	E	R	A	R	Y	T
P	P	T	V	T	T	T	I	F	U	P	G	E	J	I
B	S	U	O	U	N	I	T	N	O	C	S	T	B	R
L	Y	M	M	E	E	A	N	I	E	P	A	I	U	W
X	N	T	S	O	N	L	R	G	N	L	O	N	L	J
F	I	G	H	T	I	N	G	A	U	G	R	A	L	S
N	T	D	I	S	T	I	N	G	U	I	S	H	E	D
S	S	R	M	A	R	T	I	N	J	Q	S	K	T	G
R	E	M	V	G	E	L	A	T	I	N	R	H	I	Y
A	D	E	L	M	P	L	A	T	I	N	U	M	N	P

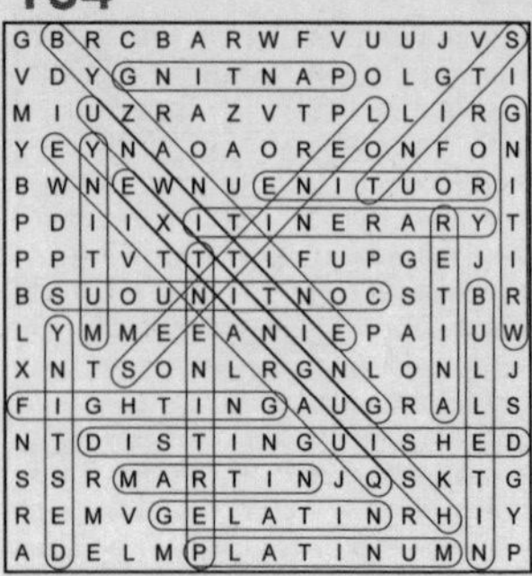

165

R	U	L	A	M	E	T	H	Y	S	T	V	T	Q	Z
O	Y	S	A	X	L	A	V	E	N	D	E	R	U	T
K	F	C	I	P	P	D	R	G	Z	L	I	L	A	C
Y	D	N	U	G	R	U	B	E	O	T	F	A	T	G
R	Q	E	R	X	U	B	M	I	H	S	E	C	P	S
R	Y	S	N	A	P	O	V	U	L	T	L	T	Z	R
E	V	U	A	M	L	N	F	T	L	A	A	A	T	A
B	T	Y	R	I	A	N	P	U	R	P	L	E	P	G
L	U	U	U	I	Y	E	F	E	T	B	T	A	H	A
U	T	W	T	P	O	T	T	T	I	J	T	U	E	O
M	E	N	I	G	R	E	B	U	A	N	A	I	R	R
A	E	L	K	N	I	W	I	R	E	P	D	A	Y	M
G	Y	P	U	C	E	R	D	G	L	A	C	I	C	S
K	Q	H	A	S	O	C	A	R	M	I	N	E	G	T
L	U	D	Y	O	A	M	K	X	I	P	U	R	U	O

166

T	U	X	S	E	J	J	T	R	V	C	F	E	U	D
J	Y	G	Q	W	H	U	T	A	R	E	K	C	I	B
R	U	D	U	Y	R	S	F	R	A	C	A	S	R	W
T	N	L	A	C	S	A	I	O	T	A	A	A	M	A
A	I	F	B	L	R	N	N	M	R	G	W	E	R	E
R	E	L	B	H	L	O	I	G	R	L	R	G	N	T
T	U	O	L	L	A	F	S	E	L	I	U	E	U	U
V	V	C	E	U	K	P	E	S	B	E	K	R	R	P
A	C	K	F	O	A	M	L	Q	S	S	F	S	E	S
J	O	H	F	T	E	M	O	U	L	W	K	R	F	I
U	W	O	I	N	K	T	H	A	A	M	O	P	F	D
C	K	R	T	R	I	Y	K	R	S	A	S	R	I	R
Z	I	N	O	I	T	A	C	R	E	T	L	A	D	R
R	I	S	P	O	X	R	I	E	B	R	N	E	W	S
P	I	A	R	C	U	F	P	L	D	E	W	U	I	E

167

S	A	H	M	A	N	T	L	E	L	P	Z	K	L	M
B	I	M	E	S	G	U	U	S	B	E	X	T	E	O
T	N	A	F	N	I	F	Q	U	A	D	R	A	N	T
B	F	P	H	E	Y	E	K	B	E	A	E	T	C	N
I	I	A	K	R	T	T	H	S	P	S	T	G	H	A
G	R	U	M	I	N	A	N	T	P	U	N	I	A	H
M	R	E	S	T	A	U	R	A	N	T	A	G	N	P
F	M	O	L	A	R	G	G	N	L	A	B	A	T	A
C	T	T	W	E	R	E	N	T	A	I	P	N	A	N
U	A	N	Q	U	A	N	T	I	F	Y	G	T	D	T
H	O	A	A	N	W	B	I	A	T	D	I	I	O	O
T	O	M	T	I	P	A	S	L	O	N	W	C	V	E
M	I	R	I	C	F	H	E	S	I	T	A	N	T	A
W	Y	O	A	Z	K	E	T	N	A	G	E	L	E	S
T	T	D	T	A	S	W	D	E	I	K	O	Y	P	L

168

Y	A	P	I	O	R	R	R	S	Q	Q	S	K	T	R
B	R	G	V	P	A	A	S	L	K	S	P	T	V	C
O	T	I	Y	Q	I	Z	A	T	N	E	G	A	M	R
G	E	O	R	A	B	A	N	N	I	C	A	R	K	I
M	M	S	R	T	Y	U	L	Y	P	P	O	P	T	M
M	O	O	E	T	D	B	D	A	N	I	S	E	L	S
W	O	W	H	O	N	U	W	D	O	O	L	B	X	O
A	T	H	C	C	U	R	U	R	M	E	O	B	A	N
L	R	Q	X	A	G	N	O	I	L	I	M	R	E	V
K	D	O	Y	R	R	E	B	W	A	R	T	S	A	C
V	S	C	S	R	U	M	A	I	S	H	C	U	F	M
O	P	U	C	E	B	S	I	N	F	N	E	R	A	L
K	N	T	Z	T	Y	S	S	N	Z	U	U	S	A	V
L	P	T	E	K	S	C	E	E	E	S	H	J	W	L
C	P	O	R	X	V	P	N	E	T	E	R	A	L	C

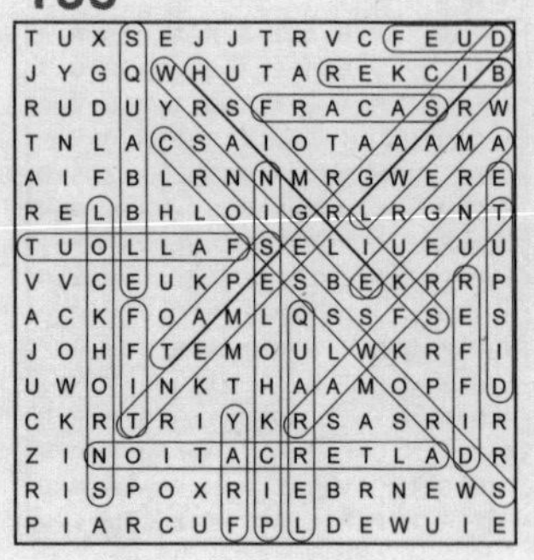

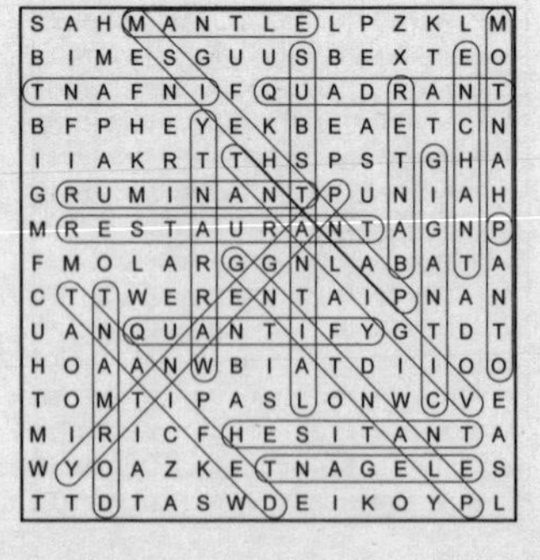

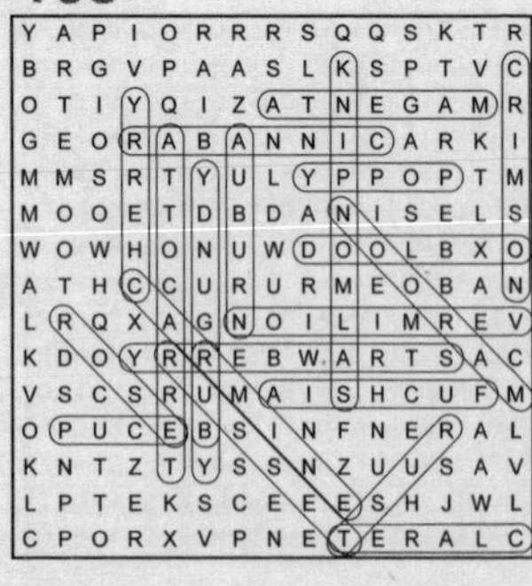

169

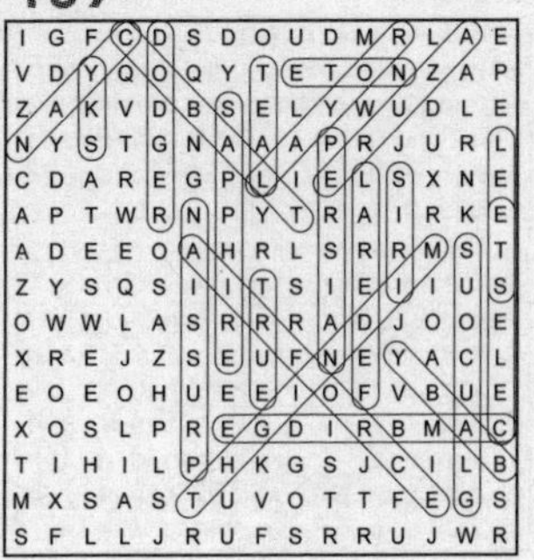

170

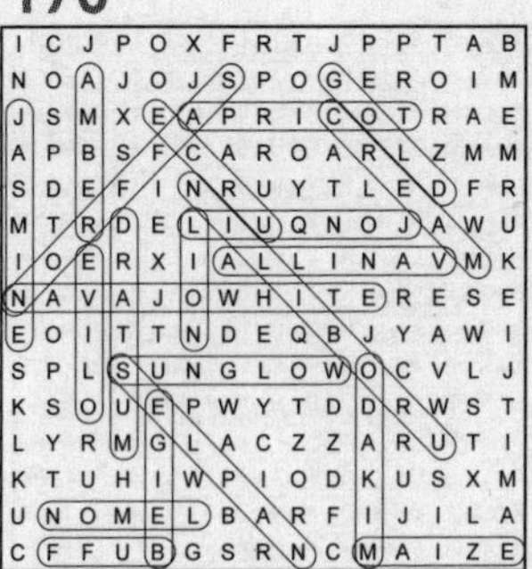

171

A S H T I G E R S N A K E A V
E A D B K O R B M A B L C T I
Q R A L E R A U A E U A N C N
A B E A K E D S E A S N A K E
F O H C A D R H K S H C L G S
X C R K N D A V A T M E E T N
T G E M S A W I N E A H D O A
E N P A E F G P S R S E R E K
G I P M L F P E L N T A E S E
B T O B T U Y R A B E D F N C
F T C A T P G I R R R I I A K
I I T I A R K H O O E E L P I
N P P O R T U A C W C D C I S
U S B O O M S L A N G I U A B
A Z N I S A C C O M T N L T R

172

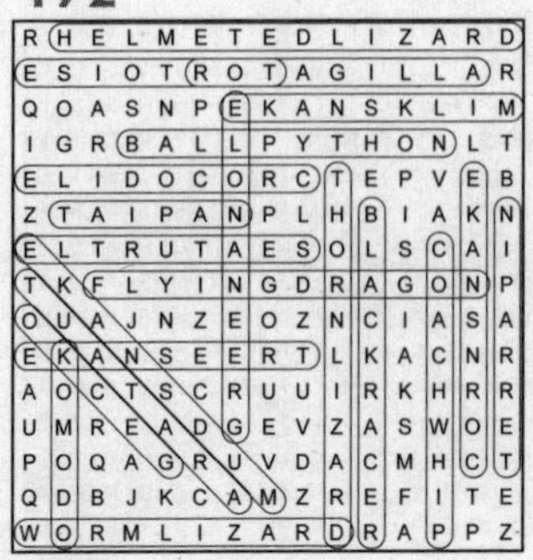

173

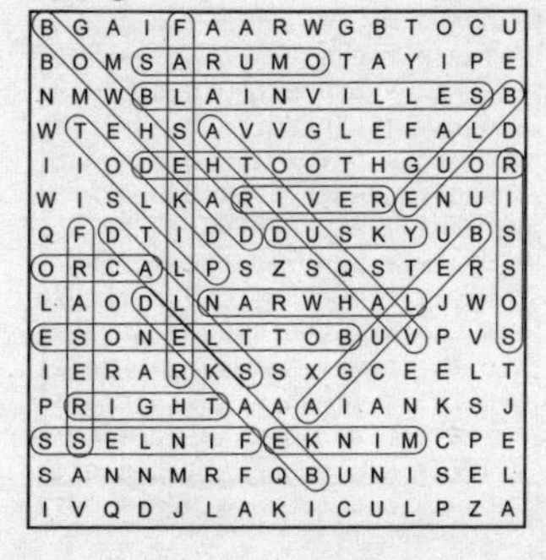

174

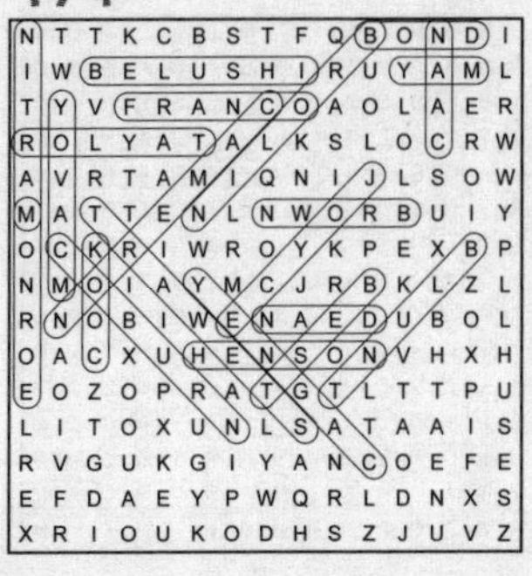

175

176

177

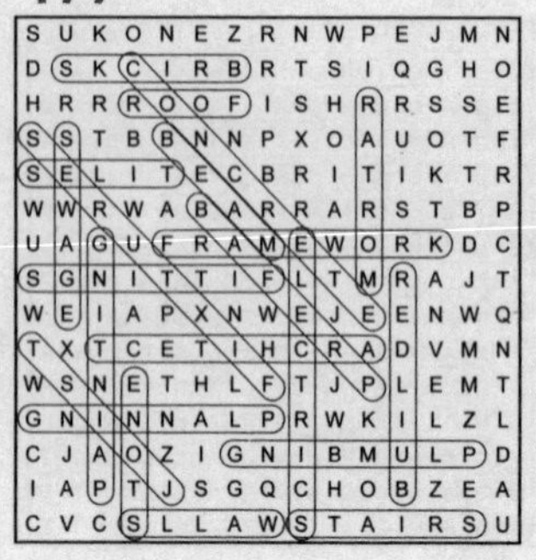

178

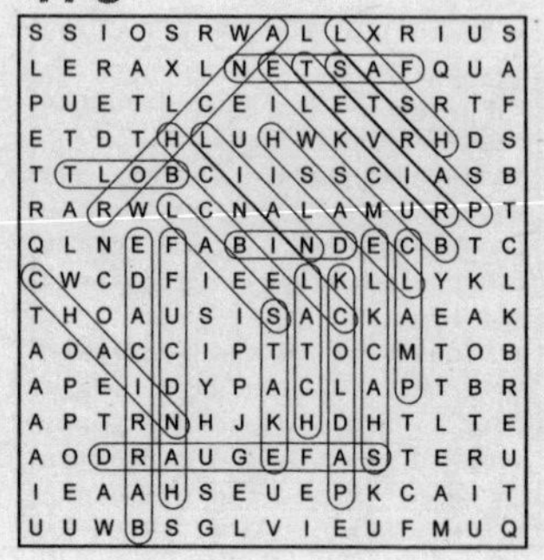

179

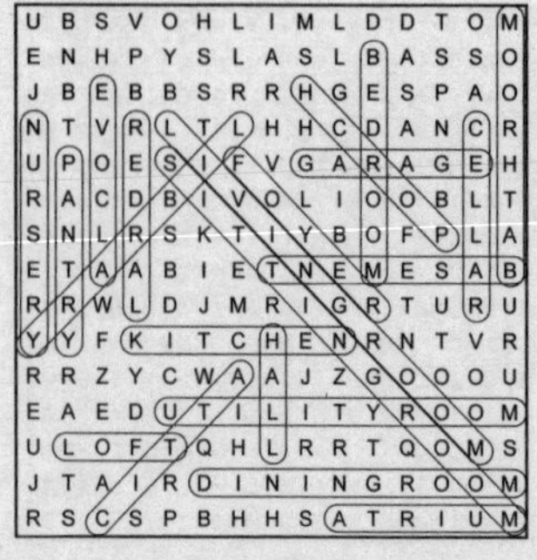

180

I	O	A	J	M	L	Z	J	F	W	X	G	U	X	E
I	T	N	R	X	F	B	L	A	C	K	T	A	H	T
E	B	A	G	E	L	B	C	L	H	C	E	B	X	A
F	D	N	P	T	G	R	E	L	D	O	P	A	L	S
S	W	A	A	A	D	I	X	I	L	O	M	G	O	O
A	O	B	S	A	H	O	T	T	V	O	U	U	P	X
A	T	P	S	I	R	C	O	R	N	B	R	E	A	D
T	O	E	H	Y	R	H	Y	O	S	D	C	T	N	A
Z	M	G	Y	P	G	E	E	T	O	Q	B	T	D	E
N	E	U	O	X	A	E	S	U	D	M	A	E	O	R
A	O	F	I	G	N	T	G	T	A	U	N	P	R	B
O	X	Z	J	X	W	H	B	A	S	F	N	P	O	T
R	X	Z	H	L	G	W	O	U	A	F	O	S	G	A
E	J	L	P	U	M	P	E	R	N	I	C	K	E	L
S	D	R	U	B	C	A	L	U	R	N	K	W	O	F

181

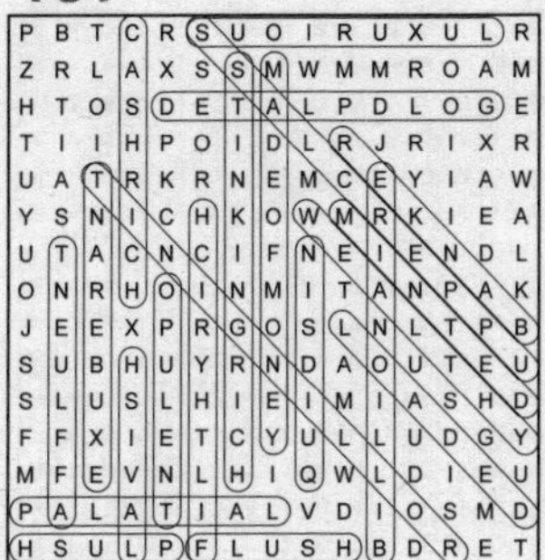

182

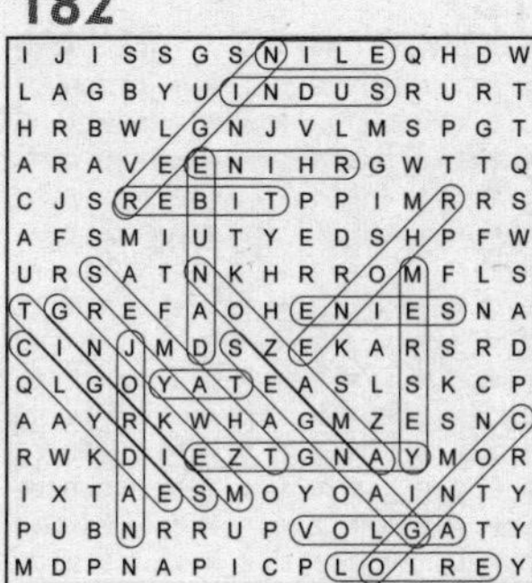

183

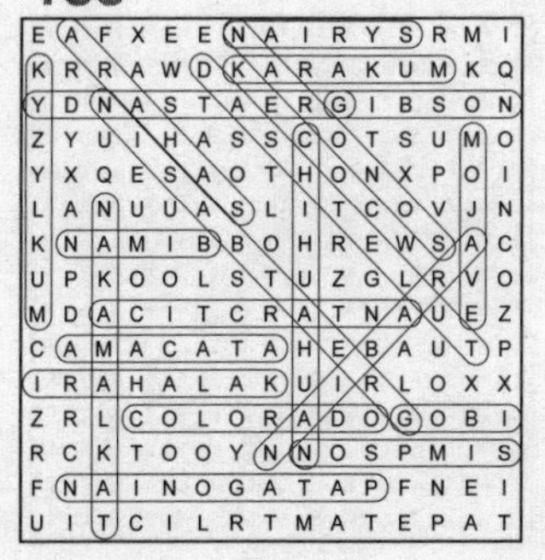

184

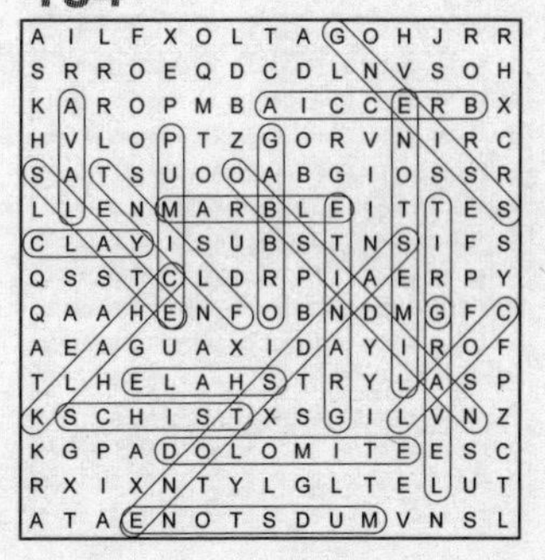

185

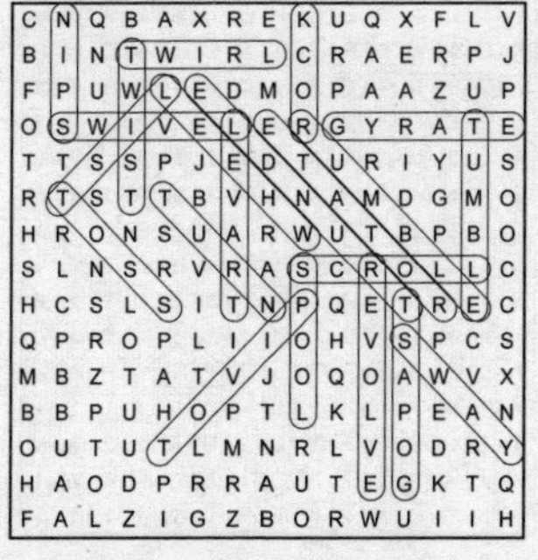

186

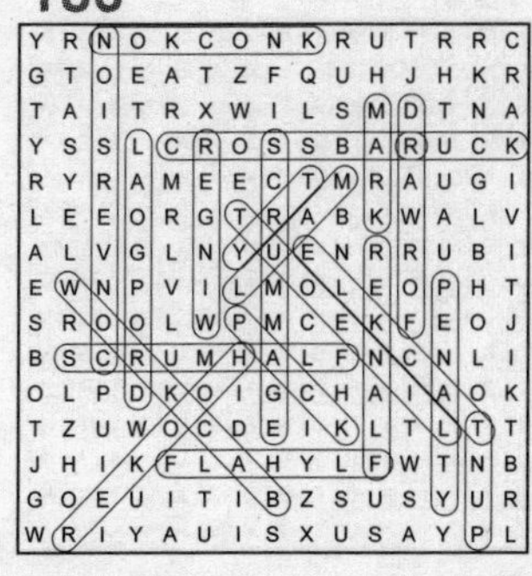

187

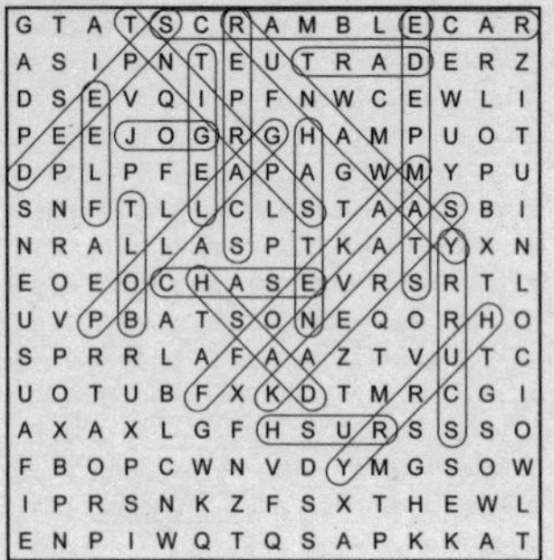

188

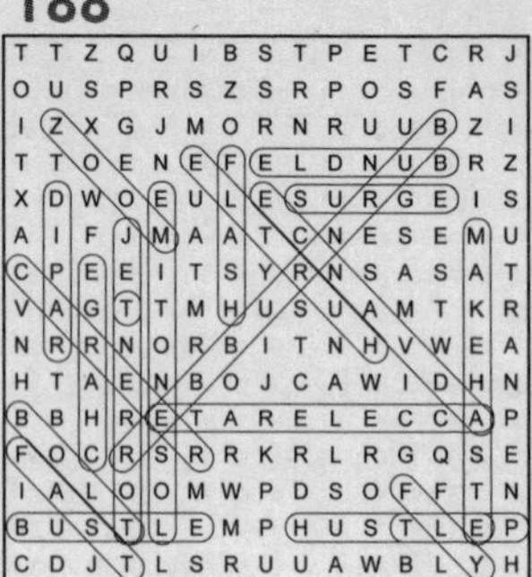

189

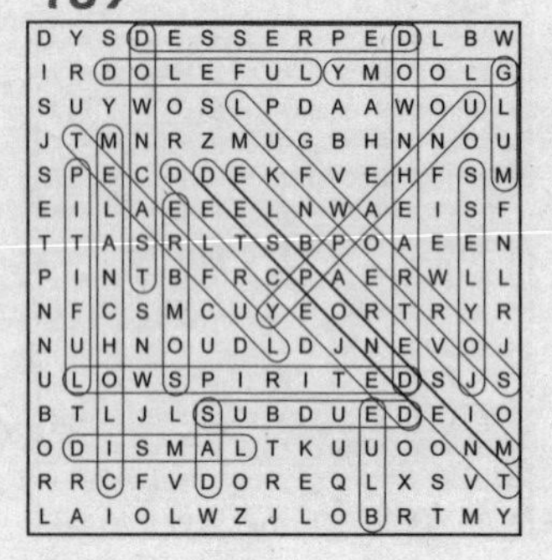

190

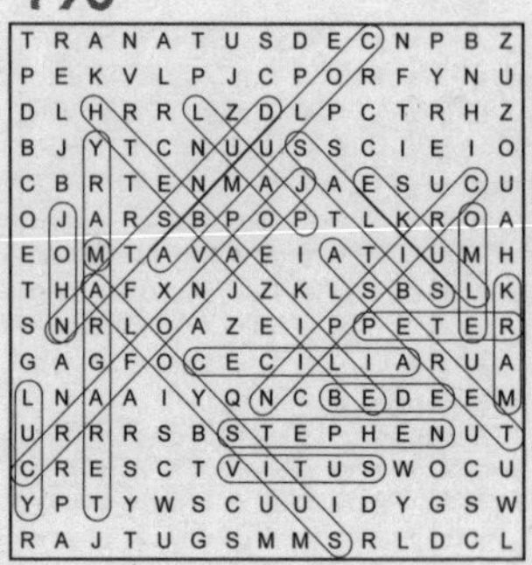

191

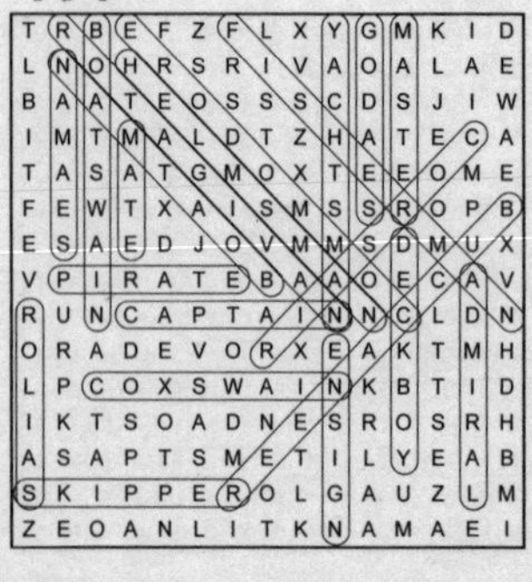

192

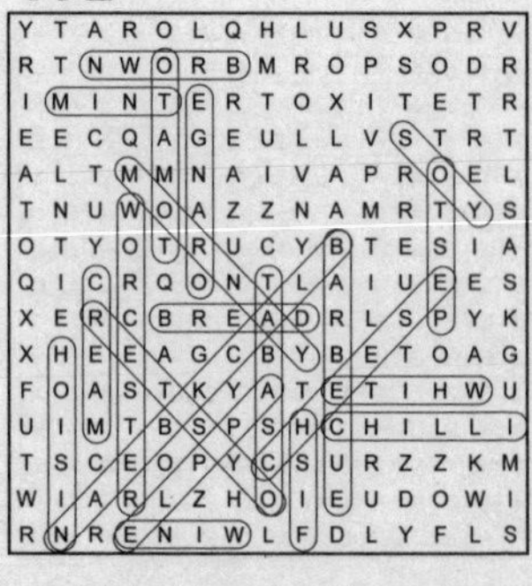

193

194

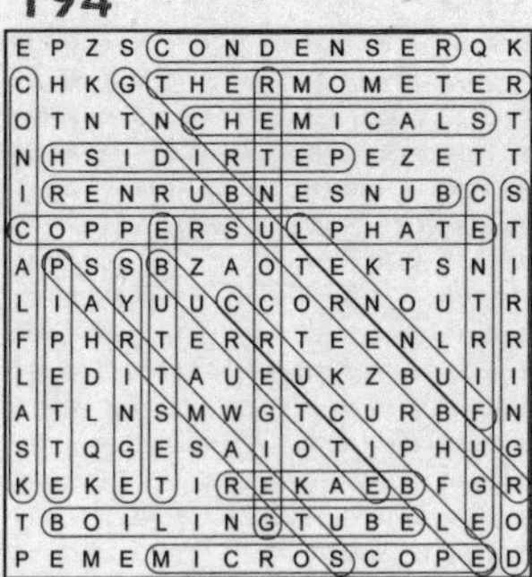

195

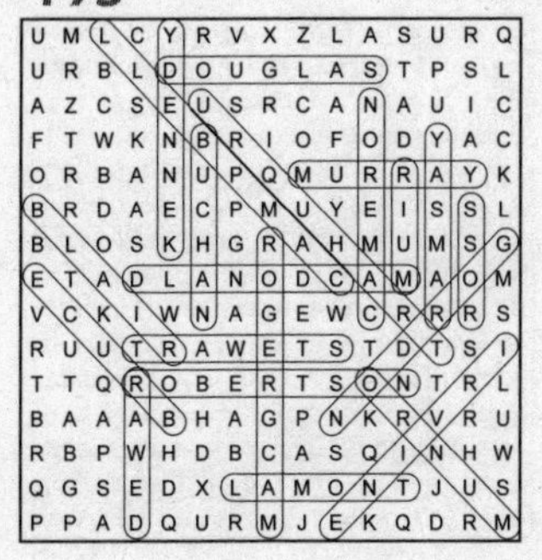

196

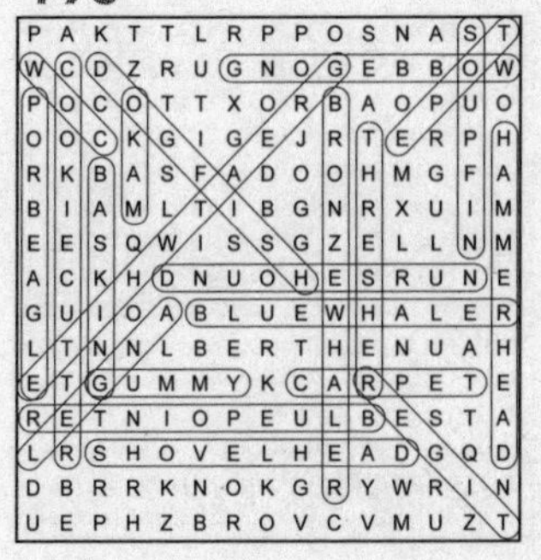

197

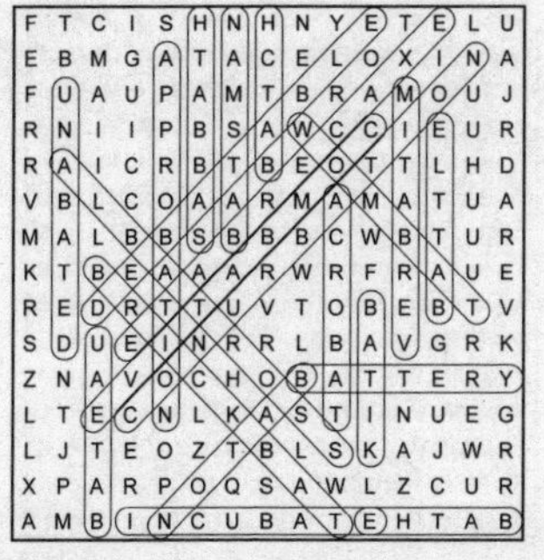

198

199

S Z T S L T W V I R N Y A O U
U R A O K A U T A B Y M L U S
V O S T O K S Z D R I J Q R V
W I H Y R Q P G E M I N I M U
S B K T R U I V R E G A Y O V
G A L I L E O S E R E N I T Y
H G L A N C N V K I N T U P S
P N N Y S G E B A L Y K S N E
T R P I U B E X R E N I R A M
P A D A W T R L N C D R Q E E
B P O L C X A Y O J O N P R Y
S O O M O R T S O N T F E A P
E L G A E B M L M J L T I V T
P L H A D O H E L B B U H L S
I O S O S U R A C I S Q U G I

200

201

T J R A K I R S C H N A P P S
W Z T S R E T T I B E O U Z O
X E R T R E A I U R Q T D X D
L J A S Q C K E S S K F I A A
T Q R U S E D L A H R Z X P V
S E I H D S O U W A T A Q P L
E L H Y Z E V M M H T F O A A
A R F T G L V B U S I T C R C
O A T I N P O I S R E S M G O
R P N J B I D J E E E A K N G
G J C L S R S W N P G T C Y N
G D I E I T A B E N G S I D A
A J P F V T M N A T W A E H C
H T X T E W E C D B G F S Y W
P J T R Z I A K Z Y Z T R I H

202

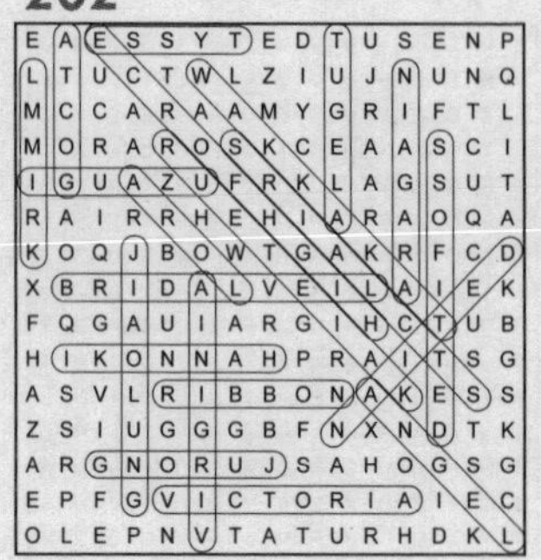

203

204

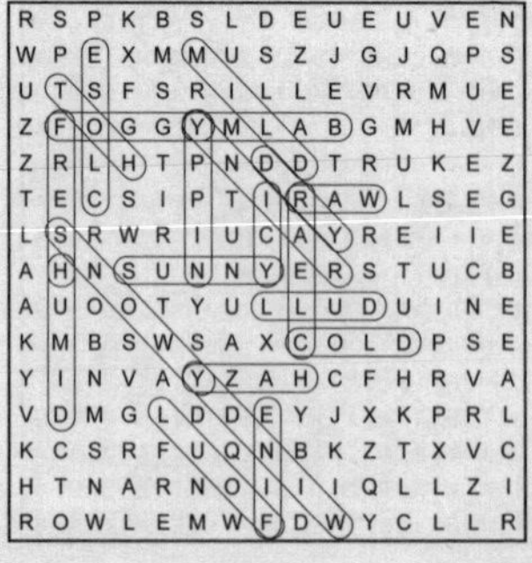

205

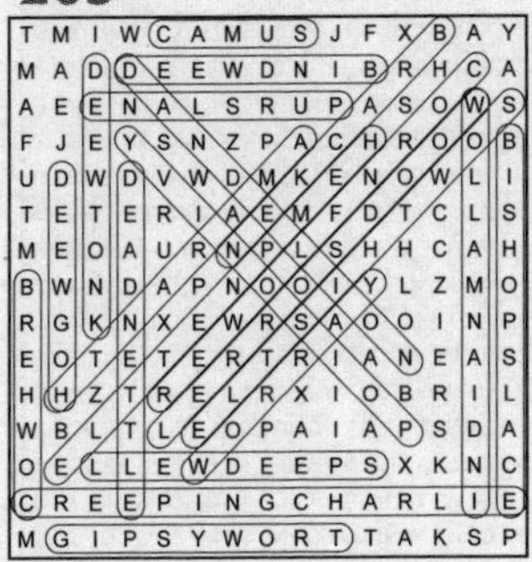

206

207

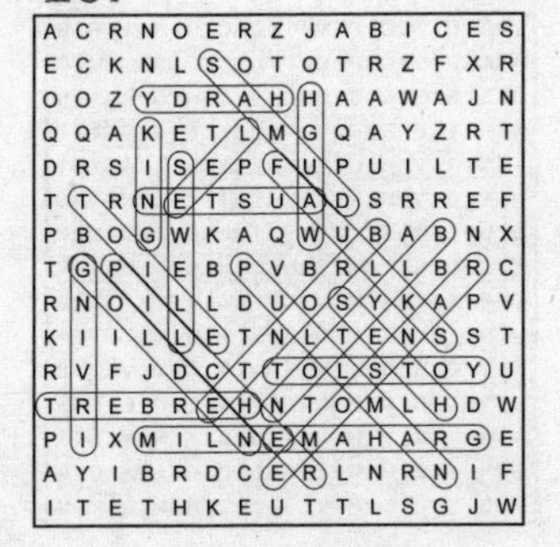

208

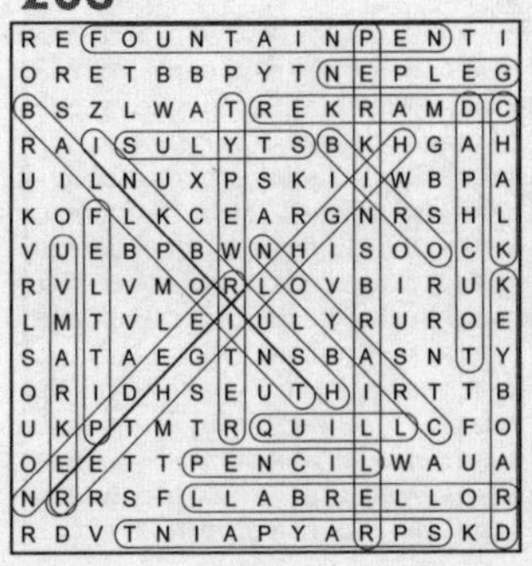

209

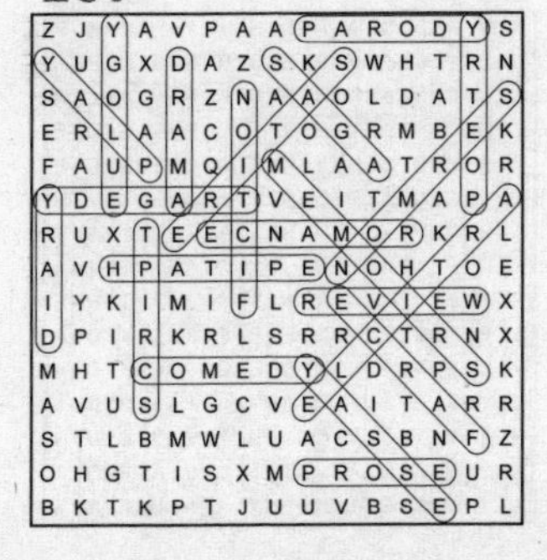

210

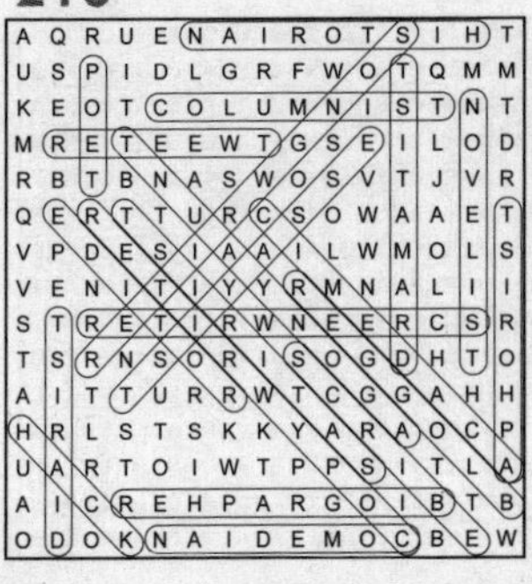

211

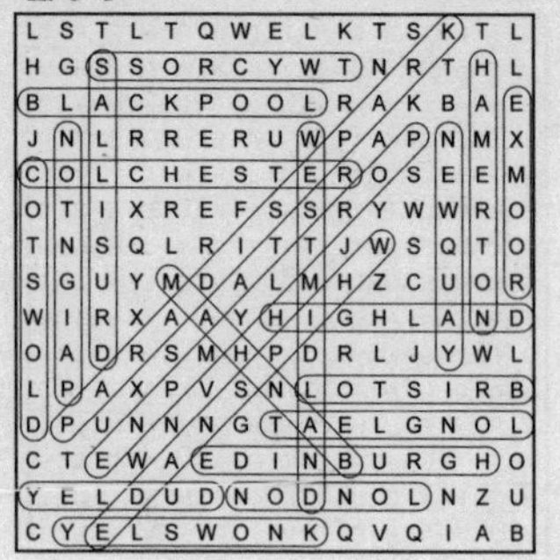

212

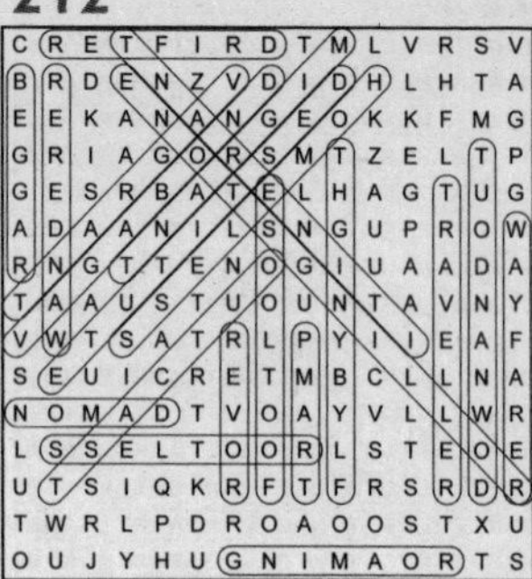

213

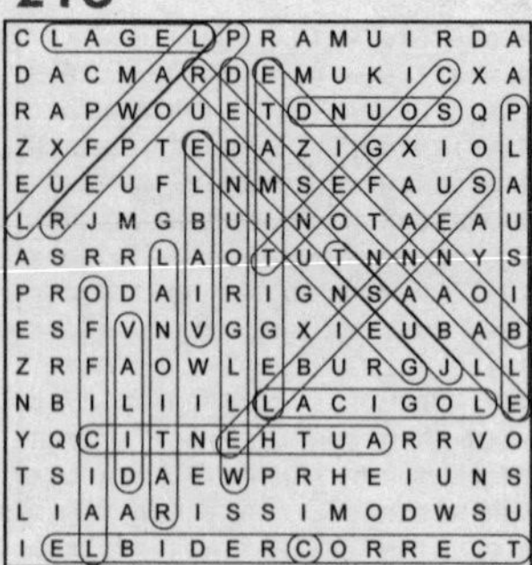

214

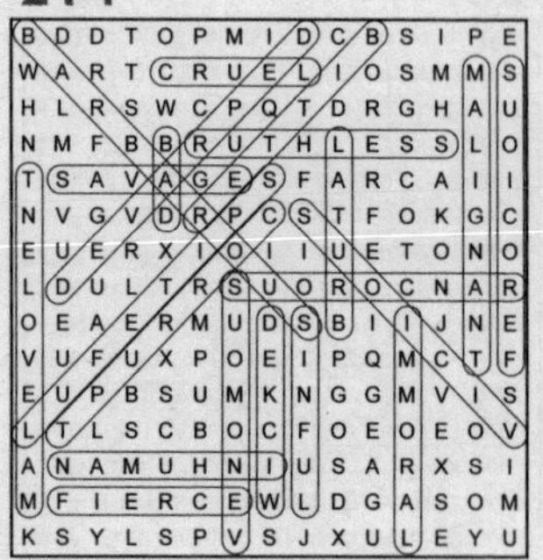

215

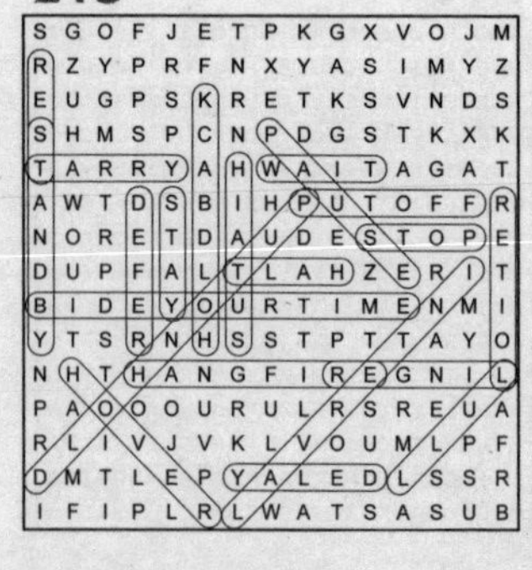

216

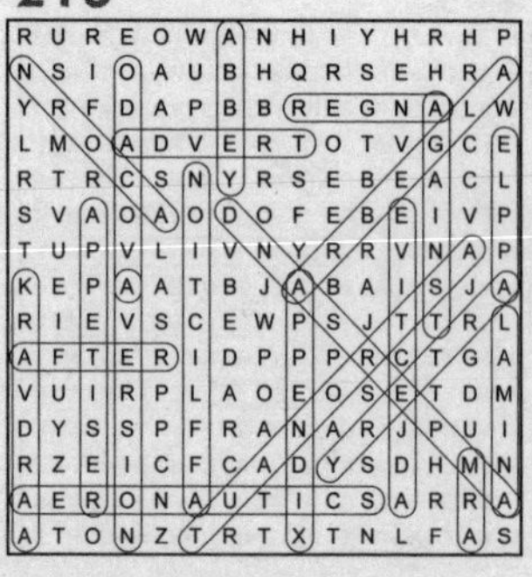

217

218

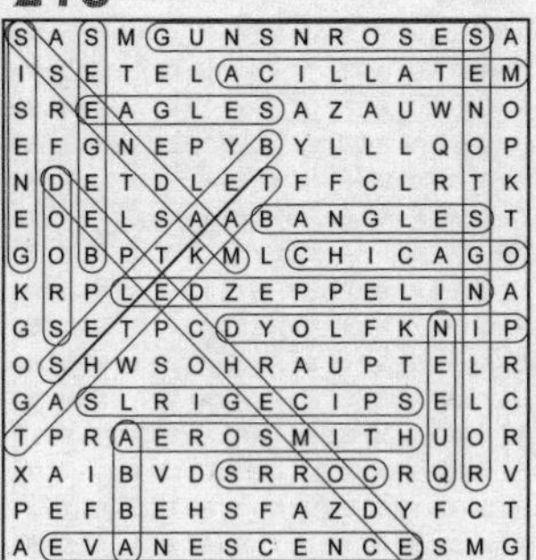

219

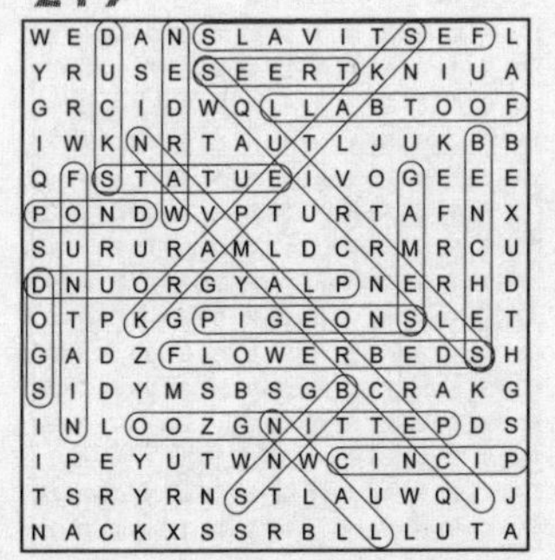

220

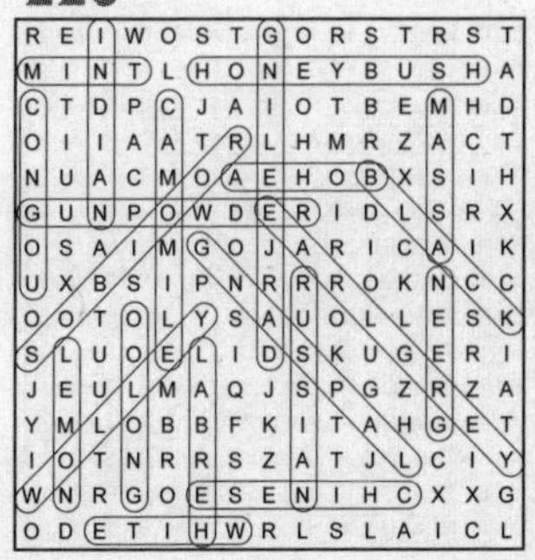

221

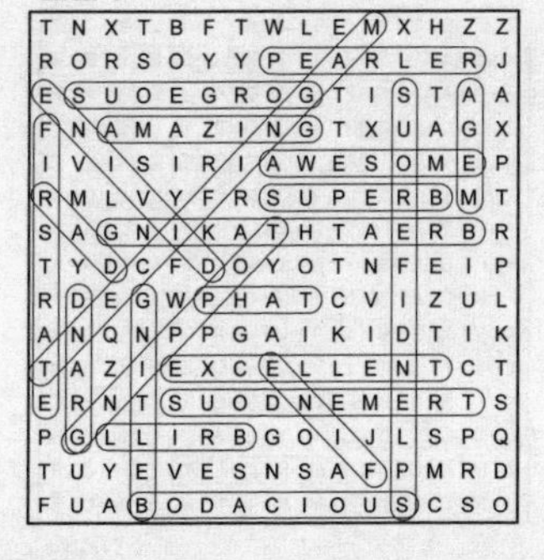

222

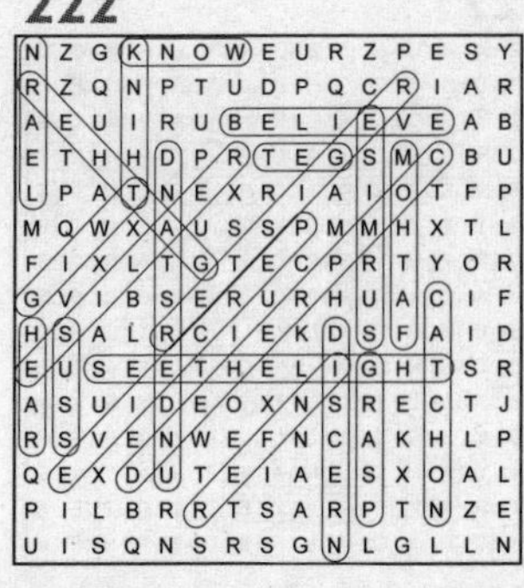

223

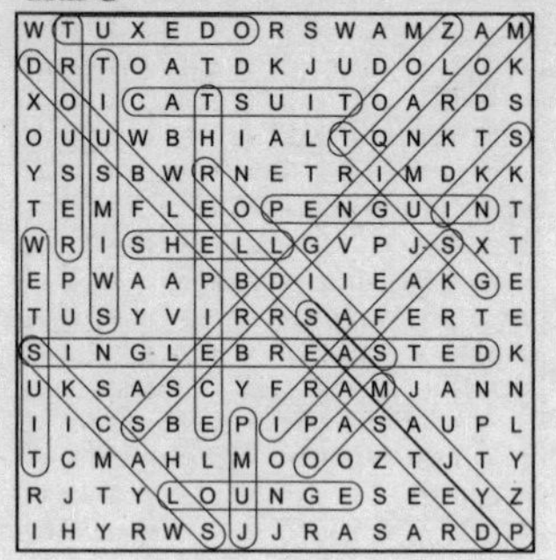

224

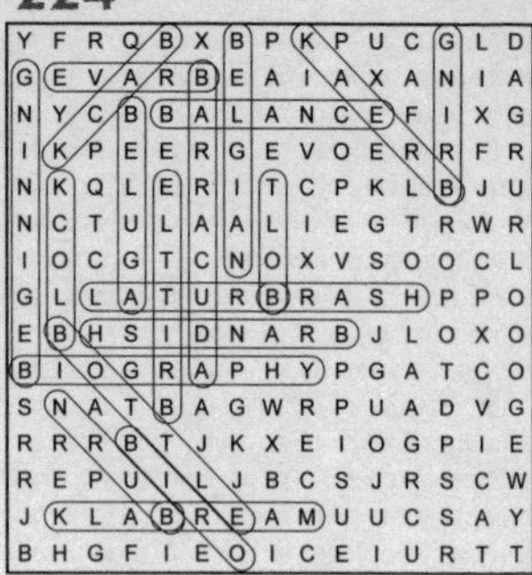

225

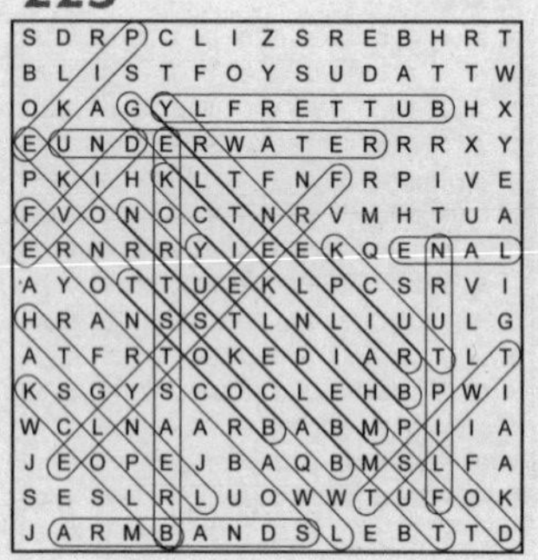

226

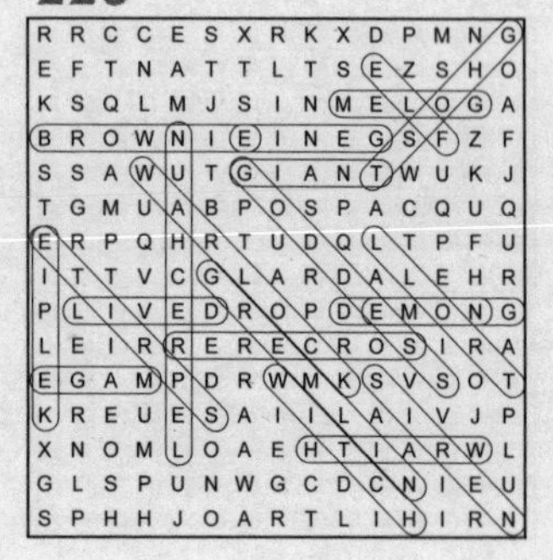

227

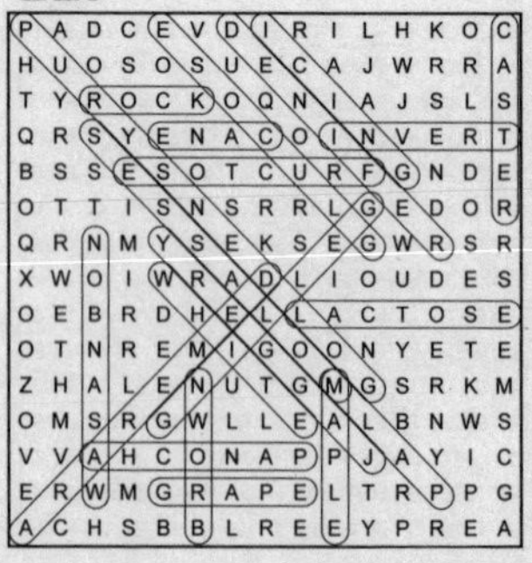

228

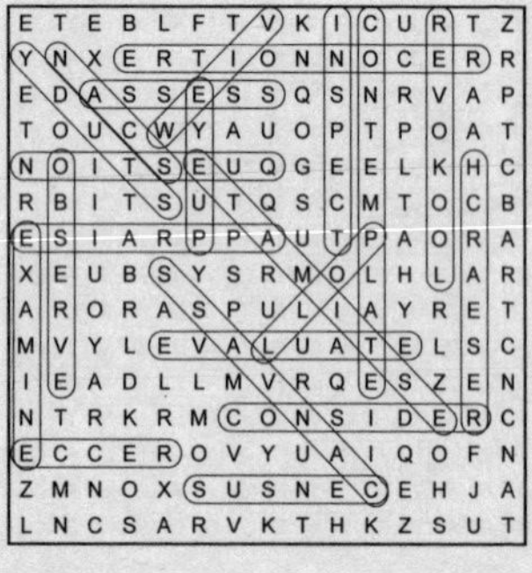

229

230

231

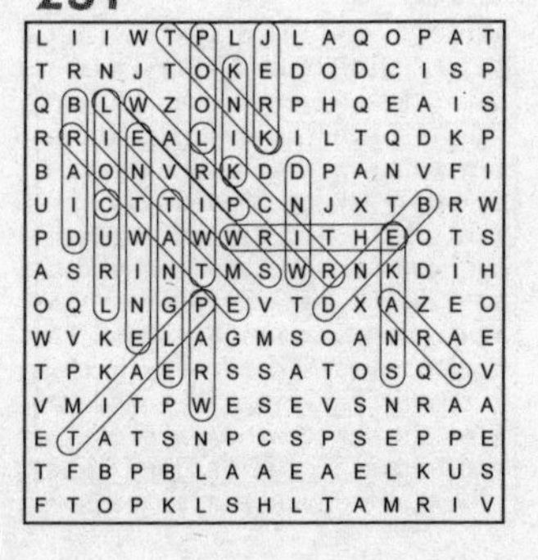

232

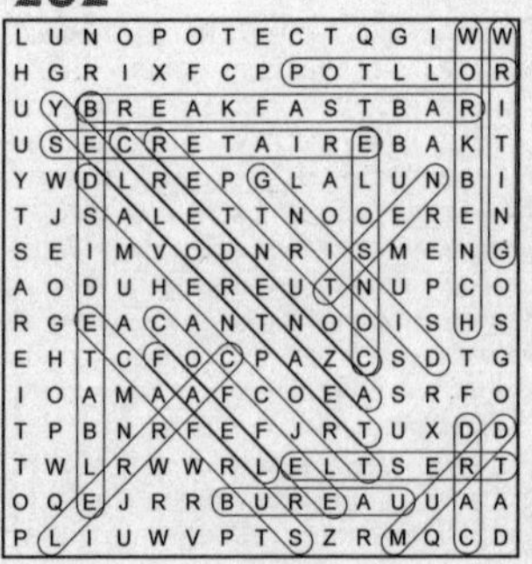

233

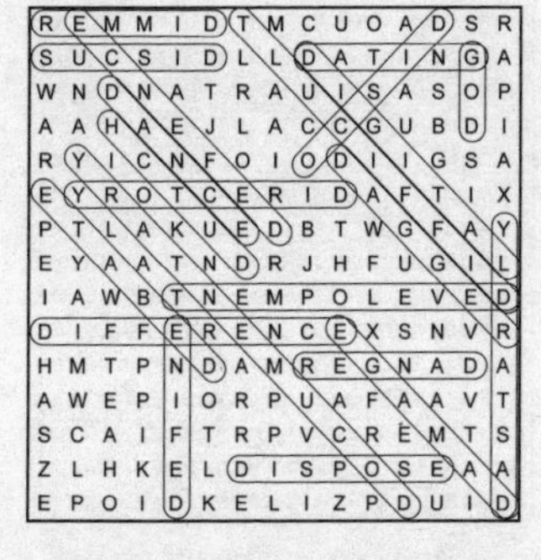

234

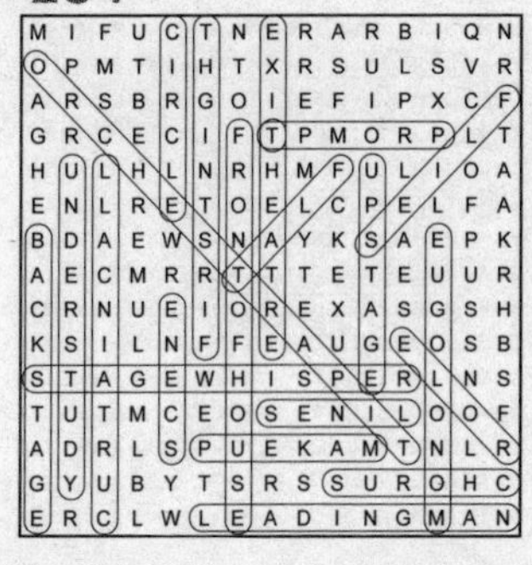

235

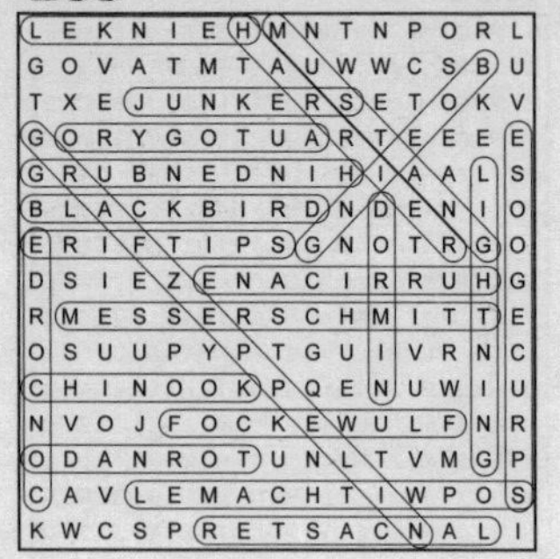

236

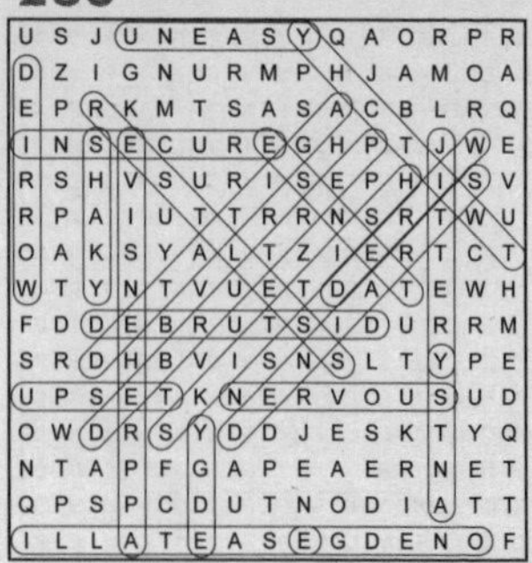

237

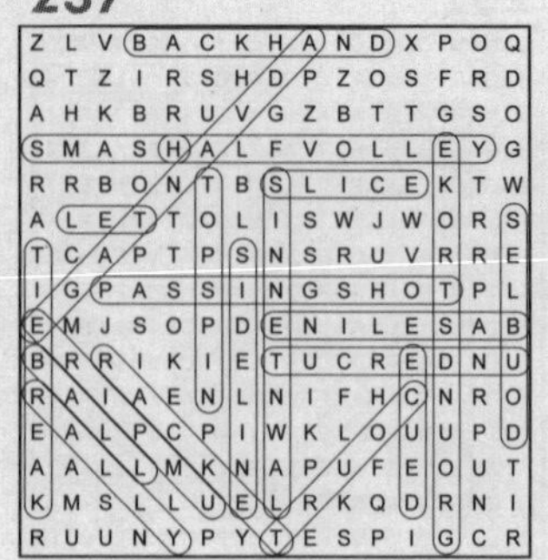

238

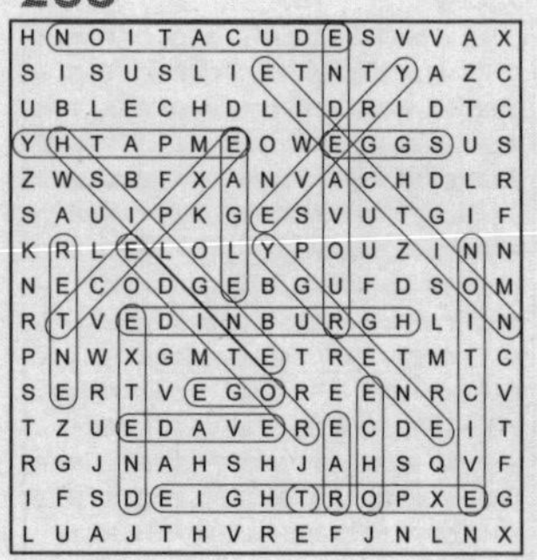

239

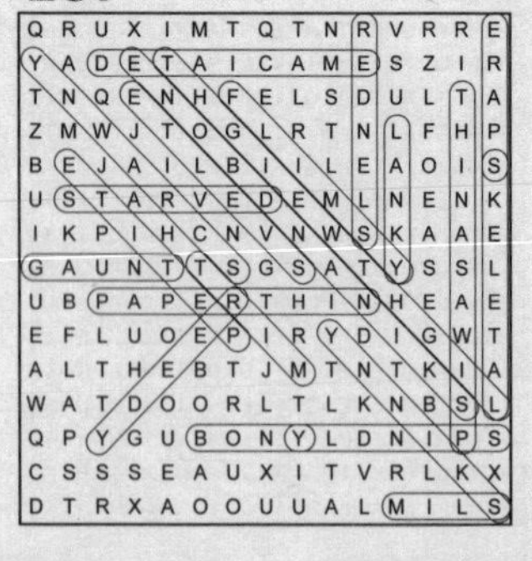

240

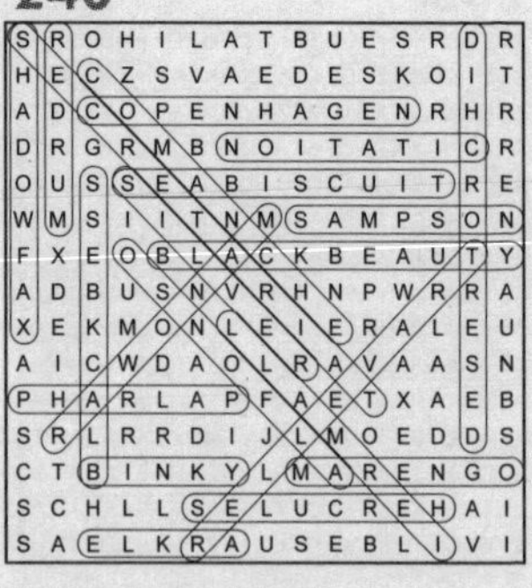

241

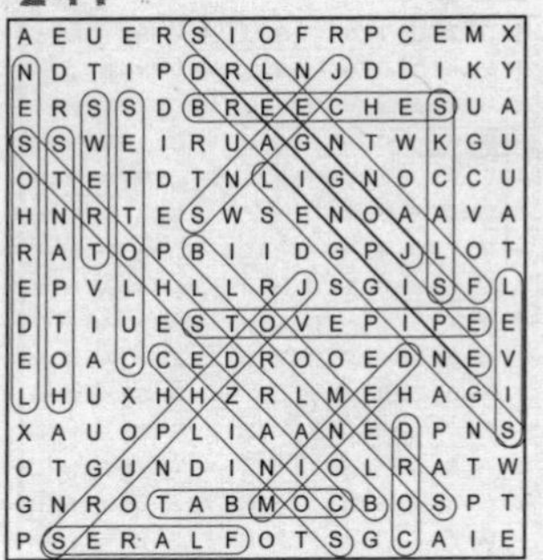

242

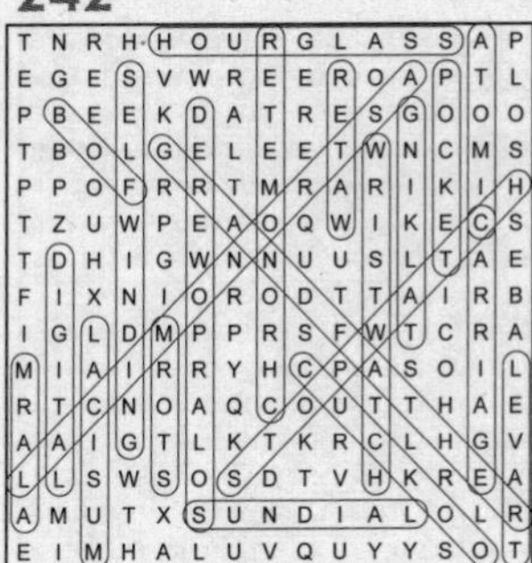

243

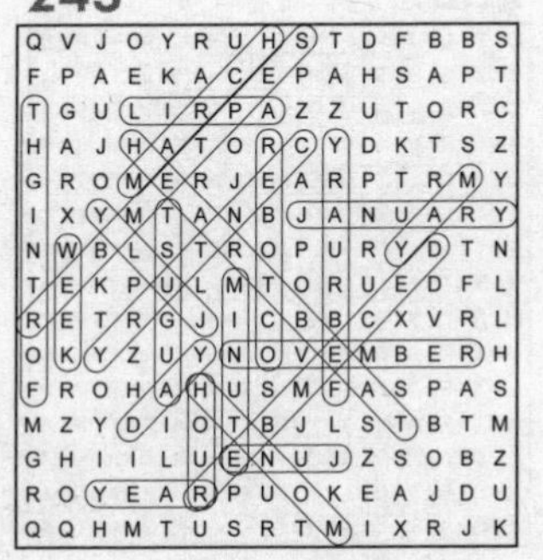

244

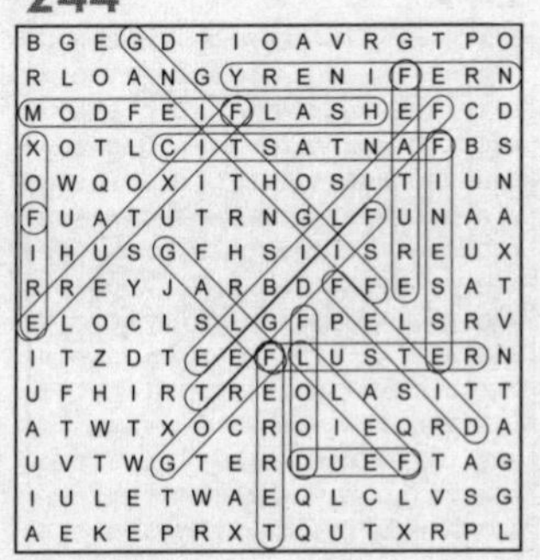

245

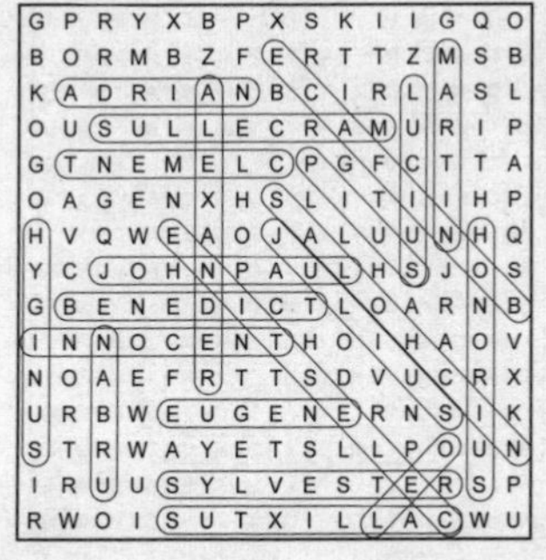

246

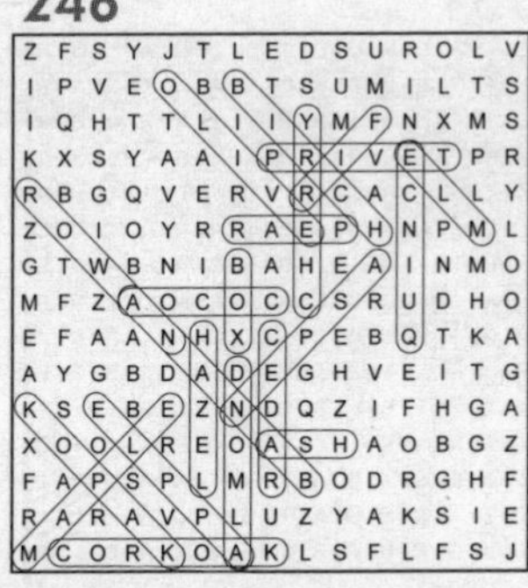

247

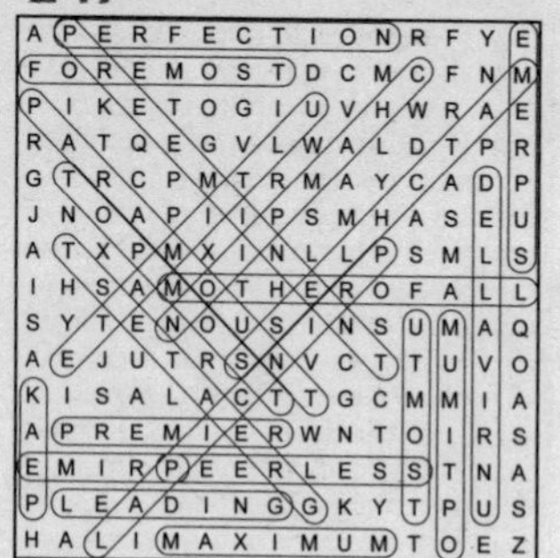

248

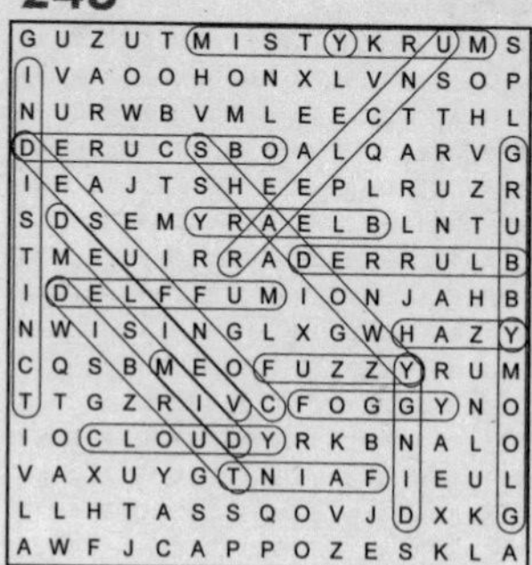

249

C A D N I I B U A D I U B P U
P P I S S O G A M B L E T O X
S E N G R E E N G R O C E R X
A G R O A N N G L A A U N O A
F U Z O E E E Y O M U R L E S
V A U D M R R O W M Z Q A K S
T G C W A G O X G A T X P G P
G H E I G N U H R R C A U I G
W O U L A A S F A G U G O G D
U S A L A G P A B N O N R G A
P T D G X T R E L R P L G L X
I E T R L W Y U E T X F D E R
J U L A B R K R M P L D T E Q
A A L I C W T O U P O L K B N
G R A W U L L L I F Y I O Q B

250

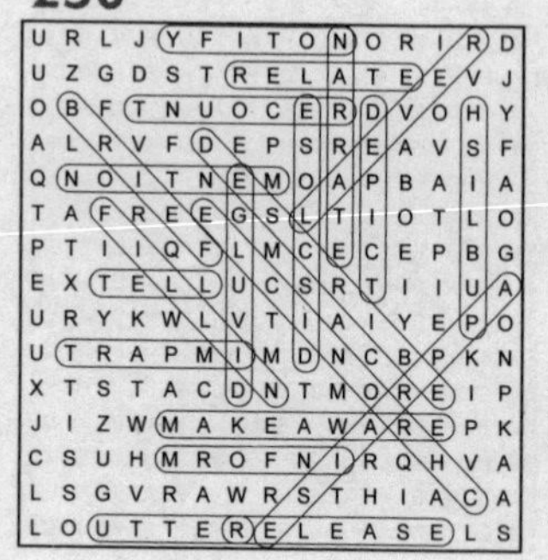

251

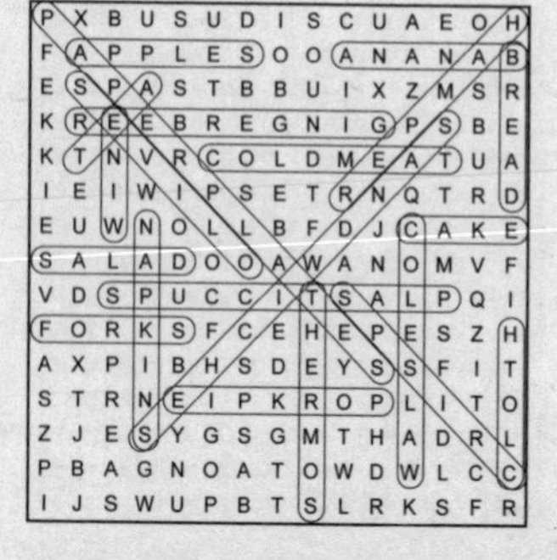

252

L U I M M Y I U W S L E P V I
N S S C R T M A P P Y Z M K R
O B N H R I T X O I M A L F S
S T C R O S S T N A G A I J U
F L S I O R I E L D B E E L T
L O Y S F E W M A H D A W A J
O I B T G V X L P J Z A E I T
W L R C I I E X E T E R L Y W
L L A H D N U M D E T S T S E
K A S U G U I B E K X C U R I
E B E R R K E R C A N I L S L
L I N C O L N O T R E M R D O
B E O H E R T F O R D Y I U O
E A S L U O S L L A R W U W S
K K E L L O G G J I R E S S W

253

E	G	N	I	V	I	R	H	T	A	W	G	E	T	O
M	O	N	E	Y	M	A	K	I	N	G	V	Y	N	L
I	G	N	I	M	O	O	B	O	H	I	S	H	S	S
N	N	V	S	H	N	G	W	T	T	K	J	T	Y	S
E	I	S	C	L	S	O	N	A	R	O	L	L	T	O
N	R	U	O	N	N	I	R	I	H	Q	R	A	I	O
T	A	O	M	E	N	C	R	O	D	A	R	E	R	Y
P	O	R	M	D	U	E	N	U	Z	R	P	W	B	P
U	R	E	E	L	B	A	R	U	O	V	A	F	E	D
A	E	P	R	O	F	I	T	A	B	L	E	W	L	B
I	N	S	C	G	N	I	Y	A	P	E	F	E	E	V
Y	N	O	I	S	S	E	T	S	W	A	L	U	C	R
W	I	R	A	E	O	N	U	S	A	N	T	T	L	C
W	W	P	L	U	F	S	S	E	C	C	U	S	E	G
U	L	H	Y	U	T	P	E	Y	A	T	P	Q	M	R

254

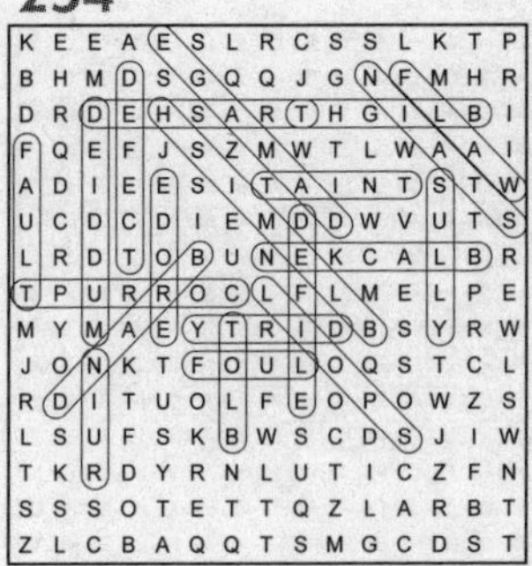

255

R	D	E	R	D	N	U	H	Y	P	E	E	A	A	Q
R	E	L	B	B	O	H	O	O	K	L	N	Z	G	R
A	K	K	T	I	R	H	U	D	J	D	E	E	E	S
I	H	C	A	V	E	A	Z	L	X	N	H	H	S	I
T	E	U	O	M	H	I	J	R	K	A	A	V	Y	O
E	R	S	M	M	Y	R	G	N	U	H	M	Y	D	W
Z	R	Y	U	D	M	A	D	B	U	Z	P	S	S	V
E	I	E	A	O	I	A	H	T	L	A	E	H	M	O
M	N	N	V	L	H	N	H	Y	P	B	R	H	R	P
T	G	O	H	O	K	W	G	E	U	H	Y	E	N	A
U	J	H	S	G	O	A	M	E	L	B	P	A	U	B
A	T	L	T	C	D	H	L	Y	R	M	J	P	P	G
L	T	H	W	E	Y	I	I	I	A	J	E	I	T	Z
S	R	K	R	H	D	Q	D	X	Z	R	P	T	A	L
I	B	R	H	A	A	T	H	I	P	O	H	N	T	S

256

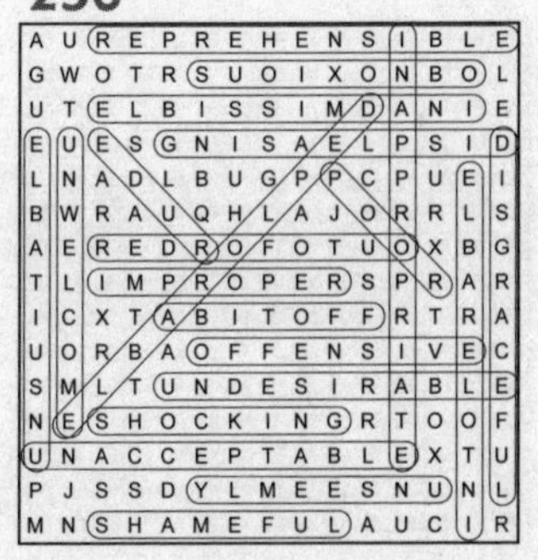

257

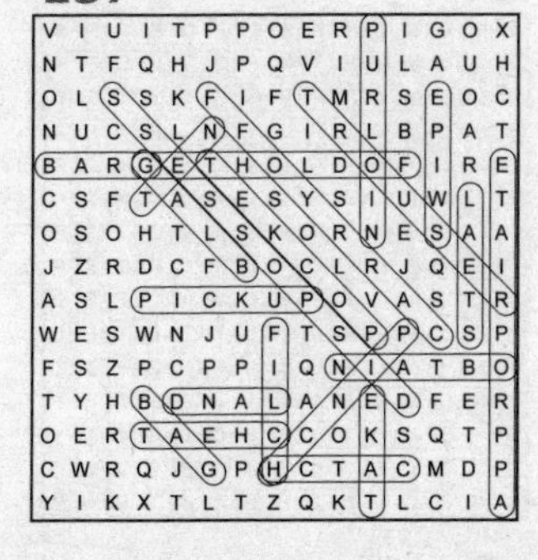

258

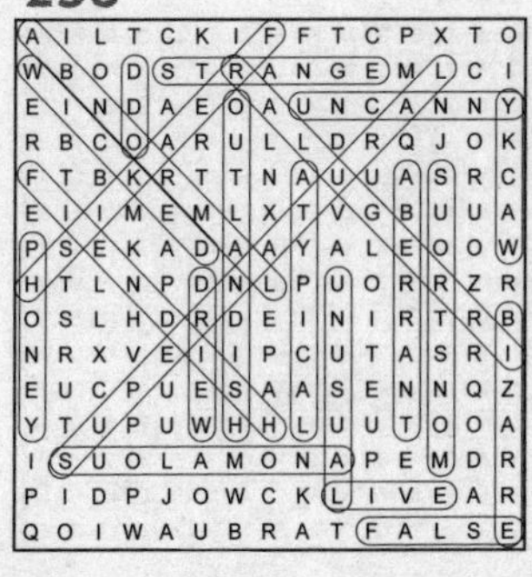

259

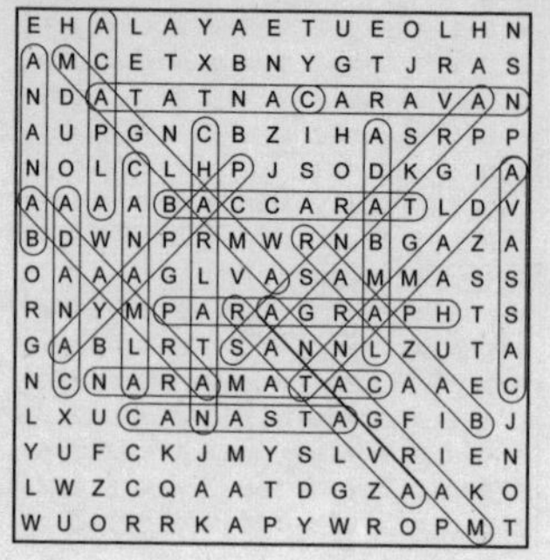

E H A L A Y A E T U E O L H N
A M C E T X B N Y G T J R A S
N D A T A T N A C A R A V A N
A U P G N C B Z I H A S R P P
N O L C L H P J S O D K G I A
A A A A B A C C A R A T L D V
B D W N P R M W R N B G A Z A
O A A A G L V A S A M M A S S
R N Y M P A R A G R A P H T S
G A B L R T S A N N L Z U T A
N C N A R A M A T A C A A E C
L X U C A N A S T A G F I B J
Y U F C K J M Y S L V R I E N
L W Z C Q A A T D G Z A A K O
W U O R R K A P Y W R O P M T

260

E K O M P I C A R D F Z L P E
D O H L S O E U T S U W S N P
G P C T P L I N I U S J M I T
J K Y L A N G R E N U S X T H
W A T H E B I T G I I A T N S
S U N A T N O M O G N O L E C
U U W S T H R O R A G G L G H
I D C L S B U V R M E E Y R I
D C G I L E M M Y U T W L A C
A R L Z N E N Y B O A I L W K
T X S A T R S R T O B M I W A
S T A I V P E S T O L L A L R
N J U I B I I P U U A D B R D
T S L T I R U Q O R C P T M F
S P I T A T U S S C T F Q S E

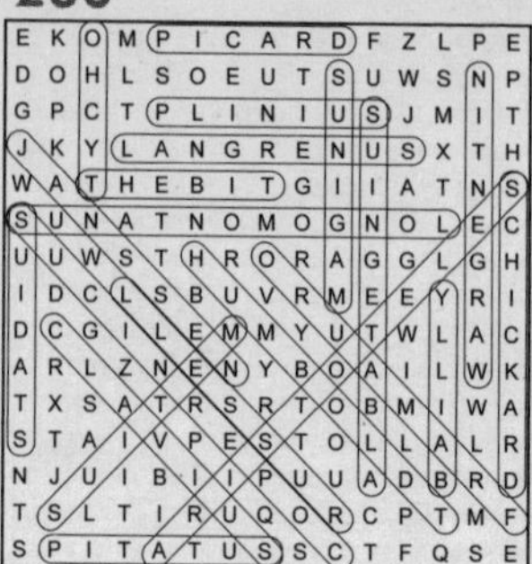

261

I H L S A K H A R O V G N S O
S C A S S I N B I V A N T K M
A S T A N O R C O R R I G A N
R S T U P F R T B O Y D O R R
L S A N T O S C A O A H J L H
L P D G K U R R D S N I G E B
T E A S E R E T R E H T O M T
X R S A L E Y E Z V R A R A Q
P U L N L G D M L E G K B N V
A A A S O N D S T L L N A D A
L D E U G I X U X T F M C E G
S G I U G S R G N L R S H L Z
J P E K S S A D D A M S E A T
Q C L Y J I R T K Y N H V E P
P Y L I Z K A R A F A T H O S

262

A S O S F U S M A R A C A N A
N S B D C G C A M P N O U S Y
E I M E R O S E B O W L S F A
T E U P E O L T E R A O E S N
I K R K R D F R L M P S A E K
H A R R A I E F G E T S D T E
A F A A I S N N A O Q E S A E
D D Y P P O A C G R E U D R K
W L F E U N C T I A T M R I A
E E I K W P E G V P R D O M L
M I E O T A T D O J A D L E T
B F L R E R Z Y P X A L E O L
L N D C A K A K J M Q R I N A
E A A D V I L L A P A R K T S
Y S T A T W I C K E N H A M Y

263

K J T S D U R B A T L G R H A
G R E A E D O L P M I H R O C
R I G L O O N U N I N S O P T
O T A X W T P O A N H R Q P E
S S M I U P A E R D I D I O T
I E I D O L G S T I B V O I S
C L T E X M F U E A I I O T I
N F L A F B C N N O T M Z R X
I N T E R N S H I P T I C E Y
K Y S S Y E S K C S A T R U W
Z V I N F A N T I L E A U R P
T N E D I C N I P G B T A R I
W Z O I G K T K C T O I B U E
E I N S T A N T A N E O U S N
S R Z Z E O R S T P I N O R C

264

T N R S I T S S E L D E E H S
Z X L U U E T N E G I L G E N
U L G N I R A C N U T Y D Q L
R U E N M U N M I N D F U L A
P F E V I T A L P M E T N O C
A T K I I K A Q T T D O M E I
T C I B P T N A Z A N C E S H
T E N D E R C I N B I R D S P
E L D A A T P E H M M L I E O
N G S S L H U D L T T L T L S
T E H E L P F U L F N E A E O
I N S E N S I T I V E U T R L
V S U O T I C I L O S R I A I
E U S T E T B B J W B E V C H
I N C O N S I D E R A T E W P

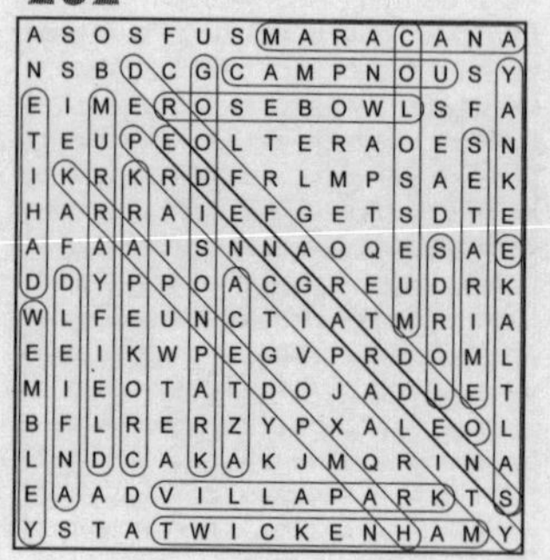

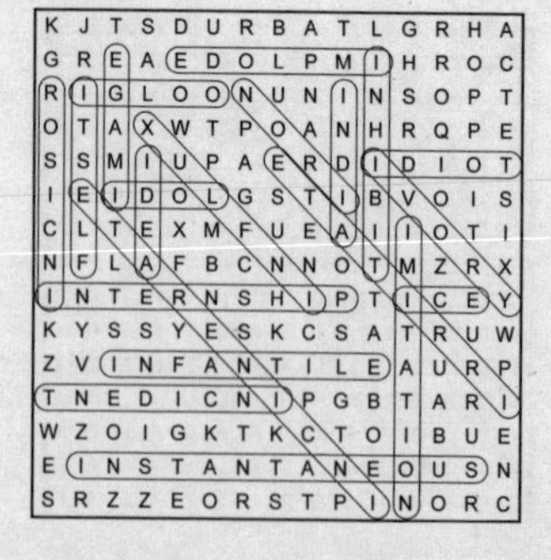

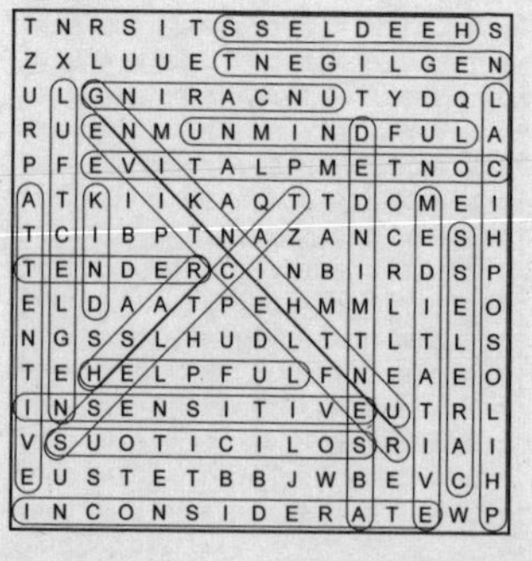

265

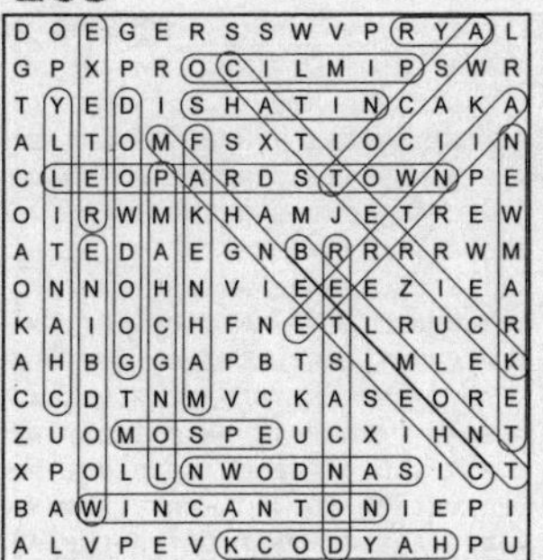

266

A A U D U R H A M C T K W L U
H G R U B N I D E R S X O S R
S T A N D R E W S V S U G N Y
U C Y B R I S T O L P L S M L
P T Y W E X E T E R J A A J E
S S O U T H A M P T O N L S E
R A Q N S S T X N J C C G H D
D F G I E D Y L C H T A R T S
R L R N C W I R E E U S V U W
A E R K I L C S E Y M T B O X
T B S U E L T A U B O E I M O
R H U L L E R P S I A R S Y A
F F I D R A C I L T O E K L L
D F U D B U B A T H L N S P I
P O X A O I P M T S R E J G P

267

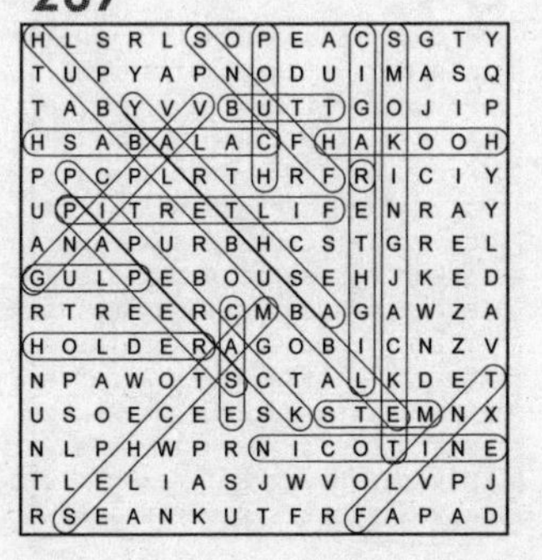

268

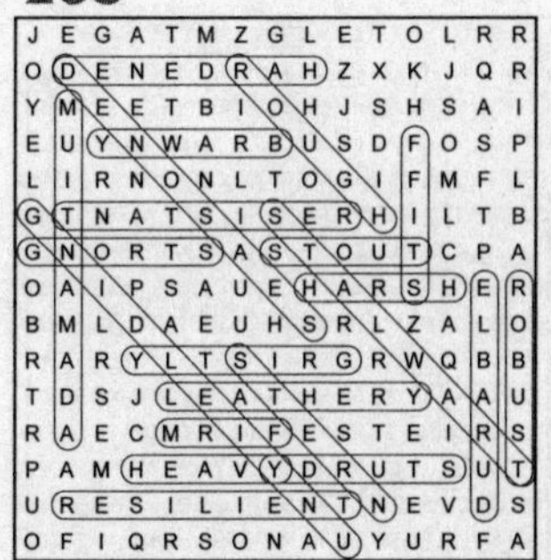

269

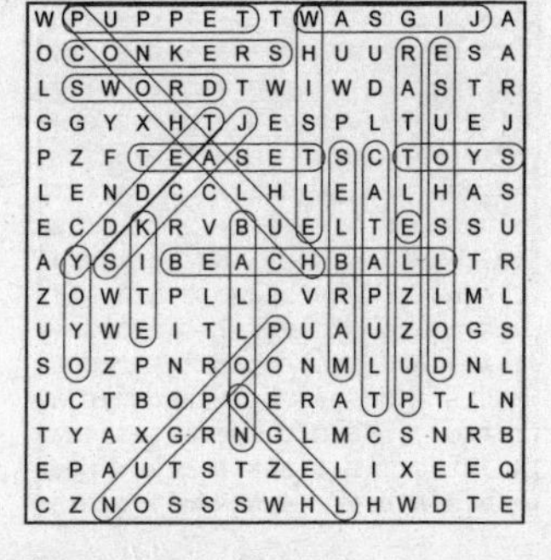

270

271

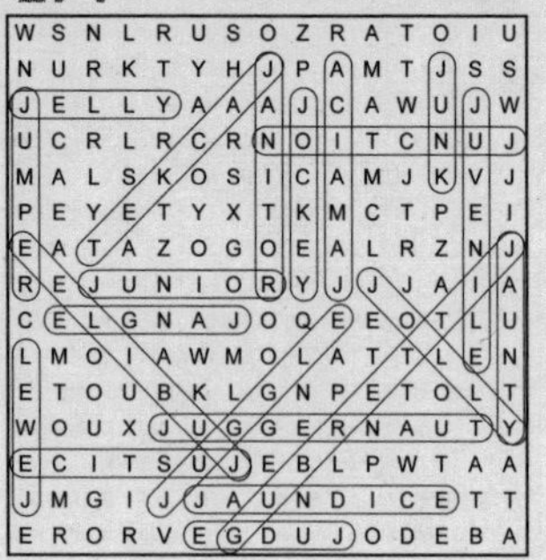

272

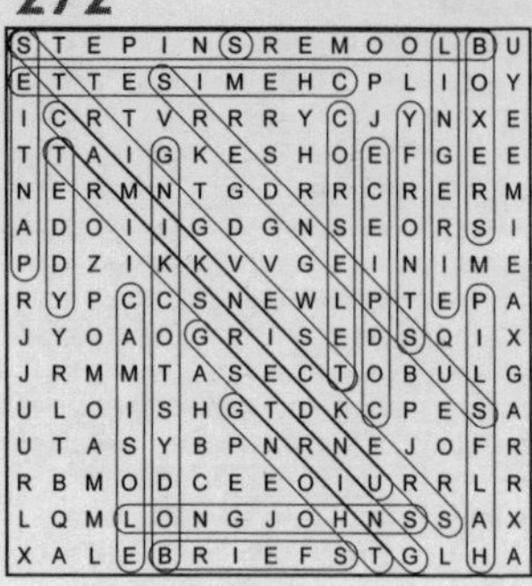

273

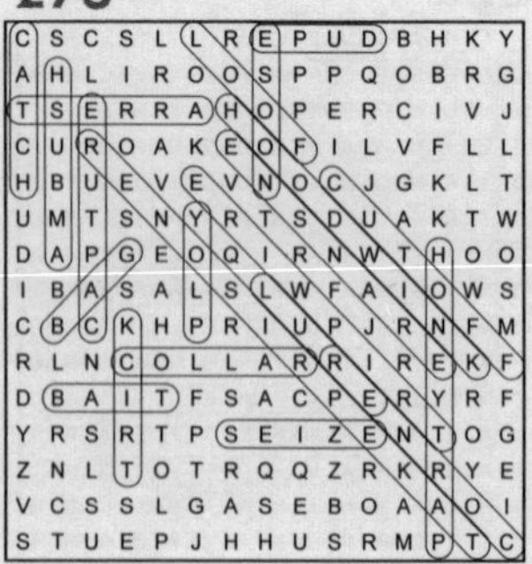

274

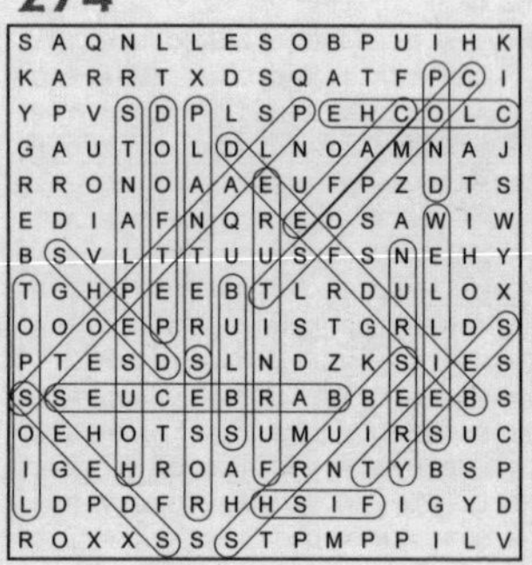

275

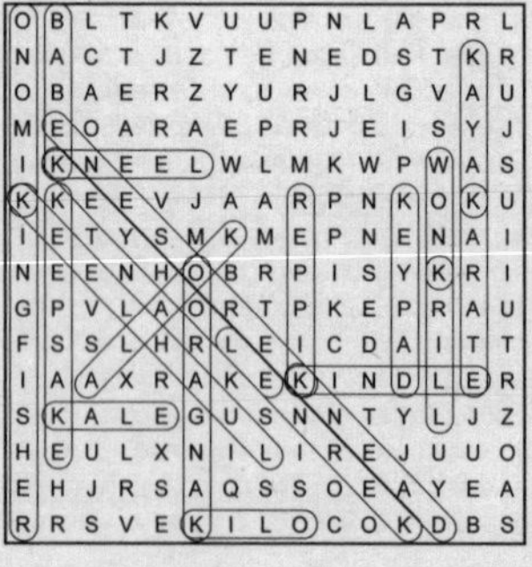

276

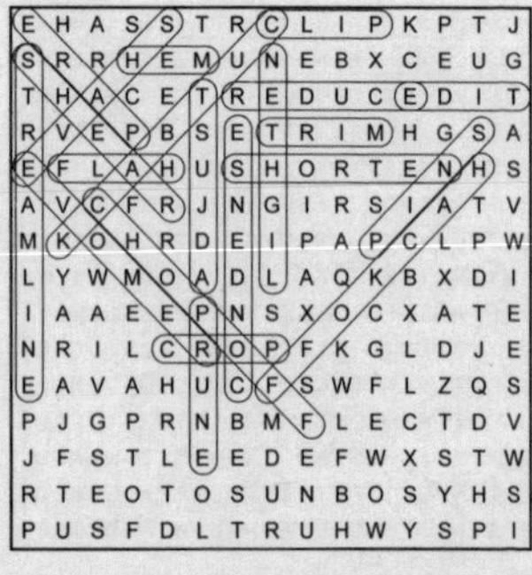

277

S	R	E	C	U	A	S	G	N	I	Y	L	F	C	K
T	P	F	P	H	T	A	M	W	A	X	X	P	X	T
R	E	O	M	J	E	E	G	U	M	D	R	O	P	R
A	W	L	R	T	E	W	B	U	L	L	S	E	Y	E
W	Z	I	B	D	V	L	I	R	J	P	X	R	E	P
B	P	L	N	A	R	Q	L	N	E	G	R	L	V	P
E	W	A	Q	E	T	A	Q	Y	G	H	O	U	E	O
R	O	C	K	S	G	S	E	E	B	G	S	P	O	T
R	T	S	T	R	S	U	K	P	X	E	U	O	D	S
Y	I	W	O	L	L	A	M	H	S	R	A	M	E	B
L	C	A	R	A	M	E	L	S	P	T	E	N	E	O
A	O	U	I	A	F	R	I	E	D	E	G	G	S	G
C	O	L	A	B	O	T	T	L	E	S	D	T	I	E
E	C	I	R	O	U	Q	I	L	O	G	U	G	N	F
S	T	N	I	M	R	E	P	P	E	P	F	L	A	T

278

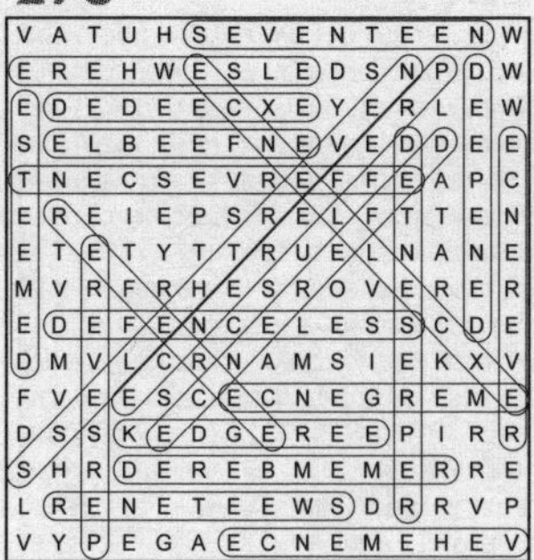

279

X	G	P	T	A	D	E	F	I	L	H	L	U	E	T
L	N	H	P	T	S	S	P	A	A	A	L	W	R	O
A	I	V	X	E	W	Q	B	M	M	N	K	C	S	O
W	D	B	M	L	G	O	E	I	A	V	W	H	C	X
L	N	W	E	A	U	A	N	E	L	L	R	V	S	B
E	A	A	H	R	H	A	U	Z	L	O	P	A	L	Q
S	L	B	X	K	T	I	L	G	I	Q	S	A	E	M
S	E	R	E	E	N	Y	E	R	N	U	M	J	M	L
R	I	V	P	L	I	T	L	O	C	A	T	I	O	N
L	Y	T	A	T	R	F	S	E	N	C	L	A	N	F
J	B	D	O	B	Y	H	L	Y	R	I	C	I	S	T
P	E	T	O	N	B	P	C	G	T	O	T	D	J	L
N	R	E	T	N	A	L	W	N	M	U	T	A	L	V
R	E	G	N	I	L	I	M	O	U	S	I	N	E	I
S	C	C	E	U	N	E	O	Q	L	L	J	R	P	U

280

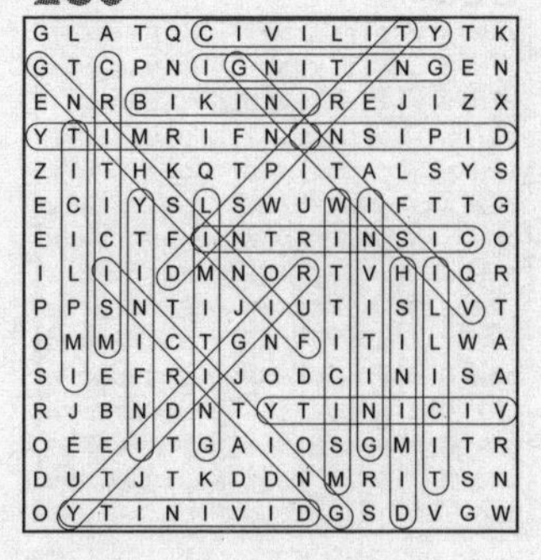

281

282

M	A	S	T	E	R	S	I	F	V	M	O	W	N	C
T	W	A	L	K	E	R	R	F	V	D	E	R	R	O
R	W	C	R	U	W	E	V	Y	O	B	U	G	O	V
P	G	I	P	J	E	E	N	O	B	I	I	Q	D	P
L	U	R	H	D	A	T	W	E	V	K	P	N	O	I
O	M	E	O	Y	S	D	L	E	R	V	R	W	P	Y
E	D	M	A	G	O	L	D	E	N	G	L	O	V	E
R	L	A	N	O	I	T	A	N	D	N	A	R	G	L
D	U	U	G	S	C	O	T	T	I	S	H	C	W	N
T	A	S	H	E	S	U	I	J	U	O	I	E	M	A
A	S	V	I	U	G	U	J	T	E	R	A	L	C	T
W	W	N	I	T	P	U	F	E	D	C	U	P	F	S
L	C	O	E	S	R	Y	D	E	R	L	E	I	B	R
V	I	L	F	A	C	U	P	U	C	D	L	R	O	W
T	G	M	Y	Y	E	C	C	A	L	C	U	T	T	A

283

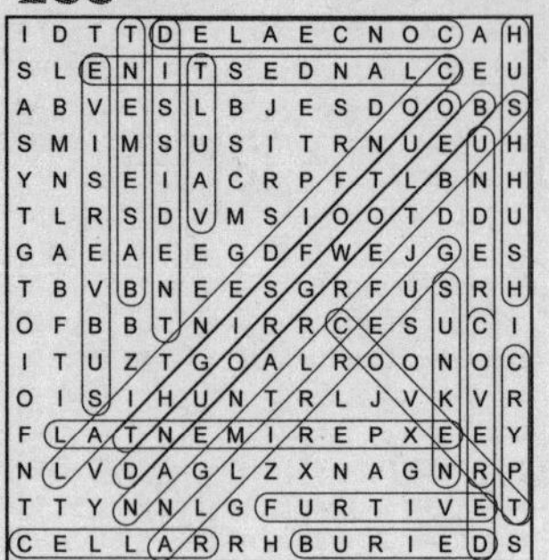

I	D	T	T	D	E	L	A	E	C	N	O	C	A	H
S	L	E	N	I	T	S	E	D	N	A	L	C	E	U
A	B	V	E	S	L	B	J	E	S	D	O	O	B	S
S	M	I	M	S	U	S	I	T	R	N	U	E	U	H
Y	N	S	E	I	A	C	R	P	F	T	L	B	N	H
T	L	R	S	D	V	M	S	I	O	O	T	D	D	U
G	A	E	A	E	E	G	D	F	W	E	J	G	E	S
T	B	V	B	N	E	E	S	G	R	F	U	S	R	H
O	F	B	B	T	N	I	R	R	C	E	S	U	C	I
I	T	U	Z	T	G	O	A	L	R	O	O	N	O	C
O	I	S	I	H	U	N	T	R	L	J	V	K	V	R
F	L	A	T	N	E	M	I	R	E	P	X	E	E	Y
N	L	V	D	A	G	L	Z	X	N	A	G	N	R	P
T	T	Y	N	N	L	G	F	U	R	T	I	V	E	T
C	E	L	L	A	R	R	H	B	U	R	I	E	D	S

284

L	A	C	I	S	U	M	K	L	O	H	T	N	E	M
A	L	J	Y	S	U	O	L	L	E	V	R	A	M	E
R	H	M	A	J	O	R	E	B	L	B	G	P	A	T
O	A	A	N	M	K	T	T	L	D	W	E	I	R	E
M	P	C	O	M	L	G	M	C	D	V	X	Z	I	O
J	U	E	C	I	E	A	O	X	U	D	P	R	G	R
B	E	E	P	S	N	G	W	M	M	G	I	A	O	A
F	S	J	A	S	I	E	A	O	L	A	M	M	L	W
A	P	Y	I	I	T	G	I	B	D	Z	N	S	D	R
U	I	O	A	S	N	M	E	I	Y	A	I	U	R	C
U	N	I	V	E	O	M	O	L	E	T	E	S	A	A
R	E	G	T	M	A	P	L	E	C	E	E	M	O	L
R	I	A	R	Q	X	K	H	C	Q	S	D	R	W	Q
R	R	U	K	A	S	P	T	P	J	X	U	E	O	X
R	H	P	R	N	X	I	G	X	I	P	P	M	X	O

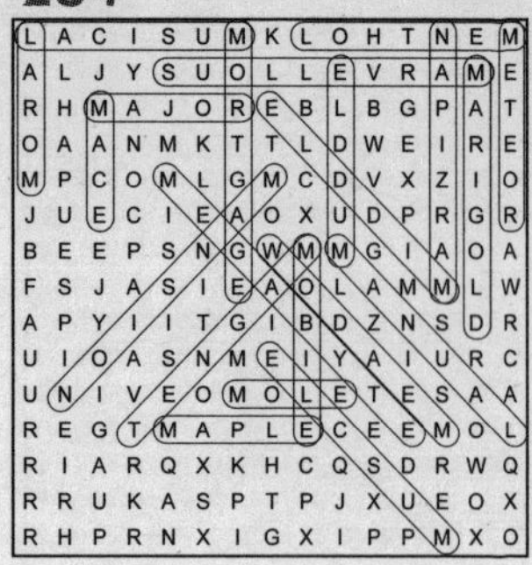

285

Y	E	S	U	O	E	N	A	T	L	U	M	I	S	E
L	W	O	J	Y	B	K	E	E	H	C	R	N	U	K
E	S	S	A	M	N	E	M	D	E	O	U	A	O	T
V	I	N	A	R	O	W	I	I	G	N	C	B	E	P
I	H	N	Y	O	O	L	T	S	B	C	S	O	N	S
T	Z	A	S	M	R	T	E	Y	T	U	T	D	A	Y
C	L	L	N	U	E	R	M	B	P	R	N	Y	R	N
E	E	L	O	D	C	E	A	E	O	R	E	L	O	C
L	N	A	S	U	I	C	S	D	U	E	D	L	P	H
L	O	T	I	S	P	N	E	I	I	N	I	A	M	R
O	S	O	N	P	R	O	H	S	B	T	C	U	E	O
C	A	N	U	H	O	C	T	A	S	H	N	T	T	N
U	Y	C	N	U	C	N	T	B	N	I	I	U	N	O
J	G	E	I	S	A	I	A	K	N	D	O	M	O	U
J	O	I	N	T	L	Y	G	O	P	U	C	N	C	S

286

M	G	S	U	B	E	G	P	S	I	Q	W	F	I	K
N	J	T	Y	K	A	R	A	U	F	Q	E	O	K	I
U	U	O	G	L	T	W	Y	O	Q	U	E	S	R	U
E	A	T	O	E	L	B	M	I	N	V	O	T	G	N
C	T	E	L	Z	Z	O	N	X	L	L	R	C	N	E
I	S	U	O	I	R	O	T	O	N	K	U	C	I	X
N	U	T	R	I	T	I	O	N	I	L	P	E	H	F
A	S	A	U	A	R	I	A	R	G	S	S	C	T	A
R	E	I	E	R	U	T	A	N	H	O	E	O	O	R
C	U	N	N	L	I	N	O	R	T	H	E	R	N	M
O	S	C	U	O	T	N	Z	D	C	G	U	D	L	I
T	E	P	N	T	E	V	I	T	A	G	E	N	F	G
I	Q	A	T	W	P	I	I	M	P	E	F	D	D	Y
C	L	A	R	T	U	E	N	V	N	R	E	V	T	K
M	S	U	E	S	R	U	N	I	B	O	A	E	H	R

287

R	N	I	K	C	A	P	K	H	W	S	R	M	U	T
T	O	X	R	C	U	J	P	S	P	U	T	X	W	L
H	T	I	W	H	S	I	N	I	F	M	I	C	L	Q
R	U	E	D	A	M	S	T	U	O	T	U	C	B	R
O	O	L	E	A	V	E	P	Q	K	R	Q	D	Z	I
W	K	A	S	U	R	R	E	N	D	E	R	Q	H	J
O	L	V	E	A	R	E	S	I	G	N	B	S	N	A
V	A	T	R	D	T	J	I	L	T	O	A	O	D	Q
E	W	D	T	I	E	A	E	E	J	U	D	R	I	U
R	K	T	Z	S	K	C	O	R	M	N	V	T	T	E
L	T	A	G	C	L	K	I	Z	A	C	M	O	C	S
I	M	T	S	A	R	R	D	B	R	E	R	T	H	W
K	M	B	C	R	Q	E	A	T	O	A	K	T	W	T
S	Z	K	L	D	O	S	V	S	O	U	A	S	T	S
B	C	L	H	W	S	F	I	E	N	S	W	A	Y	K

288

S	N	L	E	R	P	H	E	L	L	I	S	H	J	V
U	U	U	W	S	A	I	L	U	F	E	T	A	H	X
S	U	O	I	X	O	N	B	O	Q	T	I	A	O	A
U	L	F	I	O	T	N	A	N	G	U	P	E	R	L
O	V	I	U	D	E	H	C	T	E	R	W	R	R	L
I	I	S	A	B	O	M	I	N	A	B	L	E	I	W
C	T	W	F	F	Q	A	P	Z	B	X	A	R	D	C
O	N	N	D	U	O	B	S	C	E	N	E	S	O	E
R	T	N	E	L	O	V	E	L	A	M	D	X	E	J
T	J	J	S	L	G	O	D	A	W	F	U	L	Q	Y
A	S	T	R	S	L	O	A	T	H	S	O	M	E	I
P	U	H	U	U	R	E	V	O	L	T	I	N	G	V
O	P	R	C	T	S	T	P	A	A	O	D	I	I	M
A	T	K	C	S	U	L	Q	E	P	L	O	L	V	U
A	X	V	A	N	A	B	H	O	R	R	E	N	T	L

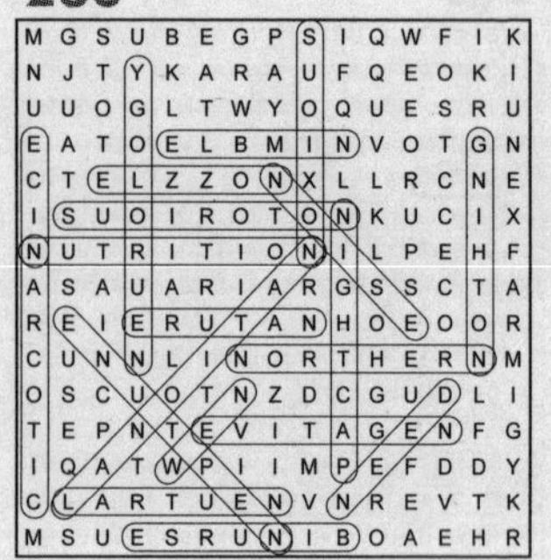

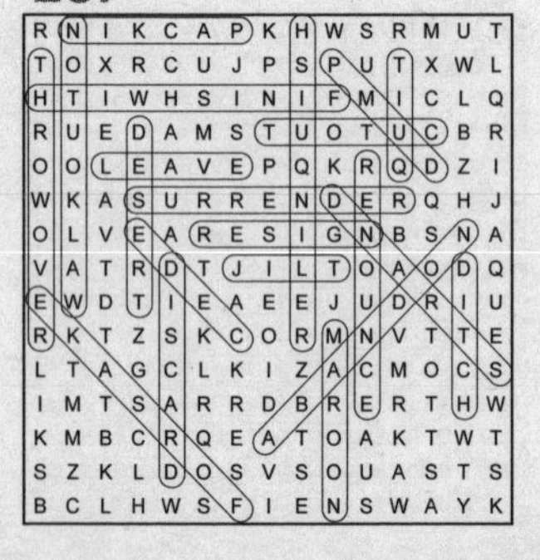

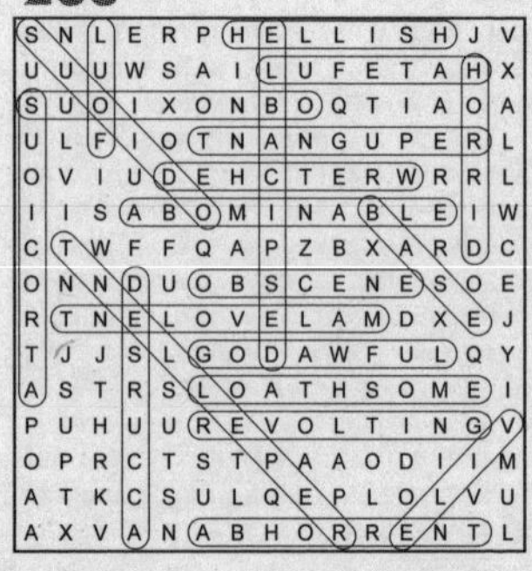

289

Q	A	N	L	A	L	O	D	N	O	G	B	F	C	Y
H	A	M	M	O	N	I	A	A	P	R	I	C	O	T
Y	D	N	G	T	S	E	D	U	O	L	H	E	N	O
V	L	C	O	C	S	Z	J	C	A	R	M	I	N	E
F	Z	O	E	S	V	R	T	S	U	A	H	X	E	V
S	B	R	I	S	T	L	E	S	M	O	R	M	C	S
L	N	R	V	P	E	R	F	O	R	M	A	I	T	W
D	L	E	I	R	S	P	I	B	R	G	J	U	N	D
E	T	C	N	O	S	R	O	L	I	A	B	E	A	I
A	H	T	T	V	S	O	N	C	U	B	L	P	I	A
C	V	I	A	I	H	B	A	P	L	K	R	R	R	R
G	A	P	G	S	O	L	V	E	N	T	R	U	A	X
L	T	H	E	O	R	E	M	I	E	S	Y	P	V	E
O	R	W	T	R	I	M	R	M	E	I	J	O	G	T
O	A	I	R	U	E	W	H	S	P	E	S	B	O	R

290

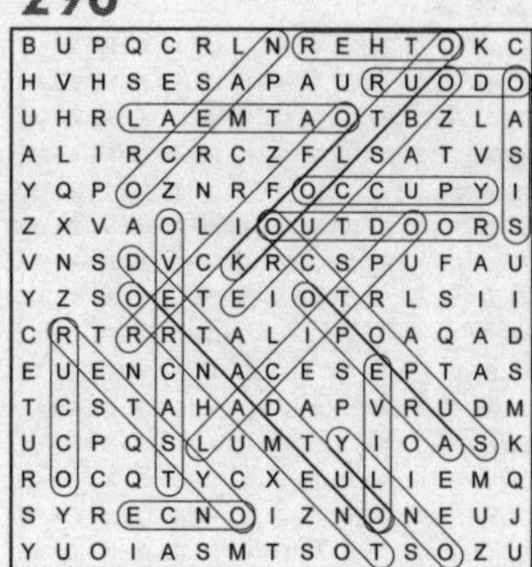

291

B	H	B	E	K	T	H	V	S	E	F	W	D	Y	N
A	E	O	F	R	A	X	O	T	N	O	R	F	P	U
H	A	I	N	H	E	C	A	N	D	I	D	A	J	E
L	R	G	B	O	F	C	E	J	E	S	E	I	N	M
U	T	T	J	R	U	M	N	I	Q	S	M	R	S	K
C	F	F	E	S	T	R	A	I	G	H	T	A	S	M
I	E	U	T	R	U	E	A	V	S	L	I	N	Z	C
T	L	E	A	B	O	V	E	B	O	A	R	D	C	Z
N	T	H	M	A	N	R	S	R	L	G	E	S	L	K
E	E	D	I	F	A	N	O	B	Q	E	H	Q	E	O
H	S	R	T	C	R	S	U	R	A	L	S	U	J	R
T	H	G	I	R	H	T	R	O	F	E	O	A	O	H
U	I	O	G	V	Z	T	I	F	T	F	K	R	F	W
A	U	N	E	P	O	G	E	N	U	I	N	E	U	Q
S	S	T	L	A	C	I	H	T	E	P	S	J	V	R

292

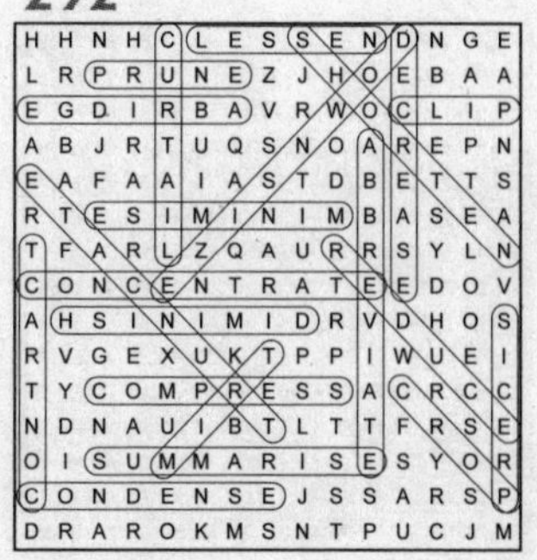

293

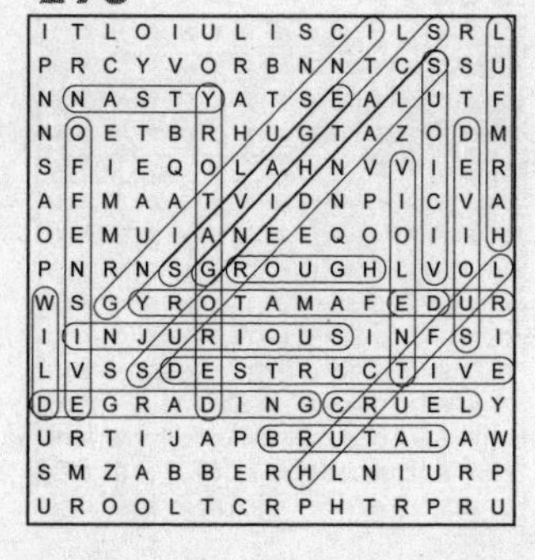

294

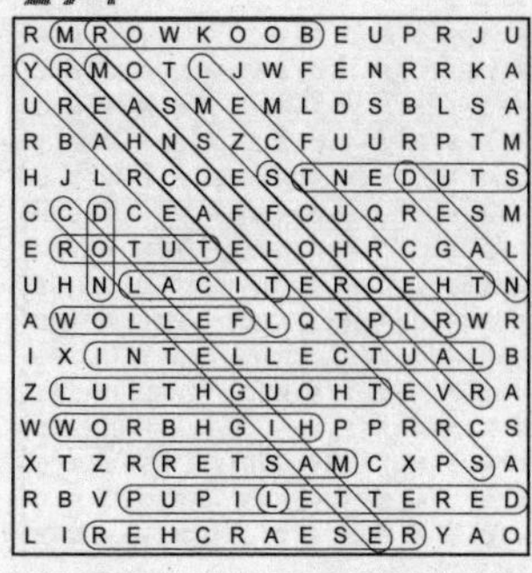

295

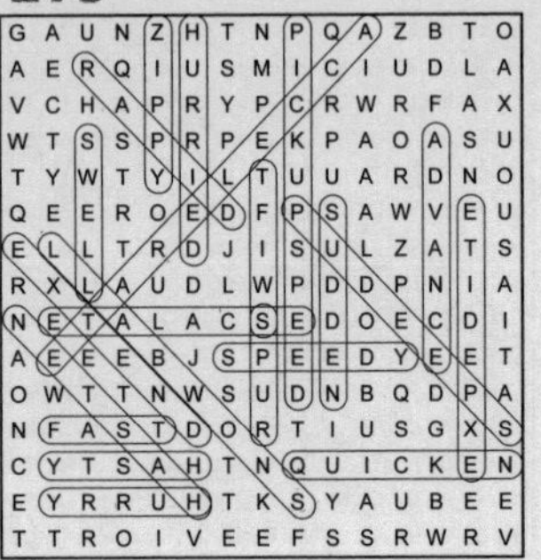

296

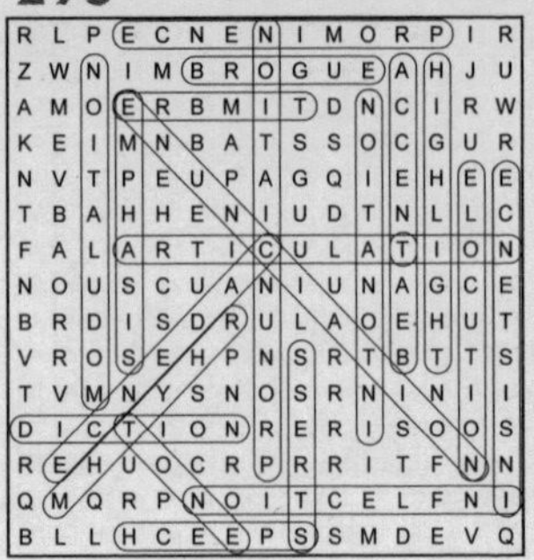

297

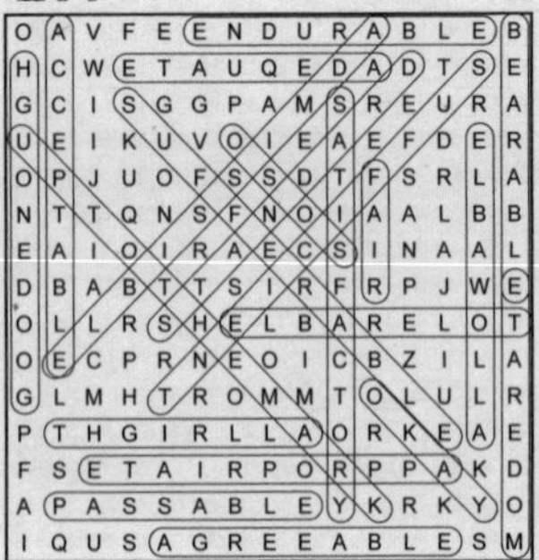

298

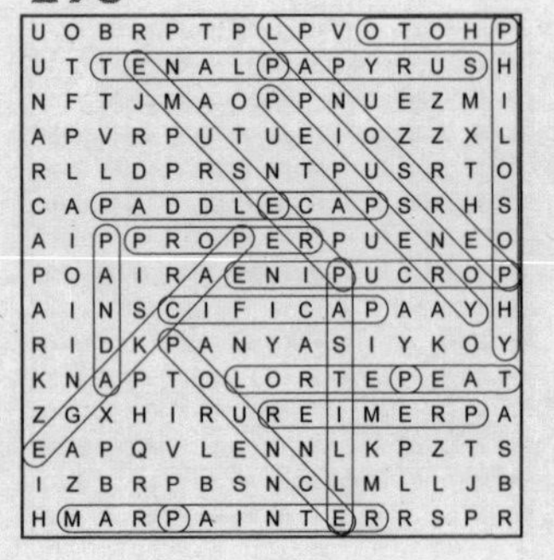

299

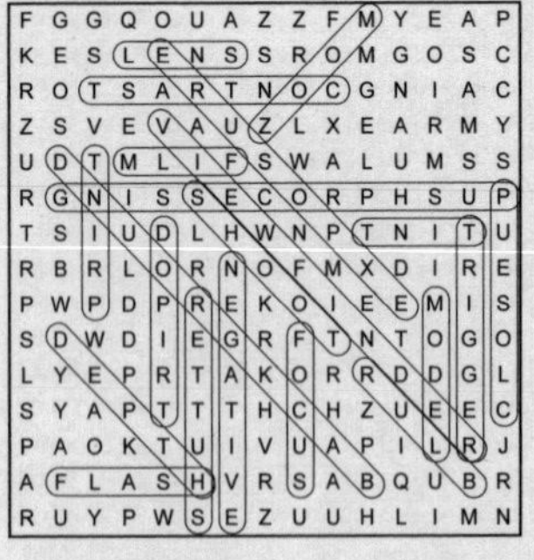

300

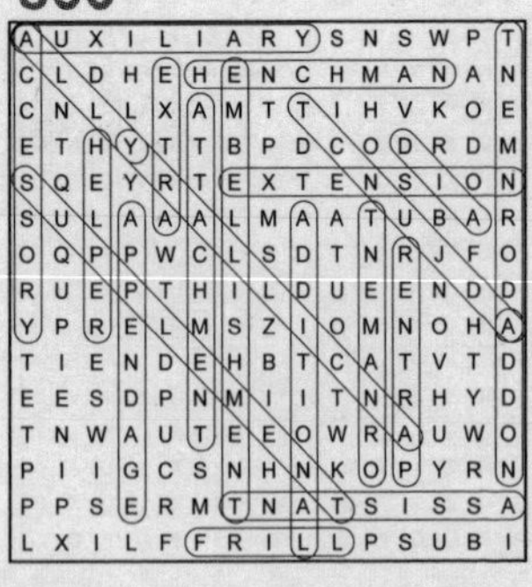

NOTES

NOTES